CW00430503

Marie Luise Kaschnitz, geboren am 31. Januar 1901 in Karlsruhe, starb am 10. Oktober 1974 in Rom.

»Mein Buch *Tage, Tage, Jahre* ist kein Tagebuch im Sinne von heute dies oder das getan, den oder jenen gesehen, dies oder das gelesen. Es ist vielmehr eine Aneinanderreihung von Gedanken, Eindrücken, Erinnerungen, auch Gedankenspielen, wie etwa das Fremdenführspiel, in dem ich meine Wohnung beschreibe, das Landkartenspiel, bei dem früher gesehene Orte lebendig werden, das Wie-wäre-es-wenn-Spiel, bei dem ich bestimmte mögliche Situationen ausmale. Das Eingangsthema, eine eingebildete Kündigung, wird nicht bis zum Schluß durchgeführt, was mir da dazwischen kam, war das Leben selbst, neue Eindrücke, neue Fragen, auch neue Formprobleme, eine große Reise, kleinere Reisen, vor allem eine ganz unwillkürliche Entfernung vom Persönlichen, also auch von der Wichtigkeit der persönlichen Umwelt, deren schrittweise aber unaufhaltsame Veränderung zuerst beklagt, später als notwendig hingenommen und fast bejaht wird. In Frankfurt, in meiner südbadischen Heimat und in Rom sind die Aufzeichnungen niedergeschrieben. Viele andere, auch traumhafte Orte werden geschildert und Zeiterscheinungen kritisch ins Auge gefaßt.«

*Marie Luise Kaschnitz*

»Das ist viel mehr als nur das Sammeln von Augenblickseindrücken, und wenn der Augenblick überhaupt eine Funktion hat, dann die, verbunden zu werden mit einer langen Vergangenheit, aus einer Isolierung befreit zu werden und die Einheit eines ganzen Lebens deutlich zu machen.«

*Münchner Merkur*

insel taschenbuch 1453
Kaschnitz
Tage, Tage, Jahre

# Marie Luise Kaschnitz
# Tage, Tage, Jahre

Aufzeichnungen

Insel Verlag

Umschlagabbildung:
Karl Schmidt-Rottluff. Die Lesende. 1911 (Ausschnitt)
© VG Bild-Kunst, Bonn, 1992

insel taschenbuch 1453
Erste Auflage 1992
Insel Verlag Frankfurt am Main
und Leipzig 1992
© Insel Verlag Frankfurt am Main 1968
Alle Rechte vorbehalten
Vertrieb durch den Suhrkamp Taschenbuch Verlag
Umschlag nach Entwürfen von Willy Fleckhaus
Druck: Nomos Verlagsgesellschaft, Baden-Baden
Printed in Germany

1  2  3  4  5  6 – 97  96  95  94  93  92

# Tage, Tage, Jahre

Eben, um zehn Minuten nach acht Uhr abends habe ich die Zeitung weggelegt, es war da auf der dritten Seite von einem Pilzhaus die Rede, keine international wichtige, vielmehr eine städtische Angelegenheit, aber für mich wichtig, ein Stoß, der vieles in Bewegung brachte, eine Warnung, ein Signal. Das Pilzhaus sollte vierzig Stockwerke hoch werden, es sollte in der Nähe meiner Wohnung stehen. Ich konnte mir unter einem Pilzhaus nichts vorstellen, es gibt so viele verschiedene Arten von Pilzen, Lamellenpilze und Röhrenpilze, solche die einen Hut oder gar einen Schirm bilden und andere, die sich nach oben öffnen, eine Trompete, eine Totentrompete, oder die alten Pfifferlinge mit ihrem von Tannennadeln bedeckten verfaulten Dach. Ich sah also alle diese Pilze, aber auch schon Häuser, die unten schmal waren, auf Stelzfüßen standen und sich oben verdickten, einen Hut ansetzten, der auf alle umliegenden Gebäude einen mächtigen Schatten warf. Daß diese Bauweise raumsparend ist, leuchtete mir ein, es würde auch anderen einleuchten, Personen, die etwas zu sagen hatten, schon sah ich die Pilzhäuser aus der Erde schießen, auf freien Plätzen, aber auch anstelle von Gebäuden, die bereits standen und zu diesem Zweck abgerissen werden mußten, wie in unserer Gegend schon viele Wohnhäuser abgerissen und durch Bürobauten ersetzt worden sind. So daß wir umgeben sind von lauter derartigen Büropalästen, in denen am Morgen um acht Uhr auf einen Schlag alle Fenster hell und am Winternachmittag um fünf Uhr alle Fenster dunkel werden, während es bei uns im Haus noch Abwechslung gibt, Frühaufsteher und Spätschlafengeher und sogar Fenster, die die ganze Nacht hell bleiben, man weiß nicht aus welchem Grund. Was aber nun ohne Zweifel auch nicht mehr lange der Fall sein wird, da immer mehr Banken und Versicherungsgesellschaften zu Geld kommen und sich ausdehnen müssen. Das Pilzhaus wird Schule machen, keine Versicherungsgesellschaft ohne Pilzhaus, schon höre ich die Äxte an den wenigen noch übrig gebliebenen alten Bäumen und den Rammbock an der Flanke unseres Hauses, das Todesurteil ist ausgesprochen, ich selbst habe es ausgesprochen, habe die Kündigung geschrieben, wahrscheinlich will ich es so haben, will obdachlos sein, will wandern, welcher Gedanke mich doch aufs Äußerste erschreckt.

23. Februar

Heute nichts mehr vom Pilzhaus, sondern eine Erinnerung, drei kleine Mädchen mit Schnürstiefeln und langen Haaren, Haaren, die ihnen offen bis in die Kniekehlen hängen. Wohin unterwegs, durch das Schilf, eines hinter dem anderen, im sogenannten Gänsemarsch, auf die Anlegestelle der Fähre zu. Die Gesichter sind nicht genau wahrzunehmen, bekannt nur von Photographien, zwei sind hell, eines dunkel, zwei, aber nicht dieselben sind schmal, eines rundlich-rosig, allen stehen die Brauen dick, bürstenartig über den Augen, mit einer Neigung, in der Mitte zusammenzuwachsen, was im Volksmund auf Selbstmord weist. Aber keines der drei kleinen Mädchen wird sich später umbringen, zwei von ihnen werden, nicht alt, an dem Familienübel Krebs sterben, das dritte lebt noch, sitzt hier im Zimmer, döst und träumt, steht zugleich aber auch mit den Schwestern am Ufer des Jungfernsees und öffnet die Faust, in der das Fährgeld liegt. Keine Rede, sagt der Fährmann, der ein von schwarzen Haaren zugewachsenes Gesicht hat, und schon verwandeln sich die Mädchen in

6

weiße Aale, die sich hurtig hinschlängeln über den ebenfalls weißen Sand. Das haben sie natürlich nicht getan und der Fährmann hat dergleichen auch nicht gefordert, er hat sie nacheinander in den Kahn gehoben und dazu gemurmelt, Ihr kommt nicht wieder, was ebenfalls nicht der Wahrheit entspricht. Denn der Wald jenseits des Sees war kein Totenreich, nur fremd und verlockend, mit Lachtauben, Maiglöckchen und Aronstab und die Mädchen werden noch lange leben, wenigstens vergleichsweise lang. Sie werden weit reisen, Liebesverhältnisse haben, Ehen führen, Kinder aufziehen, was aber jetzt in meinen Gedanken alles ausgelöscht wird, da fahren sie, klein noch immer, von Ufer zu Ufer, ziehen ihre Hände durchs Wasser und spiegeln ihre Gesichter, werden aus dem Boot gehoben, und verlieren sich im Wald, verlieren sich, verirren sich, schlafen eng beieinander in einer Senke mit frischem grünem Gras. Tau fällt auf sie, Tau von vielen Nächten, Schnee von vielen Wintern, Laub von Jahrzehnten, Laub auf die feinen Skelette, die Schilfbüschelkränze, und die Lachtauben gurren.

24. Februar

Drei kleine Mädchen und heute wieder etwas anderes, Stichwort Bremen, was denn, der Roland von Bremen, die Schaffermahlzeit, Handel und Wandel, keine Spur davon, wahrscheinlich ist, ohne daß ich es wahrgenommen habe, ein Flugzeug übers Haus geflogen, viel zu tief, so und so viele Phon, nicht mehr zumutbar. Aber ich bin ja gar nicht aufgefahren, nur meinen Gedanken hat das Geräusch eine andere Richtung gegeben, hin zu einem Ereignis, das nun schon lang vergangen, aber noch keineswegs aufgeklärt ist. Und warum habe ich immer schon in Flugzeugen diese Angst gehabt, es könne einer der Fahrgäste wahnsinnig werden und aufspringen und um sich schießen, als wenn nicht auch auf der Straße ein Mensch wahnsinnig werden und um sich schießen könnte. Von einer Pistole war ja auch gar nicht die Rede, nur von einer Zange, und was tut ein Fahrgast mit einer Zange. Ihre Sorgen möchte ich haben, oder waren etwa Angehörige von Ihnen im Flugzeug, dann entschuldigen Sie. Es waren keine Angehörigen von mir im Flugzeug, auch keine Freunde, aber meine Sorgen möchten Sie nicht haben, ich kümmere mich um viele Dinge, die mich nichts angehen, das belastet mich sehr. Ich möchte zum Beispiel wissen, ob in der Kabine jemand geschrien hat und ob auf diesen Schrei hin der Copilot die Führerkanzel verlassen hat, was er, besonders während einer Landung, nicht darf. Ferner, wer den Funkspruch gesendet hat, Landelichteranlage defekt oder so ähnlich, woraufhin erst das schwierige, einen Copiloten unbedingt erfordernde Durchstarten erfolgte. Zwei Männer, die im Mittelgang stehen und miteinander um eine Zange ringen, was an der eventuellen Verkrampfung der toten, nun wohl schon ihres Fleisches entkleideten Finger festzustellen wäre, aber nicht festgestellt worden ist. Oder der Copilot kommt ganz ruhig in den Passagierraum und fragt höflich, ob vielleicht jemand eine Zange bei sich habe, und tatsächlich, ein Passagier ist so freundlich, er hat ein ganzes Köfferchen voll Handwerkszeug und öffnet es gefällig. Später liegen die Überreste seines Körpers über (oder unter) den Überresten des Körpers des Copiloten, eine Umarmung im Tode, ein Rätsel aus Knochen, mit noch etwas Fleisch und Stoff daran. Was denn auch das eigentlich Furchterregende am Fliegen ist, jeder Absturz ein Rätsel, und wieviel Zeit haben damals, über Bremen, die Passagiere gehabt, um sich auf den Tod vorzubereiten, und haben sie überhaupt etwas anderes gedacht, als, nein, nein, nein.

*25. Februar*

Eben, als ich das gestern Geschriebene durchlas, fiel mir ein, daß die ersten Flugzeugtypen Vogelnamen bekamen, Rumpler-Taube, Fieseler-Storch undsoweiter. Ach zu des Geistes Flügeln wird so leicht kein körperlicher Flügel sich gesellen, aber er hat sich gesellt, schon als ich noch im Sandhaufen spielte, während die Vögel immer weniger werden, weil die Insekten weniger werden, silent spring, und die Forscherin, die das Gespenst des toten Frühlings mit all seinen Gefahren an die Wand malte, wurde ihrerseits vom Krebs aufgefressen. Aber daran denke ich ja garnicht, jetzt nicht. Ich denke an wirkliche Vögel, die ich allerdings meiner Kurzsichtigkeit wegen fast nie erkennen kann, nur die großen Schwärme der Zugvogelzeit, die allerdings. Nur daß ich jetzt auch an diese nicht denke und auch nicht an Ostpreußen, die Pregelniederung noch schneefleckig, aber kein Eis mehr und so viele schreiende eilende Vögel in der Luft. Vielmehr an Vögel als Feinde der Flugzeuge, von denen sie weggescheucht werden müssen mit künstlichen Warnrufen, an Vögel, die in die Leichen der Soldaten im Niemandsland ihre Schnäbel treiben, an etwas, was es auch gibt, wovon ich aber erst vor kurzem erfahren habe: die Glocke, eine Glocke aus vielen schreienden Vögeln gebildet, eine schwirrende, zuckende Glocke, die sich über einen Angreifer, etwa einen Reiher, stülpt und diesen Reiher langsam, langsam zu Boden drückt, oder ins Wasser, bis er ertrinkt. Die vielen gegen den einen, und keine sentimentalen Regungen, das struppige Vogelvolk und der edle einsame Kronenreiher. Nur ein Erstaunen über die

Macht der vielen, und wie sie sich wohl verständigen, und wer sie das gelehrt hat, eine Glocke zu bilden. Die sehe ich jetzt vor mir, ein kleines Flügel- und Beine-Gestrüpp, das sich senkt und wieder hebt und den ertrunkenen Reiher, den der Fluß mitführt, jetzt doch der Pregel, schon nahe an der Mündung, obwohl ich so etwas dort niemals sah.

26. Februar

Mene tekel upharsim – eine der erregendsten Geschichten aus dem Alten Testament, eine, die mir eben einfiel, wenn auch nur fragmentarisch, wie man als Nicht-Bibelleser das Alte Testament in Erinnerung hat. Daniel, der mit drei Gefährten als Gefangener, aber doch auch als eine Art von Page am Hof des Königs Nebukadnezar erzogen wurde, mit bestem Erfolg, wie man hört, und am Ende so gescheit, daß er dem König einen Traum deuten konnte, den dieser noch dazu vergessen hatte. Einen Zeitaltertraum, in dem Metalle eine Rolle spielen, ein schreckliches Bild aus Gold und Silber und Erz, aus Eisen und Ton, und ohne daß eine Hand sich zeigte, wurde ein Stein vom Himmel herabgerissen, der zermalmte das Bild zu Streu, die davonstob und der Stein erfüllte die Welt. In der Deutung des jungen Daniel ist das Bild des Königs Haupt, der Stein das Königreich Gottes, das ewig bleibt. Der König Nebukadnezar ist, obwohl er doch zermalmt werden soll, mit Daniel zufrieden, belohnt ihn und behält ihn am Hofe, die Prophezeihung beeindruckt ihn nicht allzu sehr. Schon bald darauf stellt er ein „gülden Bild" auf, das alle Leute anbeten sollen, wer es nicht tut, kommt in den Feuerofen. Daniels Gefährten, die mit ihm am Hof erzogen worden sind, tun es nicht und kommen in den Feuerofen, der auch noch siebenmal stärker geheizt wird als für gewöhnlich, aber am Ende spazieren zwischen den Flammen vier Männer herum und singen, vier Männer, von denen einer schön wie ein Engel oder wie es heißt, ein Sohn der Götter ist. Wieder belohnt und erhöht der König seine Gefangenen und wieder überkommt ihn der Machtrausch. Er hat einen Traum, den Daniel ihm wieder deuten muß, in dem Traum ist der König ein großer schattenspendender und fruchttragender Baum, der gefällt wird, er ist auch ein Mensch, der in eisernen Ketten auf dem Gras umhergeht, der Gras frißt, naß wird, vegetiert wie ein Vieh, mit einem viehischen Herzen in der Brust. Der Traum ist eine Warnung, auf die Nebukadnezar aber nicht hören will und Daniel erzählt, wie dann wirklich alles kommt, wie der König wirklich, abgesetzt und verstoßen, Gras frißt wie ein Ochse, wie ihm Haare wie Adlerfedern und Nägel wie Vogelklauen wachsen. Darüber kommt er zur Vernunft und lobt Gott, aber sein Sohn Belsazar hat, als es an ihm ist zu regieren, den grasfressenden viehischen Vater längst vergessen. Eines Tages veranstaltet er ein Gastmahl, er läßt dazu gewisse aus dem Tempel in Jerusalem geraubte heilige Gefäße holen und aus den Gefäßen seine Kebsweiber trinken. Daniel ist längst nicht mehr der Hofweise oder Hofnarr, aber die Königin erinnert sich seiner, als die gräßliche Geisterhand erscheint und an die Wand des Festsaales Unverständliches schreibt. Er wird gerufen und deutet: Gott hat Belsazar gewogen und zu leicht befunden, die Meder und die Perser werden kommen – sie kommen auch, aber da ist der König schon tot, von seinen eigenen Leuten umgebracht. Das alles fiel mir eben ein, und die Worte aus der Ballade „in derselbigen Nacht" und Daniel, der, weil er zu seinem Gott betet, in die Löwengrube geworfen wurde, das kindliche Bild, wie der Engel, während

der König mit schlechtem Gewissen um die Grube herum-
schleicht, den Löwen die Mäuler zuhält, und die gar nicht
kindlichen Bilder, die Daniel in seinen späteren Träumen
erscheinen. Ein Tier wie ein Löwe, mit Adlerflügeln, die
ihm ausgerissen werden, so daß er dasteht wie ein Mensch
mit dem Herzen eines Menschen. Ein Tier wie ein Bär mit
drei langen Zähnen, der viel Fleisch frißt. Ein Tier wie
ein Leopard mit vier Köpfen und vier Flügeln in großer
Gewalt. Ein Tier mit eisernen Zähnen und sechs Hörnern,
zwischen ihnen ein kleines mit Menschenaugen und einer
Menschenstimme. Was die redete, weiß ich nicht mehr, nur
daß dann auf einem Stuhl mit Feuerrädern ein kleiner,
schneeweiß gekleideter Alter Gericht hielt und schließlich
einem, der „wie des Menschen Sohn" aus den Wolken
kam, Herrschaft und Gewalt übergab. Zukunftsträume,
apokalyptische Geschichten, deren es bei Daniel noch viele
gibt, aber die sind mir entfallen. Nur eines erinnere ich
noch, vier Winde, die miteinander streiten, vier Tiere, vier
Reiche und die Zeitangaben sind rätselhaft, eine Zeit, und
Zeiten und eine halbe Zeit.

*27. Februar*

Gigantenzähne, ein Horn mit Augen, ein giftgrünes Horn
und wollte ich euch, Kinder, nicht einen Brief schreiben
und mir das alles noch einmal ins Gedächtnis zurückrufen,
diese sommerlaue Fastnachtszeit auf dem Dorfe und Eure
schauerlichen Masken, giftgrün, leichenfarben, gummiglatt
euch über die rosigen Gesichter gezogen, und wie dir,
Ameleya (die Geschichte lasen wir am Abend, aber du
wolltest so nicht genannt werden), wie dir abwechselnd
der Mut sank und wuchs. So, daß du dich im Badezimmer
einschlossest aus Angst vor den »Hexen«, mit denen aber

im Dorf jeder Verkleidete gemeint ist, oder dich, in der Maske und schlottrig langem Gewand hinauswagtest, die Worte „eine Hexe tut der andern nichts", vor dich hinmurmeltest wie einen Zauberspruch, und auch gleich, von deiner Kühnheit berauscht, mit dem Stock einschlugst auf viel größere Kinder, die zur Schluckimpfung im Schulhaus gesittet unterwegs, nur lachten und sich nicht wehrten. Wie entzückt du den Brüdern nachschautest, die auf einem Lastwagen durchs Dorf fuhren, mit Blechmusik auf dem Lastwagen, Cowboys, die, päng, päng, wild herumschossen und dir keine Beachtung schenkten. Wie die kleinen schaurigen Masken, Wasserleichen, Totenköpfe, Froschmäuler einander schüchtern und zart Bonbons anboten, ich bin nicht ich und du bist nicht du, aber Versöhnung tut not, auch auf dem Blocksberg, und wenn man nur einen Zahn hat, der einem riesig und quittengelb aus dem Maskenmaul ragt. Bist du es, ja ich bin es, und wer das Bonbon ißt, kann sicher sein, daß er nicht ewig verwandelt bleibt, daß er am Abend, mit Fettkreme gesäubert, in seinem eigenen Bett liegen darf und nicht etwa weiterwandern muß, schieläugig, einzähnig und am Ende zuhause nicht mehr eingelassen wird oder sein Zuhause nicht mehr findet, da war es doch, nein, dort drüben, es ist nicht mehr da. Wie bekannt mir das war, die Lust an der Verwandlung und die Angst vor der Verwandlung, vor dem Hexensabbath der von mir erfundenen Gestalten, die ja alle auch eine Angst haben oder einen Spleen, einen Hexenzahn oder eine Hexenkralle, sonst hätte ich sie nicht aufgeschrieben und handeln und reden lassen. Vielleicht, daß sie dadurch erlöst werden, aber man schleppt ihn doch mit sich, den Koffer voll Schluderzeug, und da kommt kein Aschermittwoch, an dem sie brav und müde wieder in die Schule gehen. Ihr gingt in die Schule brav und müde, und ich reiste ab, mit der Erinnerung an Eure Maskengesichter, eure wilde Indianerschminke und rabenschwarzen Mähnen, an die ich doch jetzt gar nicht denke, vielmehr denke ich an eure sauberen Gutenachtkußwangen, eure feste reine Haut. Weil mir das jetzt schon etwas bedeutet, der Kindergeruch, das Nochnichtlangamlebensein, ein Entzücken und eine Trauer, weil auch ihr euch verwandelt und eines Tages nicht mehr zurückverwandelt, und sucht das Zuhause, hier war es doch, nein dort drüben, es ist nicht mehr da.

*28. Februar*

Das war die ländliche Fastnacht, und was mir zu ihr eingefallen ist, wenn auch längst nicht alles, aber ich kann mich nicht länger aufhalten, denn inzwischen habe ich ein Geräusch gehört. Ein Klopfgeräusch aus einer der vielen Wohnungen dieses Hauses, das so hellhörig ist, oder auch eines von draußen, ein Baugeräusch, Abbaugeräusch, was war doch, etwas war, sie werden unser Haus abreißen, um ein Pilzhaus aufzustellen, zu welchen Zwecken das Pilzhaus dienen soll, weiß ich nicht. Von dem Plan bin ich ausgegangen, das steht uns bevor, mir und allen Einwohnern dieses Hauses, wenn auch noch nicht unmittelbar. Zuerst werden die kleineren Häuser abgerissen, die gegenüber und die weiter gegen den Park hin, es sind dort in einigen Stockwerken bereits die Rolläden heruntergelassen, die Wohnungen werden trotz aller Wohnungsnot nicht mehr vermietet, die nötigen Reparaturen werden nicht mehr ausgeführt. Wir, die Anwohner dieser Straße, haben das schon oft erlebt, zuerst die Vernachlässigung, dann die fehlenden Fenstergardinen, hier und dort eine zerbrochene Scheibe, dann der Bauzaun, die Krane, das

Gepolter heruntergerissener Steine, und Lastwagen fahren hin und her. An Widerstand, aktiven oder passiven, ist dabei nicht zu denken, für solche Fälle gibt es die Zwangsräumung, da erscheinen die Möbelpacker von Polizisten begleitet, wer randaliert, kommt auf die Wache, wer dort weiter randaliert, in die Glocke. Sie haben davon gehört. Ein verrückter Name, da klingt doch nichts und schwingt doch nichts, um einen kleinen rechteckigen Raum handelt es sich, nackte Betonwände, ein Brett zum Schlafen, nackter Häftling, alle gegen einen, wer hätte dazu Lust. Ich ganz gewiß nicht, ich bin feige, obwohl ich an diesem Mietshaus hänge, an den Pappeln in der Häuserlücke gegenüber, an den alten Kastanien am Ende der Straße, an der großen Parkwiese, die natürlich auch zugebaut werden wird. Ich weiß schon, daß man jedem Einwand gegen die Errichtung von Pilzhäusern mit dem Wort höhere Gewalt begegnet, es gibt eine höhere Gewalt des Krieges, die kennen wir zur Genüge, aber auch eine des Friedens, es ist die Gewalt der Zukunft, der ich jetzt nachsinne oder zu der ich hinsinne, unsere Gegend ein Rechenzentrum, Denk- und Zählmaschinen in jedem Hochhaus, nachts ein steinerner Tod. Und wohin geht das, was sich zum Beispiel bei mir hinter den Tapeten abgesetzt hat, was unter der Decke schwebt, die gesprochenen Worte, die gedachten Gedanken, die gefühlten Ängste, die geliebte Liebe, alles aus fünfundzwanzig Jahren. Ja, so lange wohnen wir schon in dem großen Mietshaus, einem Block, könnte man sagen, nichts aus der alten Bürgerzeit, überhaupt nichts Besonderes, aber ich bin nicht die einzige, die an dem Haus hängt. Hier möchten wir sterben, habe ich schon mehrere Insassen der rund 60 Wohnungen sagen hören, unverständlich, in so einem Kasten, alles kleinbürgerlich, besonders die Wandbekleidung der Treppen-

häuser, sechs Haustüren, sechs Treppenhäuser, hier wollen
wir sterben. Ihr werdet lachen, das Haus kommt zuerst
daran, es stirbt euch unter den Händen, unter dem Staub-
sauger, den Betten, die stehen schon auf Luft.

<br>

*1. März*

Die zuletzt geschriebenen Bemerkungen sind kindisch,
eine verkappte Klage, während man sich doch frei machen
sollte, welch eine Gelegenheit, den Erinnerungsballast loszuwerden, Erinnerungen auch an den Krieg, der übrigens
an unserem Haus vorbei gegangen ist, ihm war ein anderes
Ende bestimmt. Die jüngeren Einwohner ziehen wahrscheinlich gern an den Stadtrand oder noch weiter hinaus,
die Älteren zu Verwandten oder in sogenannte „Heime“,
wo sie vielleicht kein eigenes Zimmer bekommen, aber doch
ein Bett allein, und ob das nicht besser ist als durch den
Dschungel gejagt zu werden von Truppen, die hin- und
herziehen, man hat das auf dem Bildschirm gesehen. Man
sieht manches auf dem Bildschirm, das einem den Frieden
rauben könnte, wenn man sich nicht schützte, solche Sachen
gibt es eben, irgendwo auf der Welt ist immer Krieg, und
haben wir selbst nicht schon einiges mitgemacht. Die alte
Frau, die da mit einer Traube von skelettartigen Enkel-
kindern behängt, durch den Sumpf watete, ist gewiß
längst in Sicherheit, aber so wahrscheinlich ist das gar nicht,
wahrscheinlich hat sie eines der Kinder nach dem andern,
die ganze Traube sterben und kleinweis fallen lassen müssen, und ist schließlich allein weitergewandert, hat längst
nicht mehr unterschieden zwischen Freunden und Feinden,
nur zwischen Soldaten, die eine Brotkruste geben, und
Soldaten, die schießen, und war schon krank zum Sterben,
starb aber nicht. Wanderte über die Leinwand einer

bundesdeutschen Wohnstube mit Fernsehsessel, Fernseh-
pantoffeln, Fernsehlämpchen, furchtbar immer dieses Vietnam, aber es lohnt nicht abzudrehen, man kann ja die Augen zumachen, immer und überall kann man das. Auch
vor der Tatsache, daß es auf den Ort, an dem man lebt,
nicht ankommt, vielmehr auf einen, den ich als „inneren"
nur ungern bezeichne. Denn er besteht ja aus Innen und
Außen, aus Vergangenheit und Gegenwart, so daß man
zugleich überall ist, in Frankfurt, in Hamburg, in Vietnam
und in der Mondkapsel, und in seinen eigenen zwanzig
Jahren und in seiner Kindheit auch. Und das nicht nur
jetzt, aber jetzt besonders, im Zeitalter des Bildes, der Allgegenwart aller Ereignisse und Dinge, der freiwilligen
oder unfreiwilligen Partizipation.


*3. März*

Seltsam, zu denken, und tatsächlich habe ich schon lange
nicht mehr daran gedacht, nämlich daran, daß ich in dieser
Stadt, die ich über kurz oder lang verlassen muß, schon
einmal zu drei Vierteln tot war, oder zu sieben Achteln,
das ist eine medizinische Frage, die sich nicht mehr klären
läßt. Ich wohnte damals nicht hier, war nur zu Besuch in
einem Haus mit großen weißen Porzellanschwänen, bei
einem Ehepaar, das sich liebte und stritt, das stimmte mich
traurig, ich war zu jung, um die Abgründe ehelicher Beziehungen zu übersehen. Ich entfloh so oft ich konnte, einmal holte mich eine junge Malerin in ihr Atelier, ich
kannte sie wenig, sie war vor kurzem bei uns auf dem
Land gewesen, hatte mit meinem Vater in der Mittagshitze
auf der Heuschreckenwiese gelegen und sich von ihm mit
einem Grashalm im Nacken kitzeln lassen, vielleicht liebte
sie ihn, wie so viele Mädchen, insgeheim. Das Atelier be-

fand sich in einem Atelierhaus, die Malerin wohnte nicht dort, sondern bei ihren Eltern, niemand konnte dort wohnen, es waren lauter Arbeitsräume, die an jedem Samstag verlassen waren, das ganze Gebäude leer und still. Leer und still und kalt und die Malerin mußte den Gasofen anzünden, der mit allen Flammen hell brannte, bis zuletzt hell brannte, daran erinnere ich mich genau. Ich erinnere mich auch, daß wir die Bilder ansahen, gute Arbeiten, nichts Aufregendes, der Stachel fehlte, der Stachel im Fleisch. Aber ich konnte nichts sagen, ich bewunderte, daß jemand überhaupt arbeitete, etwas versuchte, immer Neues versuchte, in mir steckte der Stachel, aber mich zu äußern, wagte ich noch nicht. Wir saßen am Gaskamin, und redeten, plötzlich fing ich an zu weinen, laut und verzweifelt und umklammerte dabei mit beiden Händen meine Knie. Warum weine ich, warum nur, was ist geschehen, dachte ich und fiel in ein Loch, lag auf dem Fußboden am Fenster, ein längliches Rechteck grauen Himmels über mir. Ich wurde auf einen Stuhl gehoben, sträubte mich zornig; ich wollte liegen und lag wieder, die Anziehungskraft der Erde war ungeheuer, vielleicht auch die Anziehungskraft des Todes. Den Männern in grauen Uniformen sah ich an den Beinen hinauf, sie waren riesig, ihr Hiersein unverständlich, mein Hiersein ein Nirgendssein, ein durchaus nicht qualvoller Traum. Schließlich hielt ich mich auf dem Stuhl, dann auf den Beinen, die Verwandten, die Besitzer der weißen Schwäne, kamen die Treppe herauf, die Malerin hatte ich vergessen und fragte nicht nach ihr. Die Rettungswache war von einer Putzfrau alarmiert worden, die in dem Gebäude ihre vergessene Schürze geholt und ein Stöhnen gehört hatte, mein Stöhnen, wie es hieß, die Malerin war still gewesen, ich hatte mich gewehrt. Eine vergessene Schürze, ein reiner Zufall, wie lange wäre ich jetzt schon tot, bald fünfzig Jahre, und die Gasflammen hatten, als die Putzfrau hereinkam, noch alle gebrannt.

5. März

Ich habe in den letzten Tagen mehrere Briefe geschrieben, habe aber meine Beunruhigung durch das Pilzhaus in keinem erwähnt. Ich weiß schon, daß niemand mich verstehen würde, ich bin oft genug gefragt worden, warum ich diese häßliche Stadt nicht verlasse, um wie die meisten anderen Schriftsteller in ein hübsches Landhaus zu ziehen, an einem See in Oberbayern oder an das südliche Meer. Auf diese Frage weiß ich nicht recht zu antworten, ich gewöhne mich hier nicht ein, vielleicht gerade deswegen, die Stadt ist nicht schön, vielleicht deswegen, das Sichnichtzuhausefühlen als eine uns gemäße Verfassung, man schüttelt den Kopf und versteht mich nicht. Sie haben, fragt man, die Stadt wohl schon früher gekannt, die alte Kaiserkrönungsstadt, die alte Bürgerstadt, die Fachwerkhäuser und schönen Plätze, die vornehmen Museumskonzerte, die eleganten Leute im Opernfoyer, und es ist wahr, ich habe das alles gekannt, wenn auch nur flüchtig, gekannt und vergessen, während mir eine andere Stadt deutlich vor Augen steht.

Die Trümmerbraut, Haare aus Rauchfetzen, Atem aus Brandgeruch, Tod und Verwilderung, Einbruch der Urwälder, der Urtriebe, Vorwarnung, Warnung, Entwarnung, Detonation. Lautloses Gestammel im Keller, der Schutzraum hieß, vorbei, bitte auf uns nicht, und Geräusch, Kratzgeräusch der Besen, die Glassplitter zusammenfegen, dann die erste Nacht ohne Verdunkelung, was für ein Frühling, der erste nach dem Krieg. Dann ruhige Nächte, aber Kälte, Armut und Hunger, Buschwindröschen, Akazienschößlinge auf Trümmerbergen, Abendlicht auf nackten

Ziegelmauern, Amerikaner, die zu Besuch kommen, rauchen, rauchen, in den Aschbecher lange Kippen, die in der Nacht noch ausgeschlachtet werden. Rollwagenfahrten vor die Tore, zwei Rüben, zehn Falläpfel, am Bahndamm ein Nest Hallimasche, in der Kneipe ein Heißgetränk, ein markenfreies Stück Brot. Fast unmerklicher Wiederanfang, ein Dachstock gerichtet, ein Beet mit Blumen bepflanzt. Fragt man mich wirklich, warum ich an dieser Stadt hänge, der Trümmerbraut, jetzt eine fette Madam, die mit Brillantringen an der Kasse sitzt und die Kasse klingeln läßt, die aber einmal anders war, jung, zigeunerisch wild und Träume hatte, Todesträume und Lebensträume, die rannte und schleppte und Schlange stand, nichts mehr wußte von Kaiserkrönung und von der hier aufgewachsenen Exzellenz. Es konnte noch alles aus ihr werden, aus uns werden, und was, bitte, ist aus ihr, aus uns geworden. Aber für mich ist das alles eben noch sichtbar, ich kann es nicht vergessen, ich vergesse es nicht. Und wahrscheinlich ist es das, was mich hier zurückhält und warum ich nicht in meine Heimat ziehe oder nach Italien oder an einen oberbayrischen See.

*6. März*

Gestern abend bin ich auf den Gedanken gekommen, eine Karte zu zeichnen, die beiden Welthälften nebeneinander, wie in den alten Atlanten, mit den Erdteilen, den Meeren und sogar den Grenzen der Länder, von Gebirgen aber nur die, die ich kenne, von Flüssen nur die, an denen ich gewohnt oder die ich einmal überquert habe, mit Booten oder Fähren, oder auf Brücken, wie z. B. die Weichsel bei Hochwasser, im August, Anfang der dreißiger Jahre, unvergeßlicher Tag. Eine Da-und-dort-bin-ich-gewesen-Karte, immerhin auf vier Erdteilen, wenn ich auch auf zwei von ihnen ins Innere nicht weit vorgedrungen bin. Kaum, daß ich mit meinen Umrissen fertig war, dachte ich schon daran, Fähnchen zu stecken, immer dasselbe Fähnchen, die Ich-Fahne, ich in Südfrankreich, in Kleinasien, in Kairouan, am Rigaer Strand. Wen interessiert das schon, besonders heute, wo Reisen dieser Art an der Tagesordnung sind, eine bescheidene Welteroberung, Eroberung von längst Bekanntem, armseliger Conquistador. Überdies eine ungern Reisende, nur gern an fremden Orten Verweilende, weswegen auf meiner Karte keine Fähnchen gesteckt, sondern Punkte eingezeichnet werden, vielmehr Kringelchen, Niederlassungen, Besitzergreifungen, wenn auch nur für einen Tag. Denn nicht länger als einen Tag habe ich in den Wäldern oberhalb von Rio de Janeiro zugebracht, und weil es gefährlich ist, dort die Straße zu verlassen, habe ich die Straße nicht verlassen. Das Asphaltband wand sich um den Hügel, tauchte in Schluchten, dann und wann öffnete sich der Blick auf die bizarren Kegelberge, auf einen der von einer tobenden Brandung bestürmten Strände, alles tief unten, immer tiefer unten, immer andere Teile der Stadt. Hochhäuser, Blechhüttenabhänge, Gärten voll blühender Bäume, dann garnichts mehr, nur der Lianenwald, glühend und feucht, mit Orchideen, den schwarzen glänzenden Ästen aufgesetzt, oder in Rispen herunterhängend, und Schlangen, glänzend schwarzen, ebenfalls herunterhängend, sich schaukelnd, den glatten züngelnden Kopf bewegend. Hier und da, nah von der Straße, ein Altärchen Macumba auf einem Felsstück, einer Baumwurzel, ein geköpftes, schmutzig weißes Huhn, eine dicke Zigarre, eine halb geleerte Flasche Bier, und die Götter der Negereinwanderer brüten im Dickicht, hüten die ihnen zum Opfer gebrachten Schätze, wer sich daran vergreift, sie auch nur berührt, der wird vielleicht schon an der nächsten Kehre der Straße zur Strecke gebracht. Fremd, alles fremd, und mit Schauer genossen wir die bruteheiße stockende Luft, keine Abkühlung in der Dämmerung, ein kleiner Luftzug nur hoch oben, nahe der barocken königlichen Residenz; da steht man am zerrissenen, von phallischen Bergen besetzten Rand eines Kontinents, da hat ein österreichischer Schriftsteller, ein Europäer, ein Emigrant, nicht allzu arm und in Sicherheit, doch nicht weiterleben wollen oder können, das Paradies hat ihn vergiftet, oder das Heimweh, das wirklich nur kennt, wer nicht zurückkehren kann.

*7. März*

Die Karte gezeichnet und wieder weggelegt, den Sinn auf etwas anderes gerichtet, Zeit des Wartens (auf die Kündigung), Zeit der Erinnerung, auch an Menschen, die man gekannt hat oder auch verkannt hat, und deren Leben man beschreiben möchte, wenn nicht alles so bruchstückhaft wäre, unsere Kenntnis, aber auch unser Erinnerungsvermögen, so daß ich zum Beispiel von einem schon vor Jahren verstorbenen Freund im Augenblick wenig anderes mehr weiß als seinen ärgerlichen Ausruf, ich finde keine Gesprächspartner mehr, was sehr hochmütig klingt, aber niemand fühlte sich verletzt. Er hatte recht, seine Wortwaffen waren fein geschliffen, unsere stumpf, während er schöne Figuren beschrieb, stachen wir Jüngeren einfach zu, während es ihm um das sokratische Spiel der Daseinserfassung zu tun war, ließen wir unseren Neigungen und Abneigungen freien Lauf. Einmal, als jemand heftige Zahnschmerzen hatte, sagte der Freund, wenn ich Zahnschmerzen habe, denke ich immer, was wäre, wenn jetzt meine Mutter stürbe, was bedeuten sollte, daß dann eben nichts wäre als dieses bohrende, verrückt machende Zahnweh, keine Trauer, keine Dankbarkeit, kein Erinnern, der Geist vom Körper überwältigt, das Gefühl ausgelöscht, nicht mehr existent. Ein drittes Wort, das war Ende Mai, in Ostpreußen, endlich alle Sträucher grün, endlich ein wenig Wärme, und die Sonne nachts kaum mehr unter dem Horizont. So daß es, als wir mit dem Freund das Haus anderer Freunde verließen, zwar Mitternacht vorüber, aber noch nicht recht dunkel und auch noch nicht recht hell war, nach dem endlosen Winter ein schwebender Übergang, ein Stillstand fast, und wonach roch es, nach Jasmin und Faulbaum und sommerlichen Teichen, aber nach was noch? Wir blieben alle stehen, atmeten tief, aber der, an den ich jetzt denke, sagte mürrisch, es herbstelt, und knöpfte sich den Überzieher zu. Und obwohl wir daraufhin lachten und uns empört zeigten, spürten wir doch plötzlich alle den feinen Nebel und in der strahlenden Jugend des Jahres das Alter und den Tod. Das war in den allerersten Hitlerjahren, wir gingen bald in den Westen, »ins Reich«, wie man damals sagte, der ältere, fast zwergenhaft kleine Freund, der seinen wissenschaftlichen Ruhm mit so großer Würde überlebt hat, entfloh der Festung Ostpreußen erst im letztmöglichen Augenblick. Ich sah ihn kurz nach dem Kriegsende wieder, in einer Frankfurter Buchhandlung, die auf einen Tisch gestapelten Bücher überragte er kaum, ich sah nur seine Stirn, seine strengen Augen, und ich sah, wie diese Augen sich mit Tränen füllten, ein unfaßlicher Anblick, aber so war das damals, keiner hatte Nachricht von keinem, jeder hatte jeden schon verloren gegeben, und der kleine zornige Eiferer kam um den Tisch herum und strich mir mit der Hand über die Wange, niemals vorher hatte er das getan.

Um herauszubekommen, ob man wirklich daran denkt, uns wegen eines bevorstehenden Abbruchs des Hauses zu kündigen (Demnächst? Wann?), habe ich heute etwas unternommen. Ich habe den Hauswirt, eine Aktiengesellschaft mit bedeutendem Grund- und Hausbesitz, angerufen und gebeten, in meiner Wohnung sogenannte Schönheitsreparaturen ausführen zu lassen. Die Gesellschaft ist darin sehr großzügig, in einem bestimmten Turnus werden die Decken gestrichen, die Wände tapeziert, ja es wird sogar nach und nach der alte Bodenbelag (Linoleum) durch neuen ersetzt. Wenn, dachte ich, das Haus in absehbarer Zeit abgerissen werden soll, wird man mir das zwar vielleicht nicht sagen, man wird mich aber, was die Reparaturen anbetrifft, vertrösten, wozu der allgemeine große Mangel an Handwerkern einen genügenden Vorwand bietet. Es geschah aber nichts dergleichen, neue Tapeten und neues Linoleum wurden mir, wenigstens für einen Teil der Wohnung, bewilligt und für die Durchführung der Arbeiten ein nicht allzu fern liegender Termin bestimmt. Ich war verwirrt, stammelte, also haben sie nicht, also wollen sie nicht, und hängte ein. Obwohl die Männerstimme, die des Verwalters unseres Wohnblockes, ganz natürlich und sachlich geklungen hatte, war ich nicht sicher, ob der Auskunft zu trauen war und ob die Handwerker je kommen würden. Auch die Angestellten der Gesellschaft waren unter Umständen nicht eingeweiht, vielleicht spielten auch, in Anbetracht des gewiß sehr hohen Gewinnes, den ein Pilzhaus abwerfen würde, ein paar Rollen Tapeten und etliche Quadratmeter Bodenbelag für die Firma keine Rolle. Es lag auch gewiß nicht in ihrem Interesse, die Bewohner des Blockes durch eine Verweigerung von Reparaturen zu beunruhigen und zu einem vorzeitigen Ausziehen zu bewegen. Ich bin allerdings überzeugt davon, daß niemand ausziehen würde. Auch die vor einiger Zeit erfolgte Mieterhöhung hat von den etwa sechzig Parteien nur zwei dazu veranlaßt, den Möbelwagen zu bestellen. Ich habe mir eben den mir für die Reparaturen genannten Termin in mein kleines Buch eingetragen. Dabei habe ich bemekt, daß ich eine lang geplante Lesereise noch vorher antreten muß. Wenn es mir nur gelänge, diese Lesungen unter einem Vorwand abzusagen. Den wirklichen Grund einer solchen Absage, meine Befürchtung nämlich, es könnte während meiner Abwesenheit das Haus zwangsweise geräumt werden, dürfte ich natürlich nicht nennen. Man würde mich für überängstlich halten, vielleicht sogar für verrückt.

### 11. März

Ich muß wieder mehr ausgehen, fort aus der Wohnung, fort aus unserer Gegend, an den Fluß, in die Stadtmitte, die übrigens wegen der Arbeiten an der neuen Untergrundbahn eine einzige Baustelle ist. Ich habe solche Gänge früher oft unternommen, die Arbeit, die ein Kran, ein Bagger, ein Sattelschlepper leistet, ist faszinierend, brüllende Motorenkräfte von einem menschlichen Gehirn auf den Millimeter genau ausgerichtet, vor, zurück, wieder vor, den Schwenkkran ausgefahren, herumgeworfen, gehoben, wieder gesenkt, mit Zangen, mit Mäulern aus Eisen das Material gepackt, fortgeführt, fallen gelassen, – kein Wunder, daß ein bekannter Bilderbuchzeichner zum Helden seiner Bücher einen Kranführer gemacht hat, daß das Kind eines Baggerbesitzers zum Vater keinen General, nicht einmal einen Piloten, sondern nur einen Baggerbesitzer will. Die Erdbewegung ist Titanenarbeit und hat etwas Urweltliches, ohne weiteres schreibt man die Kräfte, die die sagenhaften Erbauer zyklopischer Mauern gehabt haben, heute nicht nur den Maschinen, sondern auch ihren Lenkern zu. Bewegung an sich ist Verzauberung, weswegen denn auch die interessantesten Orte der Stadt der Bahnhof, der Hafen und der Flughafen sind, auch das sommernächtliche Hin und Her zwischen den Apfelweinkneipen jenseits des Flusses; so als sei alle Ruhe voll von tödlicher Langeweile, während das hastige Vorüber von Fahrzeugen, Gestalten, und Gesichtern, und gerade der fremdesten, der eigenen Lebenskraft Impulse verleiht. Die Phantasie wird in Bewegung gesetzt, nicht erst durch ein vorbeigleitendes Schiff oder einen abfahrenden Schnellzug, sondern schon durch das flutende Wasser und die sich verzweigenden Schienenpaare, es ist als sei jeder nicht gern an dem Ort, an dem er sich befindet, bei den Menschen an seiner Seite, ein beständiges Suchen nach Anderem, Gewinn an Lust, Gewinn an Erkenntnis, oder nur der Blick in die fremden Augen, auch einer, der es schwer hat, der sucht und nicht findet, der es nicht bleiben läßt, sucht und sucht. Also an den Bahnhof, an den Hafen, an den Flughafen, oder, was aber öder ist, auf die Fußgängerbrücke über der Autobahn, wo das Hin und Her anonym ist: Metallkästchen nach Norden, nach Süden, da erwacht nur der Trieb zu stören, zu zerstören, brennende Papierfetzen herunterzuwerfen oder sich selbst hinunterwerfen, warum eigentlich, weil hier die Ferne keine Richtung hat, oder zwei Richtungen, die einander aufheben, da werden die Wünsche sinnlos, bis auf den einen, auch fahren, Fahrtwind spüren, fahren, egal wohin.

*13. März*

Auf der Erde besteht, wie in jedem einzelnen Menschen, noch beides nebeneinander, Urtriebe und Urfähigkeiten neben Verwöhnung und Unbehagen an der Zivilisation. Was früher nur die Forscher wußten, weiß heute jeder, nämlich daß im australischen Busch die Leute noch wie in der Steinzeit leben, mit Steingeräten, Steinmessern, Speeren mit Steinspitzen, Steinschalen, in denen das Getreide geworfelt wird. Das Getreide ist gar kein Getreide, sondern Grassamen, der wird zwischen den Steinen mühselig zerrieben, mit Wasser zu einem Brei geknetet, der Brei verdickt und zum Brotlaib geformt, der Brotlaib in glühender Holzkohle gebacken. Man sieht dergleichen heute auf dem Fernsehschirm, sieht eine große Familie, hellhäutige, hellhaarige Kinder und schwarzhäutige, schwarzhaarige Erwachsene, die von früh bis spät nichts anderes tun als Nahrung sammeln und Nahrung verzehren, was tierisch anmutet, an ewig grasende Kühe erinnert, nur daß die Weide nicht fett ist, und daß zum Sattwerden ein gut Teil Erfindungsgabe, Ausdauer und körperliche Geschicklichkeit gehören. Mit den Speeren werden Känguruhs und große Eidechsen erlegt, mit den alten Steinmesserchen wird den Tieren der Bauch aufgeschlitzt, die Eingeweide werden herausgerissen, Feuer wird in einem Erdloch gemacht, das gebratene Fleisch mitsamt den Eingeweiden mit den Zähnen in Fetzen gerissen und verschlungen. Die Kinder sammeln von den Sträuchern kleine, kaum sichtbar kleine Früchte und Beeren und schütten sie sich handvoll in die Münder, während die Jünglinge in den Gumpen der Bäche Fische greifen und sie roh, fast noch lebendig verschlingen. Alles sehr ekelhaft, diese schönen Menschen, keine Kleider, keine Hütten, und die Flugzeuge fliegen über ihre Köpfe weg, die Hochhäuser der großen Städte sind keineswegs unerreichbar, ein Jeep, wie etwa der des Photographen, muß sich in diese Steppe schon vorgewagt und Geschenke zurückgelassen haben, corned Beef und weißes Brot.

Die photographierte Familie, ein kleiner Stamm schon, scheint bei all ihren mühsamen Verrichtungen vorbildlich gesund, kaum weniger gut imstande als die bundesdeutsche Standardfamilie, die neben dem reichlich besetzten Kühlschrank, neben der sprudelnden Waschmaschine mit Vorliebe aufgenommen wird. Nur etwas unterscheidet die australischen Neger in ihrer Buschwildnis von den Weißen in der pastellfarbenen Musterküche: sie lächeln nicht. No smiling, tierischer Ernst, blutiger Ernst des Unbehausten, Unversorgten, der mit der Natur noch täglich kämpfen, sie noch täglich überwinden muß.

*15. März*

Über das Leben und das Wesen meiner zweitältesten Schwester als Kind befragt, weiß ich nicht recht zu antworten, habe keine Erinnerungen oder doch nur die von mir bereits in der Erzählung „das dicke Kind" vorgebrachten, die Schwester als anmutige Tänzerin auf dem zugefrorenen Jungfernsee in Potsdam, als furchtlose Gewittersängerin auf der obersten Galerie des Schwarzwaldhauses, das meinem Großvater gehörte und in dem wir unsere Sommerferien zubrachten. Furchtlosigkeit, körperliche Anmut und Gewandtheit, diese Eigenschaften meiner um zwei Jahre älteren Schwester haben sich mir eingeprägt, wahrscheinlich, weil ich von diesen allen nichts besaß, vielmehr dick, träge und ängstlich war, die Kopfsprünge ins Schwimmbecken, die die Schwester wagte, nie gewagt hätte und mich beim ersten Blitz und Donnerschlag unter die Bettdecke verkroch. Seltsamerweise hatte ich mit der doch so wenig Älteren kaum etwas gemeinsam, bekam die Gedichte, die sie schon als Kind machte, nicht vorgelesen, von ihren revolutionären Gedanken nichts mitgeteilt, war die Dumme, die Brave, die auf den verhaßten Spaziergängen von der Erzieherin an die Hand genommen wurde, während diese den älteren Schwestern zornig zurief: »Ihr verderbt mir das Kind«. Die großen Schwestern liebten und haßten sich, rissen sich an den langen Haaren und schlugen aufeinander ein, bildeten eine Einheit, so wie mein kleiner Bruder und ich eine Einheit bildeten, die mich, länger als das vielleicht sonst der Fall gewesen wäre, in der Kinderwelt, einer Welt phantastischer Spiele hielt. Während die »Großen« schon in die Schule gingen, hatte ich noch Privatstunden, nur die Schularbeiten machten wir drei Mädchen gemeinsam unter der zischenden Gaslampe an einem großen roten Tisch.

L. war eine Sammlerin und Bastlerin, mit einem Eifer und einer Tatkraft, die mir völlig abgingen, begeisterte sie sich für die gerade aufgekommene Fliegerei und staunend sah ich zu, wie sie auf große Papierbögen Zeitungsausschnitte und blasse Photographien der ersten Flugzeuge, der ersten Piloten klebte. Beim Essen sollten wir Kinder nicht schweigen, aber auch nicht miteinander sprechen oder gar blödeln, vielmehr sollte jedes etwas erzählen, das von allgemeinem Interesse war. L. war die einzige von uns, welche auf diese erzieherische Maßnahme ganz unbefangen reagierte. Mit ihr spielte der Vater am Abend Schach, mit ihr führte er Gespräche, sie war seine Tochter, Wotans kühnes herrliches Kind – später, in seiner Rede bei ihrer Hochzeit sollte er sie mit einem von seiner Hand aufgeflogenen Falken vergleichen.

An der schönen liebenswürdigen Mutter übte L. beständig Kritik, fand sie oberflächlich und unsozial, als der Vater während des 1. Weltkrieges im Feld war und sie an ihm keine Stütze mehr hatte, kam es zu offenen Widersetzlichkeiten und heftigen Szenen, auch die Mutter war von aufbrausendem Temperament. Sie war oft ratlos verärgert, etwa wenn es sich herausstellte, daß L. wieder ein neues Kleid verschenkt, ein von der russischen Patin erhaltenes Schmuckstück verkauft und das Geld weggegeben hatte. Das Verschenkenwollen gehörte zum Wesen meiner Schwester von Jugend auf.

Mein Bruder erinnert sich einer Szene im Berliner Pferdeomnibus, den wir zwar nicht in die Schule, aber zum Besuch gewisser am Viktoria-Luiseplatz wohnender Verwandter benützen durften. Meine Schwester hatte wenige Tage vorher, zu Weihnachten, ein Buch geschenkt bekommen, »Tausend und eine Nacht«, illustriert von Dulac. Diese Bilder zeigte sie dem kleinen Bruder während der langen Fahrt. Die Schaffnerin großstadtbleich und mager, und selbst noch fast ein Kind, warf im Vorbeigehen auf die in silbernem und braunem Nebel erscheinenden orientalischen Gestalten entzückte Blicke, und meine Schwester schenkte ihr am Ende das Buch, das sie selbst außerordentlich liebte und das für uns unverwöhnte Geschwister eine große Kostbarkeit war. Wie andere Kinder ihren Besitz mit Leidenschaft verteidigen, gab L. mit Leidenschaft, so wie sie später auch sich selbst, ihre Zeit, ihre Kraft ohne Vernunft und Überlegung gab. Charity begins at home, – ich erinnere mich, daß dieser Satz ihr von der Mutter oft vorgehalten wurde, und daß meine Schwester ihn nicht anerkannte, vielleicht überhaupt nicht verstand. Ihr Erbarmen wandte sich den ganz Fremden, art- und sippenfernen zu, war also, obwohl sie zeitlebens von der Kirche nichts wissen wollte, ein eigentlich christliches, es war gepaart mit einem unbändigen Verlangen nach Gerechtigkeit,

30

auch im sozialen Sinn. Als halbes Kind noch lernte sie
während eines Aufenthaltes im Krankenhaus Frau Rose
Thesing, eine sehr kluge und sehr schöne junge Ärztin, und
später durch diese Franz Werfel und Else Lasker-Schüler
kennen, war danach zuhause unleidlicher denn je. Meine
Mutter, für welche die Verse der Lasker-Schüler das Gestammel einer Verrückten waren, wurde, wie es hieß, mit
dieser Tochter nicht mehr fertig, – als ob man mit einer
Fünfzehnjährigen, in der erst alles beginnt, je fertig werden könnte. Meine Schwester kam ins Pensionat nach
Karlsruhe, wo sie sich weigerte, am Konfirmandenunter-
richt teilzunehmen, dann doch teilnahm, weil als Patronin
der Anstalt die Großherzogin Luise von Baden,
die alte blitzgescheite Preußenprinzessin, sie dazu überredete. Wie das vor sich ging, jetzt wüßte
ich es gerne, wie ich so vieles aus der Kindheit
meiner Schwester gerne wüßte und nicht mehr erfahren
kann.


*20. März*

Alles, was ich hier niederschreibe, ist nur eine Ablenkung,
ein Versuch, die Zeit zu vertreiben, die Wartezeit, oder sie
nicht zu vertreiben, sondern zu füllen, dick und fett zu
machen mit Erinnerungen, mit Beschreibungen, auch mit
Gedankenspielen, Vorstellungen von etwas, das ich, wie
man zu sagen pflegt »gestalten« möchte, aber nicht gestalten werde, oder das ich versucht habe zu gestalten, das mir
aber mißlungen ist. So dachte ich heute an das von mir
erfundene Ehepaar, Alter Mitte vierzig, das mit allerlei
Requisiten ein Spiel spielt, abends in der Wohnstube, aber
ohne Zuschauer, ganz allein.
Erster Akt: Schneesturm im Gebirge, zweiter Akt: verirr-

tes Flugzeug, dritter Akt: Höhle am Strand, in welche die
Flut eindringt, lauter Situationen allerhöchster Gefahr. In
diesen Gefahren kommen die beiden Spieler, die doch
alles nur selbst erfunden haben, zum Reden, wie sie einmal, in ähnlichen Lagen gern geredet hätten, aber nicht
geredet haben, Erinnerungen, Vorwürfe, Bekenntnisse,
Streit. Kein schlechter Gedanke, wie ich jetzt finde, aber
doch nicht recht ausführbar, ich meine auf der Bühne nicht
ausführbar, diese beiden erwachsenen Menschen unter dem
aufgeklappten, das Flugzeug darstellenden Flügel, in der
Höhle, die sie mittels einiger mit einer Decke überhängter
Stühle selbst hergerichtet haben. Als dritte, unsichtbare
Person der Hausmeister, der, gegen ein Trinkgeld, jeweils
nach einer gewissen Zeit sein Stichwort »die Gefahr ist
vorüber« bringen muß. Dieser Hausmeister, vielleicht ersetzt durch einen jungen Mann, einen ehemaligen Haus-
lehrer der Kinder, der vorher zu Besuch gekommen und
von der Frau aufgefordert worden ist, statt des erkrankten
Hausmeisters die Stichworte zu sagen, der sich aber damit
nicht zufrieden gibt, sondern dazwischen redet, wodurch
die ursprüngliche Absicht des Ehepaares, sich über seine
Beziehungen Rechenschaft zu geben, gestört oder verändert
wird. Den einzelnen Situationen liegen, wie gesagt, wirkliche Erfahrungen zugrunde, das Paar hat sich wirklich
einmal auf einem Spaziergang im Gebirge im Schneesturm
verirrt, einem Flugzeug, in dem es gereist ist, ist nach
einem Gewitterflug das Benzin ausgegangen, in eine Höhle
am Meer, in der sie ein romantisches Bad nehmen wollten,
ist die Flut gedrungen.
Worum es den beiden Spielern geht, worum es wohl auch
mir bei dem Entwurf gegangen ist, ist das Sichherausstel-
len der Wahrheit, lieben wir uns, haben wir uns geliebt,
werden wir uns je lieben können. Ich habe dann aber

wohl daran gezweifelt, daß die Wahrheiten der Todes-
nähe die wirklichen Wahrheiten sind, und deswegen
die dritte Figur eingeführt, den jungen Mann, der sich
über die beiden älteren Personen lustig macht und sie
schließlich in den Alltag und das Weiterleben zurück-
führt.

Die Blätter, auf denen das alles stand, sind zerrissen, ein
Stoff, den ich, wie so viele, nicht bewältigt habe, der mir
aber noch im Kopf herumspukt, in Umrissen und von mir
selber kaum mehr zu verstehen.

*25. März*

Luftschutzsirenen werden probeweise in Gang gesetzt
und in den Zeitungen ist von allerlei für den einzelnen
Bürger recht kostspieligen Schutzmaßnahmen, wie Bun-
kerbauten und dergleichen die Rede. Man empfindet
Ärger und Furcht. Ärger, nicht nur über die Ausgabe,
sondern darüber, daß die Regierung den wirklichen
Schutz, die unbedingte Vermeidung des Atomkrieges
offenbar nicht mehr in Erwägung zieht, Furcht in dem
Gedanken, daß die Abwehr das Abzuwehrende erst
herbeiziehen könnte. Die Bomben, mit denen man rechnet,
müssen fallen, während an dem, der den Kopf in den
Sand steckt, die Gefahr möglicherweise vorübergeht, vielleicht liegt dieser meiner Einstellung auch die Erfahrung
von der Demutshaltung der Tiere zugrunde. Schon in der
bewußten Abwehr liegt eine Art von Aggression, schon
das Überlebenwollen scheint der nuklearen Vernichtung
recht zu geben, sie jedenfalls als etwas Mögliches, Men-
schenmögliches anzuerkennen. Aus einer mythischen Todes-
drohung, die je nach der Veranlagung des einzelnen
Menschen sein Lebensgefühl herabstimmte oder erhöhte,

wird nun eine berechenbare Wirklichkeit, der Schutz vor einer Waffe, die sich von anderen Waffen nur durch den Grad ihrer Brisanz unterscheidet. Ein Krieg wie jeder andere, nur mit höheren Verlustzahlen, die ebenfalls bereits genau berechnet sind. Die frühere, noch vor einigen Jahren bestehende Vorstellung, übrig bleibt doch keiner, oder, dann ist mit einem Schlage alles aus und vorbei, mag etwas wie ein Trost gewesen sein und sollte nicht heißen, daß der eine dem anderen das Überleben mißgönnte. Es wurde dadurch vielmehr das »Ding« als ein Unding, als etwas schlechthin Utopisches bezeichnet. Über das erste Luftschutzmerkblatt, das dem dritten Weltkrieg gewidmet war (man sollte sich da im Augenblick der höchsten Gefahr die Aktentasche über den Kopf halten), sind viele Witze gemacht worden. Die Naivität solcher Vorschläge entsprach aber immerhin noch jener tierischen Demutsstellung, die einem sich stärker fühlenden Volk, oder seinen parlamentarischen Vertretern, heute überwunden, endlich überwunden erscheint. Das »Ding« ist kein Unding mehr, es gehört nicht mehr in das Reich apokalyptischer Fabeln, auch nicht in das der kosmischen Katastrophen, an die keiner wirklich glaubt. Mit den ersten, in ihr Amt eingesetzten Luftschutzwarten steht eine Armee auf, so wie mit der ersten damals in Königsberg auf dem Dach unseres Hauses losheulenden Sirene der zweite Weltkrieg eigentlich schon ausgebrochen war.

*30. März*

Die Angstträume des beginnenden Alters sind nichts als Übertreibungen von bereits im Keime vorhandenen körperlichen Behinderungen oder geistigen Herabminderun-

34

gen, derer man sich im wachen Zustand vielleicht noch gar nicht bewußt geworden ist. Der Namensschwund spielt eine große Rolle, die liebsten Menschen gehen vorüber, und man kann sie nicht anrufen, man hat ihre Namen auf der Zunge, wie es heißt, aber die Zunge versagt, man kann sie nicht formen, das ist doch nicht möglich, wer keinen Namen hat oder wessen Namen man nicht nennen kann, existiert nicht, welche Vermutung den Suchenden in eine Verzweiflung ohnegleichen stürzt. Wer Freud gelesen hat, geht einen Schritt weiter, es wird ohne geheime Absicht nichts vergessen, man hat also den oder jenen umbringen oder aus dem eigenen Leben streichen wollen; wie soll das enden, wir auf einem Leichenfeld, ganz allein. Ebenso ist es mit dem Nichtfesthaltenkönnen von Gegenständen, es gibt Träume, in denen einem alles aus der Hand fällt, wichtige Dinge, unentbehrliche Dinge, die dann auch nicht mehr aufzufinden sind, so, als seien der Fußboden des Zimmers, die Asphaltstraße, ein Sumpf, der alles Preisgegebene sogleich verschluckt. Die körperliche Behinderung des nicht mehr Rennen- und besonders Treppen nicht mehr schnell Hinunterlaufenkönnens erzeugt Träume von Flucht und Verfolgung, alle anderen Menschen springen in großen Sätzen, retten sich, sind verschwunden, nur den Behinderten trifft die Garbe aus der Maschinenpistole, nur ihn erstickt der Qualm des brennenden Hauses, nur ihn reißt die heranstürmende Flutwelle in die Tiefe zurück. Die Verwirrung, die in Träumen ohnehin herrscht, verstärkt sich durch die Gleichzeitigkeit und Allgegenwart aller Erscheinungen, die für einen alternden Menschen ohnehin charakteristisch ist, Verwechslung der Generationen, der Ereignisse, Außerachtlassen der Reihenfolgen, aber auch der Konventionen, die Alterswerke großer Künstler zeugen davon. Ein Zustand der Schwebe und der leisen Verwirrung in großen, der Starrsinnigkeit in kleinen Dingen, und daß auch in den Träumen oder Wachträumen oft Nebensächliches, grotesk verzerrt, zur Gefahr werden kann. Der Mut, mit welchem der Träumende den Schemen zuleibe geht, ist dann auch ohne Vernunft, wie denn das Alter überhaupt eine Zeit der Windmühlenflügel und der Rosinante, dieses zum Schlachtroß aufgezäumten Kleppers ist. An Gefühl für das Hexen- und Feenhafte ihres Zustandes fehlt es vor allem den alten Frauen nicht. Sie sehen sich in der Zukunft zwergenklein, leicht, zauberkräftig, mit einer Flüsterstimme, die über andere Gutes und Böses heraufbeschwören kann, aber ihre Weisheiten sind nur eine Mischung von Tiefsinn und Unsinn, die sie immer gern von sich gegeben hätten, aber erst jetzt von sich geben dürfen – für alle Demütigungen des Alters eine ausreichende Kompensation.

WIEN I                                              *2. April*

Ich erinnerte mich heute an gewisse Bilder des älteren Pieter Breughel, die im Wiener Kunsthistorischen Museum hängen und die mir wie kaum eine Malerei panischen Schrecken auszudrücken scheinen. Pan erschien nur zur Mittagsstunde und an den Küsten des Mittelmeeres, aber der Begriff hat sich erweitert, er umgreift alle mit der Vernunft nicht zu überwindende kreatürliche Furcht. Die Mittagshitze, das blendende Licht können wie in Camus' »Fremden« noch eine Rolle spielen, sie müssen aber der Urgrund des Schreckens nicht sein. Auf den drei Bildern von Breughel rufen bedrohliche Naturerscheinungen die Panik hervor – auf dem Bild »Heimkehrende

36

Herde« wird im Vordergrund, dicht am Beschauer vorbei, das Vieh getrieben, drängt fast aus dem Rahmen, der Hirte auf seinem Pferd, die Knechte mit ihren Stöcken beschleunigen die fluchtartige Bewegung, die, obwohl Dorf und Ställe nah und auf dem Bild ebenfalls zu sehen sind, etwas Auswegloses hat. Kahle Bäume und, über der Fluß-landschaft mit ihren bizarren Felsen, Schneewolken, vom Sturm hingetrieben, der Winter, der hereinbricht, aber eben kein gewöhnlicher, keiner, vor dem man sich schüt-zen oder dessen Ende man absehen kann. Kein gewöhn-licher Herbststurm auf diesem Bild und kein gewöhnliches Vorfrühlingsregenwetter auf dem zweiten, das »Der düstere Tag« heißt. Es wird da unter dem schwärzlichen Wolkenhimmel noch gearbeitet, und die paar Männer, die im Gehölz Weidenzweige kappen und Reisig auf-lesen, auch die Frau mit dem brotessenden und dem later-nentragenden Knaben sehen nicht, was wir sehen: die auf dem breiten sturmbewegten Flusse in Seenot kämpfenden Schiffe, die weißen Wolkenfetzen, die um die Mauern der Burg fliegen, die einzige Möwe, die wie ein rechter Sturmvogel im dicken schwarzen Wolkenhimmel er-scheint. Die Panik erleidet hier nur der Zuschauer, der Beschauer des Bildes, der den Untergang der noch fried-lich Beschäftigten vorausahnt und sich mit ihnen iden-tifiziert.

Denn auch hier handelt es sich nicht um etwas, das kommen und vorübergehen wird, um einen Regen, vor dem man ins Haus flüchtet und den man dort abwarten kann, son-dern um das Unheil, den Tod schlechthin.

Mit diesen beiden Bildern hat das dritte von mir erinnerte mehr als das Motiv des Außergewöhnlichen und eine ge-wisse dumpfe Verwirrung gemein. Eine Schlucht von links unten nach rechts oben heraufführend und in der Bildmitte scharf geknickt, gelbe Felsen und dunkle Cypressen, ferne Ausblicke auf eine von Gewittern überhangene Ebene, viele Reiter, viel Fußvolk, Panzer und bunte seidene Gewänder, ein Zug, dessen Spitze den rechts hoch oben gelegenen Paß schon fast erreicht hat, der aber ins Stocken gekommen ist, warum, man sieht es nicht sogleich. Man muß ihn erst suchen, den Mann, der da vom Pferd gestürzt ist und sich am Boden wälzt und um den alles herumsteht in dumpfer Erschrockenheit. Wir wissen: Saulus, der zur Judenverfolgung aufgebrochene Gestapomann, der gerade die Schlucht heraufgeritten ist und den an der Biegung des Weges der Blitz getroffen hat – auf dem Bild ist aber keine Erscheinung angedeutet, kein Engel, kein Jesus, keine Flammengarbe, kein Kreuz. Nur der Sciroccohimmel, fürchterlich beklemmend, nur ein dünnes kaum wahrzunehmendes Zittern in den Wolken, nur der Schrecken eines unfaßbaren und unabänderlichen Geschehens.

FREMDENFÜHRERSPIEL I                                    *5. April*

Das Arztschild, das seit einiger Zeit aus dem Rasenstreifen vor unserem Hause aufragt, hat mich auf den Gedanken gebracht, ein ähnliches Schild aufzustellen, auf dem ich freilich nicht ärztliche Untersuchungen, sondern Führungen durch meine Wohnung anbieten würde. Da seit dem Ende des letzten Krieges Gewerbefreiheit herrscht, könnte dagegen niemand etwas einzuwenden haben. Bürgerliche Wohnung, Besichtigung täglich, außer Montag und Sonnabend, von 16 bis 18 Uhr. Eintritt frei, was aber wohl ein Fehler wäre, da etwas, für das man nicht bezahlen muß, wenig Anziehungskraft besitzt. Es könnten sich einige Neugierige aber doch einfinden, Mütter mit Kindern etwa,

38

an Regentagen, oder die Insassen eines Altersheims, für die alles eine Unterhaltung, zum mindesten eine Abwechslung ist. Die Schwierigkeit besteht nur darin, daß ich meinen Besuchern den Grund meiner Gastfreundlichkeit und Zeigelust, das bevorstehende Ende der Wohnung (des Hauses, des Stadtviertels) nicht nennen kann, ohne Bestürzung zu erwecken. Ich muß also so tun, als litte ich selber unter Einsamkeit und Langeweile, und es läge mir daran, auf diese Weise Bekanntschaften zu machen. Kommen Sie doch herein, nein, es wird kein Eintrittsgeld erhoben, und Filzpantoffeln brauchen Sie auch nicht anzuziehen, was ich Ihnen zeige, ist ja kein Schloß, sondern nur ein Leben, oder viele Leben, meines und das meiner Familie und das meiner Vorfahren. Ja, Sie haben recht, enttäuscht zu sein, lauter Hausrat von früher und Geschichten von früher, gleich hier auf dem Korridor fangen wir an. Und dann fange ich, vorausgesetzt, daß die Besucher nicht bereits weggelaufen sind, wirklich an, auf die einzelnen Gegenstände in meiner Wohnung zu deuten und sie zu erklären, aber sie interessant zu machen gelingt mir wahrscheinlich nicht. Bitte, Abschied zu nehmen, sagen, nach einem Bericht von Franz Theodor Csokor, die polnischen Begräbnisangestellten, indem sie den Sarg für die Angehörigen noch einmal für einen Augenblick öffnen, und das sollte ich auch sagen, bitte Abschied zu nehmen von den Zeugen meiner Vergangenheit, Eurer Vergangenheit, aber ich sage es nicht. In dem leiernden Tonfall eines gewerblichen Fremdenführers erzähle ich von dem Urgroßvater, dessen in Kupfer gestochenes Bildnis im Korridor hängt, ein Flüchtling aus dem Elsaß, ein badischer Minister, der seine neue Heimat auf dem Wiener Kongreß vertreten hat. Sie wissen doch, was das war, der Wiener Kongreß, und wer das war, der Fürst Metternich, und die Fremden, die ich führe, sehen mich mißtrauisch an. Er soll seine Sache gut gemacht haben, mein Urgroßvater, sage ich hastig, wenngleich seine Memoiren – und verliere mich in Einzelheiten – und die Fremden sehen von dem Urgroßvater weg in meine Küche und wundern sich, daß ich keine Waschmaschine habe, und von der Rose von Straßburg, der schönen schwindsüchtigen Tochter des Ministers, möchte ich noch erzählen, – aber dazu kommt es nicht mehr.

### 6. April

Ich habe das Fremdenführerspiel – ein reines Gedankenspiel natürlich – abgebrochen, was nicht heißt, daß ich es nicht eines Tages wieder aufnehmen werde. Es kommt mir aber, selbst in diesem Zustand der Zurückgezogenheit und des Wartens – vieles von außen zu und wichtige Dinge, über die ich zugunsten von Vergangenheitsträumereien nicht hinweggehen kann. So erzählte heute ein junger Lehrer von einer Schulstunde, die er in seiner Klasse von halbwüchsigen Knaben gehalten und während der er sich bemüht hatte, den Schülern einen Begriff von dem Martyrium der Juden und von der Grausamkeit und Gedankenlosigkeit ihrer Henker zu geben. Er hatte zu dem Thema nicht viel gesagt, hatte vielmehr den Kindern Grammophonplatten vorgespielt und zwar zunächst Gedichte von zwei verfolgten und ausgewanderten Dichterinnen, der Else Lasker-Schüler und der Nelly Sachs, Gedichte, in denen nicht das persönliche Schicksal der Autorinnen, sondern eher die irrationale Schwermut des uralten heimatlosen Volkes, seine Träume und Gottesvorstellungen zum Ausdruck kamen. Die Schüler hatten dem höflich, aber ohne rechte Anteilnahme zugehört. Auf die Gedichte hatte der Lehrer etwas ganz anderes, nämlich alte Aufnahmen von Führerreden folgen lassen. Die heisere, überanstrengte Stimme brüllte, überschlug sich, äußerte Gemeinplätze, drohte, schimpfte, gab kein Zuckerbrot, sondern forderte Opfer an Bequemlichkeit, aber auch an Blut. Ein Geisterchor antwortete, fiel ein, nicht in sanfter Ergebenheit, vielmehr fanatisch, eigentlich nur mit zwei Silben, zwei Lauten, i – ei, i – ei, ein hämmernd rhythmisches Gebrüll der Zustimmung, das der Lehrer, der jung war, original nicht mehr in den Ohren hatte, vor dem ihm aber graute. Gerade deswegen, das heißt um dieses Grauen auf seine Schüler zu übertragen, hatte er die Platten aufgelegt. Er sah dann aber, und mit Entsetzen, wie die Klasse sich aus der Stumpfheit des Gedichteanhörens unversehens löste und wie die Knaben, weniger von dem Inhalt der Reden als von dem Massengebrüll fasziniert, zwar lachten, aber auch zuckten und stierten, und dabei ihre Individualität verloren, so daß er am Ende seine Schüler kaum mehr wiederzuerkennen vermochte. Er erzählte von dem Vorgang leise, tief niedergeschlagen. Wir gaben uns Mühe ihn zu trösten, indem wir das rhythmische Sieg-Heil dem aufpeitschenden Trommeln und Schreien gewisser Negerstämme verglichen, einem physischen Rauschzustand, der auch die Schüler, die dergleichen nie kennen gelernt hatten, ergriffen haben mochte. Dabei waren wir selbst niedergeschlagen von dem Ausgang dieses Erziehungsversuches, bei dem die Urinstinkte der Massenerregung über die schwermütigen Worte der Dichter den Sieg davon getragen hatten.


*8. April*

Ich war in der Stadt, auf der Zeil, am Fluß, dann auf der Kaiserstraße, und die Stadt war von heute, die einfallslos aufgebaute, mit erst neuerdings einigen Hochhäusern, mit den hübschen zum Sonntagsspaziergang hergerichteten Mainufern, mit Herden von geduldig wartenden Automobilen auf allen Plätzen und an allen Straßenrändern, mit Warenhäusern, Warenhäusern, Warenhäusern, mit der Axt allen Bäumen schon an die Wurzel gelegt, mit Wimpeln an den Straßenbahnbügeln, Frankfurter Messe, Rauchwarenmesse, Technische Messe, Clomesse, Buchmesse, Baumesse und so weiter, Handel und Wandel, das ganze Jahr hindurch,

in der Stadt, welche also diese Stadt ist, aber auch noch eine von mir bereits erwähnte andere, stinkende, brandgeschwärzte mit hoch oben in der Luft hängenden Zimmerresten, Efeutapetenresten, mit Vorwarnungen, Warnungen, Entwarnungen, Schlangestehen vor den Geschäften, in diesem Winter soll niemand hungern ohne zu frieren, bittere Witze, wer jetzt noch lebt ist selber schuld, Bomben sind genug gefallen,

in der zweiten Stadt also, die versunken ist, vergessen, für mich aber immer gegenwärtig, weil wir in dieser Stadt einmal zehn Stunden lang nach unserer kleinen Tochter suchten, ein Ehepaar, das sich nach dem Angriff wiedergefunden hat, das schon gar nicht mehr in der Stadt wohnt, nur da arbeitet, abends hinausfährt an den Taunusrand, Fernschläfer nannte man das, und das Kind ging in der Stadt in die Schule, fuhr ebenfalls hinaus,

hatte auch an diesem Tag hinausfahren wollen, war bei Alarm mit einer Freundin auf den Bahnhof gelaufen und gedachte auf diese Weise die letzte Schulstunde zu schwänzen,

nur daß dann keine Entwarnung kam, sondern die Bomben auf den Hauptbahnhof fielen, wobei die Kinder bereits im Vorortzug saßen, aber ein Mann, der auch bereits im Zug saß, riß sie heraus, Kinder, könnt ihr rennen, rennt, und faßte sie bei den Händen, der Schutzengel, rannte mit ihnen den Bahnsteig entlang bis zur Unterführung und brachte sie später in den Bunker, der aber voll war,

zu welcher Zeit man den zusammengestürzten Bahnhof bereits abgesperrt hatte, Züge konnten hier nicht mehr abfahren, nur vom Westbahnhof, und das sagte den Kindern niemand, die aber, als alles vorbei war, heimwollten, wie denn, auf Fahrrädern, bei Verwandten der Freundin auszuleihen, aber die Verwandten waren verreist, die Fahrräder hatten keine Schläuche, nur eine Köchin war da mit einem großen Fisch, zu dessen Bereitung Gas und Elektrizität fehlten, also schenkte sie den Kindern den Fisch,

mit welchem die Kinder dann auf die Überlandstraße gingen, wo ab und zu ein Wagen vorbei kam, ein kriegswichtiger, da hoben sie den großen Fisch über ihre Köpfe, was auch verstanden wurde, Fahrlohn, und ein junger kriegswichtiger Mann nahm den Fisch und packte die Kinder in seinen Wagen,

wovon allem die Eltern nichts wußten, nur wußten, daß die Kinder auf den Bahnhof gegangen waren, der eingestürzt war, aber jemand sagte, wenn auch vielleicht nur aus Mitleid, die Kinder seien danach noch einmal aufgetaucht, gesehen worden,

woraufhin also die Suche in der Stadt, in der es noch überall brannte, Mauern einstürzten, die Fragen an Freunde, an Mitschülerinnen, in fremden Bunkern, schließlich auf dem Westbahnhof, wohin große Menschenmengen strömten, auch Mengen von Schulkindern, da ist sie, nein, das ist sie nicht. Den Kopf nach rechts gedreht, nach links gedreht, hundertmal, tausende von Malen und ausgeschaut mit Augen, die von der Angst, aber auch von Rauch und Feuerhitze tränten,

welche Tränen mir wieder in die Augen treten dann und wann, wenn ich durch die so veränderte Stadt gehe, die aber eben nicht nur eine ist, sondern auch eine andere, so wie wir selbst nicht nur von heute, sondern auch von gestern und auch von morgen sind,

und viel später und immer und auch nach der entsetzlichen Krankheit und dem Tod meines Mannes werde ich denken, sagen, richt sagen, aber wissen, dieses war mein schlimmster Tag.


HÄUFCHEN UNGLÜCK                                          *10. April*
Der Lehrer war, jedenfalls in meinen Augen, alt, gutmütig, mit einem kalten Unterton, er erklärte uns, einer Gruppe von Privatschülern, einmal die Himmelsgeographie, Fixsterne und Planeten, alles einfach, für achtjährige, ohne Himmelsglobus und Karten, nur was es da gibt und wie sich das Vorhandene umeinander bewegt. Der Unterricht, der sich übrigens sonst auf Rechnen, Lesen und Schreiben beschränkte, fand abwechselnd in den Wohnungen der Eltern statt, Wohnungen, an die ich mich so wenig erinnere wie an die Hinwege, die ich mit einer Altersgenossin, und die Heimwege, die ich an Hand unserer Erzieherin zurücklegte. Bis auf die *eine* Wohnung, den *einen* von Heften bedeckten Eßtisch, den *einen* Heimweg, eben den nach der Stunde, in der wir die Himmelsgeographie erklärt bekamen. Ich war damals in jeder fremden Umgebung außer-

ordentlich schüchtern, tat gewissenhaft und auch schnell, was von mir verlangt wurde, hätte oft gern mehr erfahren, fragte aber nicht. Nur an diesem Tag, einem Herbsttag vermutlich, denn es wurde während des Heimwegs schon dunkel, stellte ich zwei Fragen, von denen die zweite nur eine Fortsetzung der ersten war. Und was ist *über* den Sternen, fragte ich, als der Lehrer seine ganz unprogrammmäßige Himmelskunde schon abgeschlossen hatte und nach dem Rechenbuch griff. Da sind, sagte er etwas ungeduldig, auch noch Sterne, ganze Sternsysteme, Sternennebel, das versteht Ihr noch nicht. Ich war dunkelrot geworden, und die anderen Kinder stießen sich an und lachten. Ich gab aber nicht auf, vielleicht ahnte ich schon, daß ich gleich etwas Entsetzliches erfahren würde, aber ich wollte es erfahren um jeden Preis. Der Preis war dann tatsächlich hoch, so etwas wie ein vollständiger Zusammenbruch – wer seine Kindheit noch nicht ganz vergessen hat, weiß, daß man solche Zusammenbrüche schon in sehr jungen Jahren erleiden kann. Und *darüber*, fragte ich zitternd. Darüber ist nichts, sagte der Lehrer, nur eben der Weltraum, also nichts. Bei diesen Worten sah er mich böse an, er machte auch eine Bewegung mit der Hand, vielleicht tat er das ganz bewußt, und es war ihm auch bewußt, was er da wegfegte, nämlich einen ganzen Kinderhimmel, ein dickes Wolkenpodest, auf dem die heilige Dreifaltigkeit, die Engel und die Heiligen saßen. Wir rechnen jetzt, sagte er, du kannst anfangen, und ich nahm mich zusammen, obwohl da eigentlich gar nichts mehr zusammenzunehmen war, ein Häufchen Unglück, Staub. Der Heimweg führte den See entlang, es war windig, das Schilf bewegte sich und über dem Wasser erschienen die ersten Sterne. Die Erzieherin, die mich abgeholt hatte, war die kleine, buckelige, zu der wir am meisten Vertrauen hatten, und die wir am meisten liebten. Ich sagte ihr aber von dem, was ich erfahren hatte, kein Wort, und auch meinen Eltern oder meinen Geschwistern hätte ich kein Wort gesagt. So gesellte sich zu der Qual der Gottverlassenheit das Leiden der Einsamkeit – es kommt mir jetzt vor, als hätte ich diesen ganzen Heimweg auf dem Boden kriechend zurückgelegt und dabei eine schwere Last geschleppt. Gott ist Geist, und einmal muß jedes Kind das erfahren. Ich habe aber noch niemanden getroffen, für den diese Erfahrung eine ähnliche Katastrophe gewesen ist, jedenfalls niemanden, der davon gesprochen hätte.

*11. April*

Briefe, die von jungen Leuten an ihre Idole gerichtet wurden, hat ein französischer Journalist gesammelt und in der Presse veröffentlicht. Es handelt sich bei den Schreibern um junge Männer und junge, auch nicht mehr ganz junge Mädchen und Frauen; die Idole sind die Beatle-Sänger und Sängerinnen unserer Zeit. Keiner der Briefe ist von seinem Empfänger gelesen worden, sie stammen aus den Papierkörben, bestenfalls aus den Archiven der Manager, und nur der Kuriosität halber wird von dem Herausgeber der eine oder andere vollständig zitiert. Kurios, das heißt Neugierde-erweckend sind vor allem die krankhaften Zustände, in welche der Klang einer Stimme, ein Gesicht auf der Fernsehscheibe oder im überfüllten Beatschuppen die Briefschreiber versetzt. Ein Mädchen berichtet von Wein- und Schreikrämpfen, von mehreren Fahrten im Ambulanzwagen, da war das Idol leibhaftig auf der Straße vorbeigegangen, sie hatte es fassen, festhalten wollen und wurde ihrerseits von den »Polypen« gefaßt. Mehr als kurios ist, wie besonders Frauen sich mit dem Gegenstand der Liebe, der Sehnsucht und des Zorns »ihres Sängers« identifizieren, töricht fragen, »liebst du mich wirklich so?« oder »Was habe ich dir getan?«, sich beklagen, daß das Idol in aller Öffentlichkeit von seiner und ihrer Liebe spricht, sie treffen und küssen will und dann vorüberfährt, ohne von ihnen die geringste Notiz zu nehmen. Reden wir von dem Chanson, das du *für mich* gesungen hast – da tritt ein, was doch gar nicht sein kann, die Beziehung ist nicht mehr einseitig, sie, die Schreiberin, hat der Sänger ins Auge gefaßt, für sie hat er gelitten, sich um ihretwillen in Sehnsucht verzehrt. Der Gewaltakt solcher Identifizierung erzeugt am Ende nur Traurigkeit, der Geliebte erscheint in den Träumen seiner Anbeterin, die ihn dann auch wieder hassen muß, weil sie, erwachend, doch allein gelassen wird. Viel Eifersucht – ich werde verrückt, wenn ich denke, daß du alle Mädchen küßt außer mir, Eifersucht vor allem bei den Frauen, weniger bei den Männern, die sich, nach anfänglicher Täuschung auch bald klar machen, daß diese Lieder nicht für sie, sondern für alle gesungen werden. »Ihr Name«, so heißt es in einem Brief an France Gall, »Ihr Gesicht, Ihre Lieder sitzen in mir wie in einem Gefängnis, aus dem sie nicht mehr herauskommen werden. Deshalb denke ich viel an Sie und bete für Sie...« und in einem anderen Brief »ich sage manchmal Liebesworte zu Dir, weil meine Seele sich ganz an Deine geschmiegt hat.« Seele an Seele geschmiegt, Traumrede, Traumküsse, was alles der Sammler der Briefe für eine von der unerbittlichen Maschinerie der Werbung erzeugte und in Gang gehaltene Phantasie- und Gedankenlosigkeit hält. Ich meine aber, daß gerade die Phantasie hier am Werke ist und daß jeder junge Mensch zuerst in Gedanken liebt. Auch die »Schwärme« vergangener Zeiten, der Heldentenor, auf den Mädchen am Bühnenausgang warteten, die schüchtern mit Blumen bedachte Lehrerin waren Idole – nur daß eben heute alles in die Öffentlichkeit gezerrt wird und gezerrt werden will. Die Schamlosigkeit etwa der von der Polizei aufgegriffenen Idoljägerin gehört dazu, man liebt in der Phantasie und doch vor aller Augen, heult sein Elend in alle vier Winde, und wächst doch am Ende über all die eingebildete Leidenschaft eines Tages hinaus. Ein Vorspiel der Liebe und ein gefährliches nur insofern, als die später erreichbaren Mädchen und Männer mit den zarten weiblichen Traumgestalten, den zornigen und eifrigen jungen Sängern schwerlich Schritt halten können.

FREMDENFÜHRERSPIEL 2                    *12. April*

Heute wieder Führung durch meine Wohnung, aber unsystematische, auch nur gedachte, da ich mich nicht entschließen kann, das erwähnte Schild aufzustellen und fremde Besucher zu empfangen. Also heute kein Rundgang, nur drei Bilder, drei Zeiten: Mitte des vorigen Jahrhunderts, Jahrhundertwende, Mitte dieses Jahrhunderts, und jedes sehr kennzeichnend für eben seine Zeit. Das älteste ist ein Aquarell, das den Jupitertempel in Paestum darstellt, ein gewisser Bergmüller, ein Vorfahr hat es gemalt, kein berühmter Mann also, aber ein Könner, ein zugleich einfacher und virtuoser Darsteller des am schwersten Darzustellenden, des Lichtes, eines rosigen Frühmorgenlichtes übrigens, das auf die Säulenstümpfe und Mauerreste des Tempelplatzes fällt, während die Tempeldecke und ihre Säulen in violettem Schatten bleiben. Der Vesuv dahinter, weiß wie ein Schneeberg, weil auf dem weißen Papier nur mit dem Bleistift flüchtig umrissen, unter hellen Sciroccowolken und blauem Himmel, alles noch vor der Fremdenflut, der spätmorgendlichen, auch der historischen des Tourismus, eine Morgeneinsamkeit und Kühle, die so zart, so rosenfingrig kein Besucher der Ruinenstadt mehr erlebt, die er, könnte er sie erleben, auch nicht darstellen, oder so darstellen würde.

Das zweite Bildchen, das von der französischen Malerin Marie Laurencin stammt, ist ebenfalls ein Aquarell, aber ein Gebilde nicht der Erfahrung, sondern der Phantasie. Eine weiße Barke mit weißem Segel nimmt hier fast den ganzen Bildraum ein, unten quillt ein wenig blaugraues Wasser, oben weißblaues Gewölk, nirgends ein klarer Umriß, alles sehr naß gemalt, wie im Wasser ertrunken, Wasserfarben, wäßriger Dunst. Auch die fünf jungen Mädchen im Boot scheinen mit ihren weißen Körpern und hellen Schleiern und Schärpen eine aquamarine Vision. Nicht eigentlich Frauen sind es, sondern Püppchen, in ihren weißen Gesichtern stehen die Augen wie Kohlenstückchen, keine Nasen, winzige Münder, ungeschicktes Hantieren mit dem Segel, das kann am Ende nicht gut gehen, aber die Püppchen sind eben nicht von dieser Welt. Fluctuat nec mergitur – sie segeln über meinem Bett schon seit Jahrzehnten und haben sich noch nicht in Schaum aufgelöst. Nichts ist schwer, sind wir nur leicht, denke ich, wenn ich mein Bett mache und wünsche mir, einmal so schreiben zu können, wie das Bildchen gemalt ist, aber ich kann es nicht, und wahrscheinlich will ich es auch gar nicht und habe es nie gewollt.

Dem dritten Bild sehe ich, wenn ich im Bett liege, gerade ins Gesicht, nur daß es kein Gesicht hat, wenigstens kein auf den ersten Blick zu erfassendes, vielmehr gelten da die zweiten, dritten, vierten, fünften Blicke, jedesmal sieht man in dem Gewirr von Schwüngen, kohlschwarzen, grauen, weißen etwas anderes, Fischaugen, Menschenaugen, eine

Faust, die von vorn in die Bildmitte zerstörerisch stößt, Dornenhecken und Grasbüschel, Windwirbel und spritzendes Gestein. Keine Komposition, keine Verfremdung von wirklich Vorhandenem, nur Bewegung, also auch nicht zu enträtseln und zu verstehen nur als Ausdruck der zentrifugalen Schleuderkraft, der wir unterworfen scheinen. Unruhe von uns erzeugt und von uns erlitten, weswegen die Graphik des Bildhauers Lothar Fischer mir auch von den drei geschilderten Bildern das nächste, lebendigste ist. Mit den beiden andern ist man schnell fertig, sehnt sich nach der rosigen Morgeneinsamkeit des 19. Jahrhunderts, nach der hellen schwebenden Heiterkeit der Zeit vor dem ersten Weltkrieg, und adieu. Was mir aber in den wilden Schwüngen und Stößen des heute lebenden Bildhauers vor Augen steht, verwandelt sich immer, ist Heute und Morgen, ist Aggression und Grausamkeit und dazwischen eine plötzlich entdeckte Stille, Kern der Taifune, Harmonie.

*14. April*

Ein schlechtes Gewissen – man hat es einigen Menschen, besonders Toten gegenüber, man hat nicht genug Liebe gezeigt, und nun vermeidet man noch, eben aus diesem Grunde, an sie zu denken, womit man ihnen dann in alle Ewigkeit unrecht tut. Jemand hat das Gewissen den letzten, eigentlichen Gottesbeweis genannt, aber damit kommt man nicht weiter, warum hat es damals geschwiegen und meldet sich erst, wenn es zu spät ist, warum ist einem die eigene Lieblosigkeit gar nicht aufgefallen, was hat uns die Augen verschlossen für eine Not, die sich am Ende als katastrophal herausgestellt hat. L., nach Ottos Begräbnis, bat mich zu ihr nachhause zu kommen, der Ton ihrer Bitte klang von vornherein beleidigt und verärgert, ich hatte mein Handköfferchen bei der Witwe des Freundes gelassen, ihretwegen war ich gekommen, in weniger als zwei Stunden ging mein Zug. Komm doch mit uns, bat ich, bring mich dann auf den Bahnhof, nichts wäre natürlicher gewesen, und es war auch natürlich, daß ich den Abend noch nachhause fahren wollte, weil es zwei Tage vor Weihnachten war. Alles natürlich, nur daß der Natur, der menschlichen, nicht zu trauen ist, daß man etwas mehr sein sollte als Natur, eben mit der Hilfe des Gewissens, aber das Gewissen bleibt stumm. L. war so sonderbar, erzählte ich später meinem Bruder, und mein Bruder berichtete von mehreren Vorfällen, bei denen L. sich ebenfalls höchst sonderbar betragen hatte, streng, unfreundlich, unbillig, worüber wir uns beklagten und womit wir unser Gewissen beruhigten, das sich bei mir doch gar nicht gerührt hatte, nicht als L. sich auf dem Wege vom Friedhof unter einem nichtigen Vorwand bei ihrer Wohnung absetzen ließ und nicht in der Nacht, als ich in dem Aussichtswagen eines Schnellzugs nachhause fuhr, es brannte da kein Licht und durch die gläsernen Wände und das gläserne Dach sah man die Tannenabhänge, den Schnee und die Sterne. Ich dachte an den gestorbenen Freund, aber was ich hätte denken sollen, war, laßt die Toten ihre Toten begraben, und umdrehen, sofort wieder zurückfahren, aber das Flehen, das sich hinter L.s unfreundlichen Worten versteckt hatte, hatte ich nicht bemerkt. Niemand hat bemerkt, daß sie schon tödlich erkrankt war, an ihrem Verstand, ihrem Erinnerungsvermögen zweifelte, vielleicht hat sie mir an dem Nachmittag etwas darüber mitteilen wollen, aber ich bin weggefahren, nichts in mir hat Feuer geschrieen. Wir sollten uns wenige Wochen später treffen und trafen uns auch, aber da war die Angst, die L. erfüllte, so groß geworden, daß sie nicht mehr imstande war, sie zu äußern. Nein, nein, ich war beim Doktor, mir fehlt nichts. An jenem Nachmittag, als wir von den Schneegrabhügeln, von den ausgestellten lebensrot geschminkten Leichen zurückkehrten, hätte sie vielleicht gesprochen, und ich habe sie sonderbar gefunden, nichts als sonderbar, was doch zeigt, daß das Gewissen nur ein Treppenwitz ist, keine Alarmglocke, sondern eine erst viel später über uns verhängte Qual, die schließlich alles, eine lebenslange Beziehung, jede gemeinsame Freude, jedes gemeinsame Lachen in ihren trüben Schleier hüllt. Einmal lieblos gewesen, immer lieblos gewesen, und wo sind nun die Stunden des guten Einvernehmens, und wann könnte ich je wieder in der Nacht in einem gläsernen Eisenbahnwagen fahren, ohne diesen inneren Brand zu spüren, auf dem vielleicht unsere Vorstellung von einem höllischen Feuer beruht.

WIEN 2                                                16. *April*

Betrachtungen wie die eben niedergeschriebenen, gehören eigentlich gar nicht in diese Aufzeichnungen, die ja eine Art von Standortbestimmung sein sollen, Standort: verlorener Posten, wenn man so will, da ja jeder, der keine Zukunft mehr hat, auf verlorenem Posten steht. Damit meine ich natürlich nicht die ganz äußerliche Bedrohung meiner Wohngegend, sondern das beginnende Alter, die täglich verringerte Lebenswahrscheinlichkeit, gegen die es keine Verteidigung gibt. Eine pathetische Zeit, ein Ort der Gefahren, der doch gerade in seiner Verlorenheit vieles wieder einfach erscheinen läßt. Der Tod macht alles sinnlos, sagte mir vor kurzem auf dem Kahlenberg ein junges Mädchen, das, wenn man Krieg und Unfall nicht in Betracht zog, eine Lebenserwartung von noch fünfzig Jahren hatte, und, wenn ich mich dieser jungen Wiener Philosophin dialektisch gewachsen gefühlt hätte, hätte ich ihr vielleicht geantwortet, der Tod gibt allem seinen Sinn. Eine gefühlsmäßige Äußerung, die Äußerung eines Menschen, dessen Jahre gezählt sind und dessen stupide erfreutes »ich lebe noch« der Reaktion der Überlebenden nach Bombenangriffen gleicht.

Wieder eine Nacht überstanden, wieder für einen Tag Essen herbeigeschafft – die junge Studentin, die sich ihres Wohlstandsdaseins wegen oft gescholten gesehen hatte, meinte, daß in der für sie schon sagenhaften Zeit der täglichen Lebensbedrohung alles leichter gewesen sein müsse. Aus Entbehrung und Bedrohung aber besteht auch das Alter, in dem tatsächlich vieles leichter wird, wenigstens für die, die in dem bloßen »unter der Sonne sein« einen Sinn schon sehen. Dieses bloße Unter-der-Sonne aber ist gerade der verlorene Posten, von dem ich gesprochen habe: eine Traumlandschaft, in der man sich so unwohl nicht fühlt. Ich mußte mir das gestehen, als das schöne todernste Mädchen mich verlassen hatte, ein Bote aus dem Reich des Zweifels und der Verzweiflung, aus dem Reich der Jugend, die mir plötzlich unglaublich fern gerückt war. Denn ich hatte meiner Besucherin nichts zu geben, was sie nicht verachtet hätte, und ich konnte von ihr nichts empfangen als eben diesen Satz »der Tod macht alles sinnlos«, den ich selbst einmal ausgesprochen hatte, oder hätte aussprechen können, vor langen Zeiten, den ich aber jetzt, gerade im Angesicht des Todes, nicht wahrhaben will.

In einer von Martin Buber erzählten chassidischen Legende wird der Rabbi Israel von den versammelten Chassidim gefragt, wie sie Gott dienen sollten. Der Rabbi, so heißt es, verwunderte sich und antwortete: weiß ich's denn? Aber sogleich fuhr er fort zu sprechen und erzählte: Es waren einmal zwei Freunde, die wurden eines gemeinsamen Vergehens halber vor dem König angeklagt. Da er sie aber liebte, wollte er ihnen eine Gnade erweisen. Lossprechen konnte er sie nicht, denn auch das königliche Wort besteht nicht gegen die Satzungen des Rechts – so sprach er das Urteil. Es sollte über einen tiefen Abgrund ein Seil gezogen werden, und die zwei Schuldigen sollten es, einer nach dem andern, beschreiten. Wer das jenseitige Ufer erreiche, dem sei das Leben geschenkt. Es geschah so und der eine der Freunde kam ungefährdet hinüber. Der andere stand noch am selben Fleck und schrie: »Lieber, sage mir doch, wie hast du es angestellt, um die fürchterliche Tiefe zu überqueren?« »Ich weiß nichts«, rief jener zurück, »als dieses eine: wenn es mich nach der einen Seite riß, neigte ich mich auf die andere.«

Die Geschichte, so heiter sie klingt, gibt dem Leser zu denken, jedenfalls einem, der mit chassidischer Weisheit nicht vertraut ist und der mit Judenschläue nicht abtun möchte, was die Schüler und Verehrer des Rabbi da von ihrem Meister zu hören bekamen. Frivol fast erscheint, erschien mir, schon die erste Antwort, das spöttisch wegwerfende »weiß ich's denn?«, eines Mannes, von dem Wissen doch gerade erhofft und erwartet wird. Dann erzählt der Rabbi seine Geschichte und obwohl diese doch offensichtlich eine Antwort auf die Frage der Lern- und Glaubensbegierigen darstellen soll, fällt es doch zunächst schwer, sie mit der Frage in Zusammenhang zu bringen. Die Jünglinge wollen und sollen weiter nichts als ihr Leben retten, ein durchaus diesseitiges und offenbar nicht besonders tugendhaftes, sonst wäre es ja zu der Todesstrafe gar nicht gekommen. Der einzige Weg zur Wiedergewinnung des schon verspielten Lebens führt durch eine tödliche Gefahr, in der sie sich so und so benehmen, sie überwinden oder an ihr zugrunde gehen können. Ob der eine, der Überwinder, freiwillig gleich losläuft, oder ob da eine Reihenfolge bestimmt wurde, ist nicht gesagt. Aber auch von einem besonderen Gottvertrauen dieses ersten Läufers ist die Rede nicht. Gott kommt in der Geschichte überhaupt nicht vor, und nur, was von dem König gesagt wird, nämlich daß er die Schuldigen beide liebte und ihnen deshalb eine Gnade erweisen wollte, deutet auf eine mögliche Verschmelzung der Begriffe Gott – König, Mensch – Untertan hin. Aber gerade wenn man meint, daß die Jünglinge zu ihrem König in einem sozusagen religiösen Verhältnis stehen, ist man erstaunt zu erfahren, auf welche Weise, nämlich keineswegs in einem sturen durch nichts zu erschütternden Glauben, der erste Läufer die gefährliche Strecke durchmißt. Sich einmal nach rechts und einmal nach links neigen, das ist doch beinahe so viel wie das Mäntelchen nach dem Winde drehen, einer Gefahr geschickt ausweichen, ein Verhalten, das bestimmt ist von der Nützlichkeit, der Aussicht auf Erfolg. Jedenfalls habe ich es zuerst so empfunden. Ich bin aber dann zu der Überzeugung gekommen, daß auch der frömmste Goi keinen Grund hat, sich über das Benehmen des Jünglings und über die Geschichte des Rabbi zu empören. Es geschieht ja das alles, die zugleich einfache und raffinierte Anpassung an das Gesetz der Schwerkraft, völlig unbewußt, und der glückliche Läufer macht es sich erst hinterher klar. Wenn wir annehmen müssen, daß sein Freund trotz der präzisen Auskunft danach vom Seil gestürzt ist, so doch nur, weil wir überzeugt davon sind, daß solche Equilibristik sich weder vorbedenken noch nachmachen läßt. Die Frage nach dem Wie ist so wenig zu beantworten wie die nach der richtigen Weise Gott zu dienen, da dieses wie jenes nur aus der Erfahrung einer besonderen Situation gelingen kann. Ein Seiltänzer Gottes also doch am Ende und der Rabbi doch ein Weiser und einer mit understatement, woran es den Weisen oft gebricht.

*18. April*

Der Kobold Gedächtnis setzte mir heute, während ich damit beschäftigt war, eine kleine Korrektur zu lesen, ins Zimmer ein schwarzspiegelndes Pianino, eine dicke Dame mit sogenanntem Tituskopf (ganz kurzen Locken) und einer Männerstimme, und während ich sonst Namen oft von einem Tag zum andern vergesse, fiel mir dieser, fast sechzig Jahre lang nicht ausgesprochene, ohne weiteres ein. Frau Astorga hieß die Dame und war italienisch temperamentvoll, wenn ich mich auch nicht erinnere, daß sie italienisch gesprochen hätte. Vielleicht war ihr Name nur ein Künstlername und ihre Frisur nur eine Künstlerfrisur, allerdings eine damals so schockierend ungebräuchliche, daß die Mütter sie ihren Klavierstundenkindern mit einer Krankheit erklärten. Die arme Frau Astorga, so hieß es, hat den Typhus gehabt, und beim Typhus fallen einem alle, buchstäblich alle Haare aus und wachsen nicht wieder nach oder doch nur ganz kurz. Der Typhus interessierte die Knaben und Mädchen, die zu Frau Astorga kamen, außerordentlich. Sie stellten sich ihre Lehrerin vor, wie sie fiebergeschüttelt, kahlköpfig und bleich in ihrem Bett lag, während die langen, ihr ausgefallenen Haarsträhnen sich auf den Kissen gespenstisch bewegten. Wenn Frau Astorga, was sie sehr oft tat, aus Wut über die Gleichgültigkeit oder das Unvermögen der Schüler plötzlich ihre schwere Faust auf die Tasten fallen ließ, so sahen wir auch in solchem Jähzorn eine Folge der furchtbaren Krankheit, die Frau Astorga in Wirklichkeit wohl nie gehabt hatte und von der sie nichts wußte. Wir duckten uns und warteten, bis die Baß-Saiten zur Ruhe gekommen waren und der Kronleuchter aufhörte zu klirren. Danach baten wir Frau Astorga, uns das Stück, bei dem wir so kläglich gescheitert waren, vorzuspielen. Was wir dann zu hören bekamen, eine Czerny-Etude, den »Fröhlichen Landmann« oder ein Stück aus dem Wohltemperierten Klavier – es klang alles gleichermaßen dramatisch, wie ein düsteres Feuer, das zuerst schwelt, dann plötzlich knattert und singt und die Häuser zum Einstürzen bringt. Es ist der Typhus, dachten wir und sahen noch lange danach die Musik als eine gefährliche Fieberkrankheit an. Wir erzählten aber zuhause davon und auch von Frau Astorgas Zornesausbrüchen nichts. Als sie mir einmal ein neugekauftes Notenheft mitten durchriß, die Hälften auf den Fußboden fallen ließ und mit ihren spitzen Absätzen darauf herumstampfte, warf ich die mißhandelten Sonaten auf dem Heimweg über eine Gartenmauer und behauptete zuhause, sie verloren zu haben. Ich schrieb am Abend als Strafarbeit zwanzig Mal »ich soll auf meine Sachen achtgeben«, sorgfältig und mit einer gewissen Wollust, während Frau Astorgas furiose Wiedergabe der Clementisonatine, opus 1, mir noch in den Ohren dröhnte.

Merkwürdig, daß der Witwenstand, ganz abgesehen von dem persönlichen Verlust und dem persönlichen Alleinbleiben als eine Art von Demütigung fast überall empfunden wird. Familienstand: ledig, verheiratet, geschieden, verwitwet, nicht Zutreffendes zu durchstreichen, ich kenne keine Frau, die das Wwe. als einen Ehrentitel empfände. Es scheint schon dem Überleben etwas Anrüchiges anzuhaften, etwas von üblem Lebenswillen und Lebenstrotz, zugleich auch etwas Verächtliches – sie hat ihren Mann verloren, wir haben unsere Männer noch, fahren zusammen ins Grüne, gehen zusammen durch die Straßen, das kommt doch nicht von ungefähr. Tatsächlich haftet jeder Witwe etwas von einer Gattenmörderin an. Weswegen sie denn auch, immer vorausgesetzt, daß sie keine eigene Arbeit, keinen eigenen Freundeskreis hat, gestraft wird mit Vernachlässigung, gnadenhaften Einladungen, aber es gibt, dank der höheren Lebenserwartung der Frauen, so viele Witwen, so viele Bruchstücke, mit denen man sich sein Wohnzimmer nicht voll setzen mag. Sie sind zudem selten ganz normal, vielmehr sonderbar, sprechen ununterbrochen von ihrem Verewigten, oder überhaupt nicht, sehen sich aber auch dann mit Gieraugen um, sagt doch etwas, sprecht über *ihn*, er kann doch für euch nicht ganz tot sein, wie oft hat er hier gesessen oder gestanden, die Hände in den Taschen, an eure Bücherwand gelehnt. Warum tut ihr so, als ob es ihn nie gegeben hätte, warum erkundigt ihr euch nicht, wie ich alleine zurecht komme, ich komme niemals zurecht. Witwen und Verheiratete, das geht nicht zusammen, schon weil Witwen so etwas sind wie ein ewiges Memento mori, weil man ihnen allerhand böse Wünsche zutraut, sei nur nicht so stolz auf den Herren Gatten, eines Tages bleibst du auch allein. Die Witwen zuhause zu besuchen, ist auch lästig, da ist unter Umständen das Zimmer des Mannes seit seinem Tod unverändert geblieben, kein Gegenstand verrückt, die angebissene Semmel, verstaubt nun, auf einem Tellerchen, Abdruck seiner Zähne, daneben der letzte ihm auf den Schreibtisch gestellte Blumenstrauß, Verdorrtes in grüngelbem, schleimigem Wasser, im Sofakissen eine kleine Kuhle, sein letzter Mittagsschlaf, pomadenglänzend, und die Schubladen noch alle voll mit seinem Kram. Oder auch ganz anders, die Schubladen leer, die Schränke leer, alles schon in der ersten Woche verschenkt oder verkauft, Großreinemachen, neue Tapeten, neue Möbelbezüge, was etwa noch gefunden wird, eine Brille, ein altes Taschenmesser, kommt in den Mülleimer, alle Gegenstände haben den Geruch des Todes angenommen, der muß aus dem Haus. Verrücktheiten so oder so, Unsicherheiten der Witwenschaft, in der man wie auf Eis geht und dazu noch im Nebel, in dem sich nichts mehr überblicken läßt und nichts von sich selber versteht. So daß den Witwen, selbst den vielfachen Müttern und Großmüttern nichts übrig bleibt als ein Schattendasein, so resolut sie sich auch gebärden mögen, so sehr manche von ihnen nach einigen Jahren das Selbstbestimmenkönnen genießen. Wunde Schatten, tatkräftige Schatten, irrsinnige, irr-sinnende auf jeden Fall.

GRAPHOLOGISCH                                    24. *April*

Es fällt mir, und recht unangenehm auf, daß sich meine Schrift verändert. Die Oberlängen verdorren, aus den einstigen schönen Schlingen werden kümmerliche Säckchen, manchmal ragt statt ihrer auch nur ein Strunk, ähnlich dem eines zerschossenen Baumes auf. Betrachten wir nur das kleine h, diesen Besenstiel mit dem Putzlumpen daneben, oder das große G, das seine Schlinge völlig eingebüßt hat und das man infolgedessen mit einem J leicht verwechseln kann. Bei den Unterlängen tritt eine solche Verkümmerung selten ein, allenfalls bei dem kleinen f, das, oben und unten reduziert, einer schiefen und wackeligen Bohnenstange gleicht. Da ich mich aus einer populären Abhandlung über Schriften zu erinnern glaube, daß die Oberlängen die geistige Welt, die Unterlängen alles Triebhafte verkörpern, finde ich, es sollte bei einem älteren Menschen der Prozeß einer langsamen Schriftveränderung – gerade in umgekehrter Richtung vor sich gehen. Üppige Baumkronen, magere Wurzeln, die ja so viel aus der Erde nicht mehr zu ziehen haben. Da mir mein augenblickliches Schriftbild wenig gefällt, versuche ich natürlich es zu verbessern, das heißt, den früheren Zustand der Ausgewogenheit wieder herzustellen. Das gelingt aber nur, wenn ich ganz bei der Sache bin, was bedeutet, daß ich bei meiner eigentlichen Sache, dem Inhalt des zu Schreibenden nicht sein kann, sobald ich in Gedanken zu diesem Inhalt zurückkehre, stellt sich in der Schrift der alte Zustand wieder her. Diese Tatsache beunruhigt mich, wie alles, was ohne und sogar gegen unseren Willen, mit uns geschieht.

Ich erinnere mich heute an die »Geisterbücher«, die wir als Kind hatten. Auf die Falzlinie, d. h. zwischen eine Seite und die andere schrieb man in Längsrichtung, schrieb selbst, ließ seine Geschwister, seine Freundinnen ihre Namen schreiben, klappte dann, solange die Schrift noch naß war, das Buch kräftig zu. Was da entstand, waren symmetrische, je nach den Schriftzügen und der Druckstärke des Eintragers mehr oder weniger phantastische Gebilde, spitzflügelige Vögel, großäugige Dämonen, zarte Spinnen und häßliche Fledermäuse, Gebilde, die wir lange betrachteten, verwundert und erschreckt. Von den auf ähnlichen Prinzipien beruhenden psychologischen Testversuchen wußten wir nichts. In der Freundin, dem Bruder, der Schwester steckte das Fabelwesen, das auf solche Weise hervortrat, der »Geist« eines Menschen, zwischen zwei Buchdeckeln gefangen. Mein »Geist« war, soviel ich mich erinnere, ein besonders weitflügeliges Tier, mit dem ich mich gern identifizierte, vor dessen riesigen, aus hingekleckten I-Punkten entstandenen Augen ich aber auch eine gewisse Beunruhigung empfand. Natürlich besitze ich mein sogenanntes Geisterbuch nicht mehr. Es wäre interessant, meinen Geist von damals mit meinem Geist von heute zu vergleichen, zum mindesten könnte ich das Experiment wiederholen. Ich tue es aber nicht, wahrscheinlich, weil ich mich davor fürchte, den schönen Vogel in ein skeletthaftes und blindes Wesen verwandelt zu sehen.

*Ende April*

Daß draußen die Amseln singen, daß der Frühling, mit grünen Schleiern über den Büschen, kommt, eigentlich schon da ist, muß ich doch erwähnen, obwohl er mir heuer nicht unter die Haut geht, keinerlei Rührung in der Art von »daß ich das noch einmal erleben darf« erweckt. Schlechte Laune, könnte man sagen, finstere Laune, sogar im Park, den ich fast täglich durchstreife, obwohl mir dieses Jahr schon das spießige Osterhasengärtlein auf die Nerven gegangen ist. Gebüsche in bunter, eiförmiger Umzäunung, ein Wärter versteckt die von den Eltern mitgebrachten Eier, während ein zweiter die Kinder dazu überredet, die faul herumhoppelnden Stallhasen zu streicheln, – bald darauf findet die Frühlingsblumenausstellung, dann die Azaleenausstellung statt. Seit einigen Tagen gehe ich dort umher und schreibe in Gedanken einen Brief an den Direktor, lieber Herr Direktor, man kann nicht fortwährend lieben, ich liebe Ihre Ausstellungen nicht mehr, sie sind mir zu gekonnt, Ihre Blumenrabatten nicht mehr, sie sind mir zu üppig. Was ich liebte, war der schmale dunkle Weg im Umgang des großen Palmenhauses, da schlugen einem die feuchten glänzenden Blätter der Kamelienbäume gegen die Wangen, da leuchteten die Blüten, ganz oben, ganz hinten, rosa und rot. Was ist daraus geworden, Herr Direktor, eine breite Promenade mit Zementbrunnen, Wandelgang einer Lebensversicherung oder eines Sozialbades, und überhaupt, der Zementorgien sind genug gefeiert, der rechtwinkeligen Mäuerchen genug gebaut. Rechtwinkelig an Leib und Seele, dieser Spruch hing, riesig in Holz gebrannt, im Vorplatz eines unserer Notquartiere, die rechtwinkeligen Besitzer hatten uns ein Zimmer abgeben müssen, sie rächten sich dafür, indem sie uns keinen Hausschlüssel gaben, wir betraten und verließen unser Zimmer durchs Fenster, zu ebener Erde lag es, das war unser Glück. Entschuldigen Sie die Abschweifung, Herr Direktor, auch ein öffentlicher Garten kann einem ans Herz wachsen, zum Beispiel die uralte Eibe, die einmal hierher verpflanzt und so vorsichtig – zwei Kilometer in acht Stunden – durch die Stadt gefahren wurde, die chinesischen Sträucher, die Winterblüher, die Victoria Regia im Kleinen Haus. Auch im Gartenbau gibt es Moden, als der Garten um das große Palmenhaus, diese bürgerliche Exotik, angelegt wurde, trug man nierenförmige Teiche, runde Springbrunnen, Hochstammrosen, es wäre hübsch gewesen, wenn Sie das alles erhalten hätten, ein Gartenmuseum des 19. Jahrhunderts, wie es Gartenmuseen des achtzehnten, des siebzehnten, sechzehnten und sogar des fünfzehnten Jahrhunderts gibt. Eine einzigartige Gelegenheit, die Sie verpaßt haben, und vielleicht gar nicht verpassen wollten. Ihre Abonnenten, Ihre Sonntagsnachmittagsmusikhörer haben Sie dazu gezwungen, Sie sind ein Warenhausbesitzer, der immer das Neueste auslegen muß. Das alles schreibe ich in meinem Gedankenbrief, und dann gebe ich der Wahrheit die Ehre, gebe dem Garten die Ehre, seinen leuchtenden Grasflächen, seinen riesigen Pappeln, Platanen und Weidenbäumen, und überhaupt war der ganze Brief nur eine Laune, Frühlingslaune, Zierkirschenblütenblätter, losgerissen, hintreibend unterm Gewitterhimmel, schwül. Keineswegs denke ich daran, mein Abonnement aufzugeben, und ich wäre unglücklich, wenn Sie, Herr Direktor, es mir etwa dieses doch gar nicht abgeschickten Briefes wegen, kündigen würden, was natürlich möglich ist, ebenso wie es möglich ist, daß die Kontrolleure eine Kartei haben, eine Gedankensünderkartei, auf die hin sie mir den Eintritt verwehren. Ich möchte aber immer wieder kommen, auch später, wenn ich meine blaue Karte nicht mehr vorzeige und mich an die Eintrittszeiten nicht mehr halte. Wenn ich mich auf Ihren phantastischen Spielgeräten herumschwinge, nachts, im Nebel, eh noch auf den großen Blumenfeldern die Dahlien schwarz verblühen.

*30. April*

Es kommt vor, daß man nachts zwischen Schlafen und Wachen alte Wege geht, oder fährt, dabei seltsame Sprünge macht, von einem Land in das andere, nur daß dort, wo man sich gerade befindet, niemals eine Sprache gesprochen wird, die Erscheinungen gleiten stumm vorbei. So heute nacht der zoologische Garten des Filmproduzenten De Laurentis, rechts von der Straße nach Terracina, zwischen Straße und flacher Küste, das Meer ist nicht zu sehen. Die im Gehege gehaltenen Tiere sind für die Arche Noah be-

stimmt, auch an der Arche fahren wir vorüber, da sitzt sie,
eine große schwärzliche Glucke, im Dünengras, ein schön
aufgetakeltes Schiff, eher des Columbus als des biblischen
Altertums, und wartet auf ihren Auftritt, nun schon seit
Jahren, wartete aber heute nacht nicht mehr, sondern kroch
zwischen Antilopen und Giraffen durch das regenblaue
Dünengras schwerfällig auf das lateinische Ufer zu. Ich sah
sie nicht mehr schwimmen, war schon wo anders, ging hin
und her auf unserer, auf Costanza's Terrasse, so weitläufig
war die, so viele Pflanzen, sie zu begießen, mußte ich einen
langen Schlauch hinter mir herziehen, und mit großer Vorsicht, denn sobald er einen Knick bekam, schossen aus all
seinen schadhaften, mit Pflaster verklebten Stellen Fontä-
nen oder er riß sich vom Wasserhahn und das Wasser
platschte scharf, direkt auf die Fliesen, gleich waren sie
von großen Lachen bedeckt. Drei Kästen mit Oleander,
zwei mit Gelsominen, Fettkraut, ein Citronenbaum, Rhododendron, bleich verblühend, wie Totenköpfe, Lorbeer,
Hortensien, rosa Nelken in Büscheln, kanadischer Wein.
Dazwischen die Gäste, die doch gar nicht dahin gehörten,
die ich mit meinem Strahl umgehen mußte, die sich aber
um mich nicht kümmerten, am großen runden Tisch saßen
und aßen, auch sprachen, aber nur wie in Stummfilmen,
Mund auf, Mund zu, die Köpfe nach rechts und nach links
wendend, etwas gaben, etwas verlangten, Costanza's Flöte
offensichtlich, denn die brachte sie jetzt herbei und der
Maestro Gazzelloni setzte sie an den Mund. Ich hörte
nichts, aber die Gäste hörten und die Arbeiter auf dem
Neubau hörten und ließen die Arme sinken. Ich hörte
nichts, obwohl ich doch einmal mit am Tisch gesessen hatte,
aber jetzt zerrte ich meinen Schlauch von Kasten zu Kasten, ungeschickt, so daß es aus allen Löchern sprühte und
die Gäste naß wurden, was sie aber nicht merkten, hinge-

rissen wie sie waren von der stummen Musik. Oleander, Gelsomine, Citronenbaum, und schon war ich wieder wo anders, in einem Wald, Osterwald, voll Anemonen, die ich nicht pflücken wollte, weil sie schon in der Hand erschlaffen und die Hand, die sie hält, erschlafft und wird anemonenlila im Schatten der Douglasfichten, und die tollwütigen Füchse bellen. Man darf sich von tollwütigen Füchsen nicht beißen lassen, muß mit dem Stock auf sie losschlagen, was ich nie getan hatte, aber jetzt tat, mit einem weißen Blindenstock, heute nacht.

*1. Mai*

In der vergangenen Woche sind verschiedene neue Gerüchte aufgetaucht, die im Supermarkt, aber auch auf ganz altmodische Weise an den Straßenecken besprochen werden. Die meiner Wohnung gegenüberliegenden Häuser sollen bereits verkauft sein, und zwar an eben den Konzern, der die Absicht hat, das Pilzhaus zu bauen. Schon die Bogenlampen, die an Stelle der alten, ursprünglich vom städtischen Gas gespeisten Laternen in unserer doch schmalen und bescheidenen Straße mit großem Getöse eingerammt werden, deuten auf die von mir vorausgesehenen Absichten der Stadtverwaltung hin. Heute sprach ich mit einer Frau, die eben in dieser Verwaltung und sogar in der Abteilung Baudezernat, einen Verwandten, ich glaube einen Schwager sitzen hat. Was sagt Ihr Verwandter, fragte ich, was wird aus uns, hat man die Absicht, eine Bürgerversammlung einzuberufen oder nicht. Die Frau ging aber auf meine Frage nicht ein. Die Kastanien, sagte sie, werden auf jeden Fall daran glauben müssen, und das ist auch recht so, schließlich ist es wichtiger, daß der arbeitenden Bevölkerung ihr Weg in die Innenstadt erleichtert wird, als daß Sie einmal im Jahr unter blühenden Kastanien spazieren gehen. Ich war, obwohl ich es gewöhnt bin, daß man meinen Beruf als eine Art von Müßiggang ansieht, von der Feindseligkeit ihrer Worte überrascht. Ich hatte an die Kastanien, diese schöne Allee auf der nahegelegenen Bockenheimer Landstraße, im Augenblick gar nicht gedacht. Ich wußte, daß in einer Apotheke an der Ecke Postkarten verkauft oder verschenkt wurden, bräunliche Photographien, die offensichtlich aus einer lang vergangenen Zeit stammten, da unter dem mächtigen Laubdach der Baumkronen diese jetzt sehr stark befahrene Straße noch still und verlassen lag. Die Aufforderung »Rettet die Kastanien der Bockenheimer Landstraße« war auf die Rückseite der Karten gedruckt, ich selbst hatte einige von ihnen beschrieben und verschickt, aber nie recht daran geglaubt, daß sich auf solche Weise die bedrohten Bäume wirklich retten ließen. Jetzt sehe ich, es kommt eines zum andern, es kann nicht schnell genug gehen. Eines Nachts, – man wird kaum wagen, die Bäume bei Tageslicht und vor aller Augen zu entfernen, – eines Nachts also werde ich die mächtigen Axtschläge hören, aber ich werde darüber keine Tragödie schreiben, wie das Tschechow vor fünfzig Jahren getan hat, denn eine Tragödie beruht auf einer Zeitenwende oder einer Schicksalswende, und die Zeitenwende, der die Kastanien, wie einst der Kirschgarten, zum Opfer fallen, ist lange vorbei. Ich werde mir die Decke über den Kopf ziehen und meine Ohren mit Wachs verstopfen, es kommt eines zum andern, eines zum andern, und ich möchte nur noch Zeit genug haben, verschiedenes aufzuschreiben, was zu der alten Wohnung, der alten Gegend und zu dem gelebten Leben gehört. Ich bin überzeugt davon, daß ich, sobald ich erst einmal diesen Boden unter den Füßen verloren habe, mich mit anderen Dingen beschäftigen werde. Rettet die Kastanien, und dabei sind schon längst ganz andere Gefahren in unseren Gesichtskreis getreten.

*2. Mai*

In der vorigen Niederschrift habe ich auf die H-Bombe (jetzt kurz und vertraulich die Bombe genannt) angespielt, aber doch nicht auf diese allein. Ich las vor kurzem von den Fortschritten, die man in der Biologie gemacht hat und noch machen wird, über die Möglichkeit, männlichen Samen beinahe unbegrenzt haltbar zu machen und zu Zeugungszwecken noch zu verwenden, wenn der Samenspender längst tot, in einem Krieg gefallen, bei einem Autozusammenstoß verblutet oder an irgend einer Krankheit gestorben ist. Sein Same lebt, wenn man so klug früher schon gewesen wäre, gäbe es noch etwas von Goethes Samen, von Napoleons Samen, von Byrons Samen, natürlich nur kleine, sorgfältig gehütete Mengen, die aber gegen entsprechende Bezahlung gewiß abgegeben werden würden. Von wem, gnädige Frau, wünschen Sie ein Kind, von Ihrem gutmütigen, aber etwas öden Ehegatten, oder von dem geistreichen und bösen Friedrich dem Zweiten von Preußen, welch ein Einbruch von gefährlichem Genie in die Familie Mayer, unser Kronprinz könnten Sie sagen und mit vollem Recht. So weit ist es noch nicht, aber schon genügend unheimlich, wenn auf Wunsch ihrer Frauen die Soldaten, die nach Vietnam verladen werden, vorher ihren Samen auf die Bank, auf die Samenbank tragen und zwei, drei, fünf Jahre nach ihrem Tode im Dschungel könnten ihre Frauen noch Kinder von ihnen bekommen. Diese Witwenkinder, Leichenkinder können heranwachsen, können, da auch ihr Geschlecht wählbar ist, Knaben sein, ein autoritärer und militaristischer Staat könnte sich auf diese Weise Armeen heranziehen. Die Helden der Nation, die Fußballspieler, Schlagersänger und Piloten würden durch Samenverkauf ihre Familien versorgen, es könnte da auch zu kleinen Inflationen kommen, lauter Moß Stirlings im Autobus, keine kinderlosen Frauen mehr, dafür aber Eifersucht genug. Ich habe dir doch verboten, auf die Bank zu gehen, was hast du da wieder eingekauft, einen kleinen Günter Grass, an dem wirst du deine Freude haben, du wirst schon sehen. Doch ist das alles noch lustiger, auch appetitlicher als die ebenfalls ins Auge gefaßte Möglichkeit, aus intakten, aufs Eis gelegten Körperteilen neue Menschen zusammenzustückeln, Produkte der Schlachtfelder, für neue Schlachtfelder bestimmt.

5. Mai

Sobald ich, wie eben jetzt, eine Strelitzie im Zimmer habe, werde ich unruhig, kann nichts tun als diese Pflanze ansehen, den tropischen Vogel, das Stück gefährliche Fremde, das ganz anders als etwa eine Orchidee meine gewohnte Umgebung terrorisiert. Der fleischige Stengel ist im rechten Winkel geknickt, aus der verdickten Hülle ragen an dieser Stelle seltsame Blütenblätter, orangengelbe Spitzen und zartblaue Lanzen, die auf ihrer Mittelrippe fetten Blütenstaub tragen. Die eigentliche Blüte, ein umgewandeltes Blatt sitzt am äußersten Ende des abgewinkelten, rhabarberrötlichen Stengels, – sie ist tiefrot, ein einstiges Blütenblatt, wie gesagt, aus dem der Stengel, dick und steil, manchmal an der Spitze leicht gebogen, heraussteht. Für einen Laien ein botanisches Wunder, zweierlei Blütenstände, einer leicht, zart, kolibrihaft, einer fett und üppig, fast obszön. Alles, was auch in uns ist, immer war, immer sein wird, Gier und schwebende Heiterkeit, grober Reiz

68

und zarte Verführung, alles auf einem Stiel gewachsen und von den alten Kräften des Wassers und der Luft ernährt. Die Vögelchen schlagen mit ihren spitzen, klirrenden Flügeln, die Blattblüte schiebt ihre fette rote Zunge vor und der Stempel, der einem männlichen Glied so ähnlich sieht, richtet sich auf. Ich habe ein Stück Urwelt im Zimmer, ein böses und liebliches Paradies.

DAS SPIEL »WIE-WÄRE-ES-WENN« I                    *6. Mai*
Keineswegs sitze ich, während ich auf die große Veränderung (die Kündigung) warte, die ganze Zeit müßig, mit den Händen im Schoß. Ich verrichte meine Hausarbeit, arbeite an einem Hörspiel, beurteile die mir von Fremden zugesandten Gedichte und Prosatexte, empfange Besuche, bewirte sie und beschäftige mich mit dem, was meine Besucher mir von sich erzählen. Es ist also alles wie immer, eine Zeit der Gedankenwege, Gedankenspiele, zu denen auch eines gehört, das ich das »Wie-wäre-es-wenn-Spiel« nennen möchte. Wie wäre heute die Sintflut, wie wäre heute Golgatha, und schon gerät meine Einbildungskraft in Bewegung, rennt und rennt, die Wichtigmacherin, die Schwindlerin, so schnell, daß ich ihr mit der Feder, mit den Hämmerchen der Schreibmaschine kaum nachkommen kann. Wie wäre es, die Sintflut, keine plötzliche Katastrophe, sondern ein meteorologischer Prozeß, zwei, fünf, zehn Regensommer, zwei, fünf, zehn Schneewinter, Stockflecken in den Kleidern, nasse, sich immer weiter ausbreitende Flecke auf den Tapeten und in den Mauern der Schwamm. Papier rollt sich zusammen, Lebensmittel verderben, von den schöneren Sommern der Kindheit wird gesprochen, geschrieben, dann nicht mehr geschrieben oder das Geschriebene nicht mehr gedruckt, weil die Erinnerung die

Widerstandskraft schwächt, die Moral untergräbt. Mit kleinen Überschwemmungen fängt es an, dann folgen größere, auch Flutwellen an den Küsten, die Zeitungsschreiber, die Fernsehleute besuchen das Tal, in dem ein Dorf unter Wasser steht, photographieren die gerade noch herausragenden Antennen, da haben sich, mit Hilfe der Bundeswehr, noch fast alle Bewohner gerettet, was später nicht mehr der Fall ist, manchmal kommt nicht einer davon. Die Bekleidungsindustrie stellt sich um, auf Gummistiefel, auf Regenhäute, auf Ölgetränktes, Trockengeräte, Schlauchboote, Stelzen werden produziert. Die Medizin bekämpft neue Krankheiten, Nässekrankheiten, Grauerhimmelkrankheiten, internationale Besprechungen über den Bau von künstlich besonnten Spitälern sollen stattfinden, finden aber nicht statt, weil der Mensch sich anpaßt, das geduldige Tier. Die Sonne ist eine Sage von vergangenen, goldenen Zeiten, ein Ammenmärchen, an das niemand mehr glaubt. Im fünften Jahr hat es noch dreißig Sonnentage gegeben, im zehnten noch zwölf, im zwanzigsten noch drei, schließlich nicht einen mehr, weswegen die Vorführung alter Filme, in denen die Sonne scheint, jetzt behördlich verboten wird, ebenso die Verbreitung von Bilderbüchern mit Sonne, Mond und Sternen. Das Getreide wächst jedes Jahr aus, treibt schwarze Würzelchen aus den ehemals goldenen Körnern, die Kartoffeln faulen auf dem Acker, das Grundnahrungsmittel sind Algen, die pulverisiert, zu einem schwarzen Brei verarbeitet werden, dieser wird auf Karten verteilt. Etwas Gemüse wächst noch unter Ketten von fünfhundertkerzigen elektrischen Birnen, die Wasserfälle sind ungeheuer, an Wasserkraft fehlt es nicht. Ebenen sind Gefahrenzonen, auch tiefgelegene Täler, dem Ankauf von Gebirgsgrundstücken soll gesteuert werden, was auch geschieht, aber zu spät, schon haben die vermögenden Leute alle Berggipfel in der Hand. Die Arche, die schließlich gebaut wird, ist eine riesige, schwimmende Insel, die Frage, wer darauf unterkommen soll, macht viel Kopfzerbrechen, Arbeiter der Faust oder Arbeiter der Stirn. Tiere sind so gut wie überflüssig, aber Mikrofilme etwa der Faustaufführung von Gründgens, die Neunte Symphonie unter Furtwängler werden mitgenommen, ebenso Datenspeicher, alles je Erfundene und Gedachte, Rezepte und Fabrikationsanweisungen, weswegen die Arbeiter der Stirn dann doch entbehrlich scheinen und im letzten Augenblick ersetzt werden durch starke Männer und Frauen, die gebären können, stillen, Kinder aufziehen, ein neues Geschlecht. Der Bau der schwimmenden Insel ist ein Geheimnis, das leicht zu hüten ist, weil Züge auf den unterspülten Gleisanlagen nicht mehr fahren, Flugzeuge auf den verschlammten Pisten nicht mehr landen können. Wem es nicht gelungen ist, ins Gebirge zu fliehen, den umwächst feuchtes Dickicht, das er anfängt zu lieben, wie er anfängt den grauen Himmel zu lieben, das Regengeriesel, auch die Todesgefahr; so ist der Mensch, will lieben um jeden Preis. Wenn alles eine einzige große Wasserfläche ist, sitzt er, wer, der kleine Herr Jedermann, mit seinen winzigen Vorräten im Schlauchboot, Vorrat für drei Tage und sieht in der Ferne die schwimmende Insel vorbeiziehen, auf der zwar keine Taube, aber die Meßgeräte ein Fallen des Wassers bereits anzeigen, in einem Monat, in zwei Monaten wird alles vorüber sein, aber das kann er, der kleine Kahnfahrer, nicht wissen und erfährt es auch nicht mehr.

HÖRSPIEL                                    8. Mai

Ein Hörspiel muß man, ehe man es niederschreibt, hören, die Zwiegespräche, Dreiergespräche, Tutti, zuerst selbst hören mit dem inneren Ohr. Also still sitzen, etwa wenn es beginnt dunkel zu werden, kein Licht machen, sich auf die fremden Stimmen konzentrieren. Dabei kommt es vor, daß die bekannten (aus einer bereits begonnenen Arbeit bekannten) Stimmen übertönt werden von anderen, die zu der geplanten Handlung gar nicht gehören und mit ihr nicht das Geringste zu tun haben. So hörte ich heute plötzlich die Gespräche mehrerer Leute, die, jeder für sich, offensichtlich versuchten, eine telefonische Verbindung zu bekommen, was ihnen aber nicht gelang. Unter den vier Personen, die dieser heutzutage gar nicht unwahrscheinlichen Verwirrung durch rätselhafte Querverbindungen unterlagen, war ein offenbar älterer Mann, der, nachdem eine Weile lang jeder der Teilnehmer die andern, aber vergeblich, aufgefordert hatte, den Hörer hinzulegen oder, wie sie es ausdrückten, aus der Leitung zu gehen, vorschlug, gute Miene zum bösen Spiel zu machen und sich zu unterhalten, wie es sich eben getroffen hatte oder wie sie sich getroffen hatten. Jeder sollte, wenn auch nicht seinen Namen nennen, so doch etwas von sich erzählen. Die Unterhaltung fand dann auch statt, war aber, wie mir schien, keine ernsthafte, eher ein Versteck- oder Verkleidespiel, bei dem jeder der Sprecher, offenbar verlockt durch seine Unsichtbarkeit, etwas anderes aus sich machte, als er wirklich war. Etwas anderes und mehr, so kam es mir vor, bei dem jungen Mädchen, das sich als Malerin ausgab und vielleicht nur als Reklamezeichnerin arbeitete, oder bei dem jungen Mann, der eine gutgehende Arztpraxis vortäuschte, dessen Stimme aber jung, wie die eines Studenten im zweiten Semester klang. Als der ältere Mann nach seinem Beruf gefragt wurde, sagte er mit ruhiger Stimme, ich bin der Tod. Er ließ sich ohne Widerspruch auslachen, ja, verhöhnen und gab dann, als er, zuerst von dem angeblichen Arzt, dann auch von den anderen Personen spaßhaft gefragt wurde, wann er denn kommen würde, sie zu holen, sehr bestimmte Auskunft: Sie unter diesen und jenen Umständen, Sie bei dieser und jener Gelegenheit, Sie dann und dann. Den drei Telefonierenden (der Dritte war zu meiner Überraschung ich selbst) wurde es ungemütlich, sie versuchten sich mit dem Amt, das doch gar nicht mehr existiert, in Verbindung zu setzen, dann sogar mit der Polizei. Wie alles ausging, erfuhr ich nicht mehr, weil bei mir das Telefon schellte. Als ich den Hörer abnahm, hörte ich einen Mann mit einem anderen Manne reden, dazwischen, ganz fern, die Stimme, die mich erreichen wollte. Die Herren sprachen über gewisse, schnell zu beschaffende Ausfuhrpapiere, die Stimme, die mich erreichen wollte, war die einer Freundin, es war nichts Merkwürdiges dabei.

*9. Mai*

In einer Zirkelrose wäre (später einmal) gut wohnen, dachte ich heute, wahrscheinlich angeregt durch einen alten Zirkelkasten, den ich beim Aufräumen einer Schublade gefunden hatte. Zirkelspiele waren das Erfreulichste am Mathematikunterricht, man trieb sie heimlich, zeichnete auf das Löschblatt vor allem die große Rose, bei der die Zirkelspitze auf einem beliebigen Punkt angesetzt und ein Halbkreis geschlagen wird, der aber über die große Scheibe nicht hinausragen darf. Dort, wo er die Kreislinie berührt, rechts oder links, wird die feine Spitze aufs neue angesetzt, es entsteht ein neuer Bogen, ein dritter, ein vierter, die Bogen überschneiden sich, bilden am Ende eine Art von Blüte, ein Gebilde von makelloser Symmetrie. Gerundetes, Verschlungenes war mir immer lieber als eckiges, gereihtes, die Bandkeramiker lieber als die Schnurkeramiker, das Barock lieber als der Klassizismus, die Farbe lieber als die Linie, der Sommer lieber als der Schnee. Die Zirkelrose ist eigentlich gar keine Rose, sondern eine Margherite, eine ungefüllte oder eine gefüllte, und für die Geometrie existiert sie gar nicht, ist nur oder war bei uns Kindern eine kleine heimliche Schöpfung, im dunkeln Klassenzimmer eine Wunderblume, ein Trost. Noch eben, als ich im Kasten, einem mit lilaschwarzem Kunstleder bezogenen Etui zwar den Zirkel nicht mehr, nur die im staubigen Samt für ihn angebrachte Vertiefung fand, wiederholten meine Finger die alte Bewegung, schlugen Kreise, die sich dann wie Seifenblasen in die Luft erhoben. Auch die Kinderfreude an Seifenblasen ist die Freude an der reinen sphärischen Gestalt, die da unversehens grauweiß aus dem zerfaserten Ende des Strohhalms dringt und sich im Fortschweben mit Regenbogenfarben überzieht. Die Glasmurmel mit dem spiraligen Farbenfluß war das dritte Kinderglück, sie konnte der teuerste Besitz sein, wurde niemals mit den andern ins Loch gerollt, vielmehr versteckt und nur heimlich hervorgeholt. In einer war, was mir besonders gefiel, ein winziges weißes Lamm mit einem Fähnchen eingeschlossen, das Lamm der Welt, der Mittelpunkt der Welt. Daß die Erde eine Kugel ist, erfahren wir staunend schon frühzeitig, auch die zuerst fünfzackigen Sterne sind später Kugeln, ein fließendes, fliegendes Ballspiel bis in die fernste, von keinem Objektiv mehr herbeizuholende Ferne, und eigentlich ist es doch zum Verwundern, daß Menschen und Tiere nicht auch in Kugelgestalt umherrollen, ja daß es die reine Kugelgestalt, den vollkommenen Kreis auf der Erde gar nicht gibt. Der Mensch kann sie denken, zeichnen, formen, Zirkelblume, sphärisches Ballspiel der Jongleure, dabei ist immer ein Glück, das nicht eigentlich von dieser

Welt ist oder nicht von dieser Erde, weswegen denn auch unser alter weißbärtiger Mathematiklehrer mir immer als ein rechter Magier erschien.

TRÄUME 1                                    *12. Mai*

Ein Traum, den ich heute Nacht hatte, handelte von der Kündigung, oder war doch in dieser Weise zu deuten, er gehörte zu jenen vordergründigen Träumen, die sich einer Hausmacher-Auslegung geradezu anzubieten scheinen. Ich bekam ein Telegramm und zwar ein sogenanntes Schmuckblatt, das aber auf seiner Vorderseite nicht den üblichen Blumenstrauß oder das üppig aufgetakelt durch die Wellen rauschende Schiff zeigte. Das Telegramm wurde mir auch nicht, wie sonst üblich, nach heftigem Schellen an der Wohnungstür übergeben, ich habe es also nicht eigentlich zugestellt bekommen. Vielmehr habe ich es gefunden und zwar unter der Ecke eines Teppichs, die ich, weil sie sich zu meinem Ärger immer wieder aufbiegt, gelegentlich nachts mit Büchern beschwere. Im Traum nun entfernte ich diese Bücher, übrigens lauter Kochbücher, die ich sonst, ihres geringen Gewichts wegen, zu diesem Zweck gar nicht verwende. Ich schob den ganzen Stoß auf einmal weg und entdeckte das Telegramm. Ich sah gleich, daß es sich um die Ankündigung eines erfreulichen Familienereignisses nicht handeln konnte. Es war nämlich auf seiner Schmuckseite nichts lustig-buntes dargestellt, vielmehr Reihen von kleinen schwarzen Trauerfiguren, die in klagender Haltung, einen Schleier über den Kopf gezogen dasaßen, wie ich später bemerkte, war es immer dieselbe kleine Figur. Während ich mich noch darüber wunderte, daß jetzt, wie ich glaubte, die Post auch für Trauerfälle Schmuckblätter herstellte, erkannte ich schon die Klagende, sie stammte von einer Teekanne, die der englische Keramiker Wedgwood entworfen hatte, als ihm seine sehr geliebte Frau gestorben war. Wir hatten eine solche Teekanne aus schwarzem Ton selbst einmal besessen, die Frauengestalt hatte klein und traurig auf dem Deckel gehockt. Mein Mann hatte mir die Teekanne geschenkt und ich hatte ihr, als ich einmal die Teeblätter entfernen wollte, die Schnauze abgebrochen, worüber ich, hauptsächlich meines Mannes wegen, sehr unglücklich war. Ich hatte mich aber vorher über dieses Geschenk gewundert und war von ihm sogar befremdet gewesen, es kann darum sein, daß meiner Unachtsamkeit eine gewisse geheime Absicht zugrunde lag. Jetzt sah ich die, sozusagen ihren eigenen Tod beweinende Frauengestalt wieder und vergaß über ihrem Anblick fast, das Schmuckblatt aufzuschlagen und den auf der Innenseite befindlichen Text zu lesen. Als ich es schließlich tat, sah ich, daß es einen eigentlichen Text überhaupt nicht gab. Ich las nur meine Adresse, Name, Straße, Hausnummer, Stadt, aber nichts, keine Mitteilung, kein weiteres Wort. Da es mich interessierte, ob die andern Bewohner des Hauses ähnliche Telegramme erhalten hatten, lief ich hinaus und klingelte in allen Stockwerken, aber vergebens, die Leute waren ausgegangen oder schon ausgezogen, das erschreckte mich sehr. Als ich, immer in meinem Traum, in die Wohnung zurückkehren wollte, hatte der Wind meine Wohnungstür zugeschlagen, ich hatte keinen Schlüssel mitgenommen und konnte nicht hinein. Nach einigen Augenblicken des Entsetzens gelang es mir, mich mit einer fast schmerzhaften Anstrengung meinem Traum zu entziehen. Ich lief aus dem Schlafzimmer ins Wohnzimmer, natürlich war das Schmuckblatt nicht zu finden, auch die Kochbücher nicht, ich hatte an dem vorausgehenden Abend den Teppich gar nicht beschwert. Aber was man, wenn auch nur im Traum gesehen

hat, hat man gesehen und eine unangenehme Neuigkeit
steht mir gewiß bevor.

Da ich möglicherweise nicht mehr viel Zeit habe, kehre ich
zu dem Fremdenführerspiel zurück. Diesmal stelle ich mir
ganz bestimmte Personen vor, nämlich vier junge Mädchen,
Schülerinnen einer Klasse, die vor kurzem bei mir zu Gast
gewesen sind. Diesen Mädchen zeige ich zuerst den Spiegel,
der aus der Zeit des 1. französischen Kaiserreiches stammt
und der, wie alle Gegenstände in meiner Wohnung, ein
Familienerbstück ist. Ich mache sie auf die aus Goldbronze
geformten Reliefs am Rahmen aufmerksam, lasse sie mit
den Fingern abtasten, was zum Schmuck des Spiegels dient,
die Muscheln und Schwäne, die steifen Äpfelchen, die Efeu-
ranken, die auf Löwen reitenden Eroten, die Masken und
Akanthusblätter am breiten oberen Rand. Bei dieser Gelegenheit erzähle ich von einer ganz anderen Epoche, der
des römischen Kaisers Augustus, auf die solche Dekoratio-
nen letzten Endes zurückgehen, und von dem Friedensaltar
eben dieses Kaisers, den ich dann auch, oder wenigstens
seine Fundstelle, auf dem gegenüber hängenden und im
Spiegel sich spiegelnden Plan von Rom zeigen kann. Der
Plan stammt aus dem Jahre 1600, durch sein drittes Viertel
schlängelt sich der Tiber, im vierten ist die Stadt bereits
zu Ende, nichts außerhalb der Festungsmauern, die die
Vatikanstadt, weiter rechts den Gianicolo umziehen. Die
Mädchen waren noch nicht in Rom, sie wissen nicht, wie
anders alles geworden ist, ihre runden stumpfen Zeigefinger
gehen auf den sieben Hügeln spazieren, greifen nach dem
heiligen Joseph, der auf dem Bücherbord darunter steht.
Federleicht, sage ich, merkt ihr, eine Krippenfigur aus
Papiermaché, was das ist, nun, genäßtes, gepreßtes Papier,

aus Neapel natürlich, der Stadt der großen theatralischen
Krippen, und was noch, zwei Leuchter, Goldbronze, fackel-
ähnliche Gebilde, von kleinen nackten Mohren mühselig
getragen. Wer würde sich so etwas kaufen, aber was man
hat, das hat man, Spiegel und Leuchter und Rom-Plan, man
zeigt es noch einmal, dann adieu. Zeigt im andern Zimmer
die gemalte Welle, grüne Welle unter dem grau zerrissenen
Himmel, über den Maler, sage ich, habe ich einmal etwas
geschrieben, er war, wie es zu seiner Zeit hieß, ein Auge,
er war ein Entdecker der Natur nach all dem klassizistischen allegorischen Kram seines Jahrhunderts, er war ein
Säufer, ein Anbeter der Freiheit und ein altes Kind.
Meinen Zuhörerinnen geht schon alles durcheinander, die
Ara pacis und das Krippentheater, die Vendômesäule
sagt ihnen nichts, sie stammen nicht wie ich aus dem
Grenzland, ihre Urgroßväter sind nicht wie meine mit
Napoleon nach Rußland gezogen, für sie ist das alles Bil-
dungsgepäck, aber für mich ist es Leben und ein Stück
meiner selbst.

*16. Mai*

Wann immer in unserer Stadt oder in ihrer näheren Umgebung ein Kind verschwindet, festgehalten und nur gegen
Lösegeld wieder frei gelassen wird, von der Polizei gesucht
wird, nicht mehr auftaucht, dann bilde ich mir ein, daß ich
es sein werde, die das Kind findet, der es über den Weg
läuft, die es unter Tausenden erkennt. Ein kleiner Junge
und natürlich trägt er nicht mehr das frische weiße Hemd,
wie auf dem Zeitungsbild, er ist verwahrlost und schmutzig,
vielleicht hat man ihm die hübschen Vorderzähne einge-
schlagen, es ist auch nicht zu erwarten, daß er, nach seinem
Namen gefragt, mit wohlerzogener Bubenstimme Auskunft

gibt. Nach sechs Wochen Dunkelhaft zum Beispiel könnte es sein, daß er kasparhauserisch verschüchtert, nur stammelt – oder überhaupt nichts sagt und sein Gesicht hinter den Händen versteckt. Es mag sich herausstellen, daß er seinen Entführern gar nicht entkommen, sondern von ihnen irgendwo ausgesetzt worden ist, in einem Park, etwa in dem in der Nähe meiner Wohnung gelegenen Park. Da entdecke ich ihn vielleicht eines Tages, in einem Laubhaufen, eine helle Haarsträhne, ein mageres Beinchen, das sich im Schlafe bewegt. Oder ich begegne ihm in einem Warenhaus der Innenstadt, genauer gesagt, im Aufzug dieses Warenhauses, der immer stark besetzt ist und manchmal zum Brechen voll. Ein Kind kann da leicht übersehen werden, sein Gesicht in der Magengegend üppiger Frauen, die ihm auch noch ihre Pakete auf den Kopf legen, sein Stumpfnäschen, das sich aufbläht, um ein bißchen Atemluft in den schmächtigen Körper zu ziehen. Wie ich ihn bei der Hand fassen will, ist er verschwunden, aber ich sehe ihn wieder, im Parterre etwa, zwischen Aufbauten von Seife und Schokolade, nur ein Tisch trennt mich von ihm, ein Tisch, auf dessen Platte ein Verkäufer Mäuse laufen läßt, viele auf einmal, graue, weiße und schwarze, die kleine Räderwerke in ihren Bäuchen haben und herumschnurren wie toll. Durch seine Schielbrille äugt der Junge über den breiten Tisch, ich fasse mir ein Herz und rufe seinen Namen, beuge mich auch vor und fege die Mäuse vom Tisch. In dem Aufruhr, der daraufhin entsteht, hat das Kind Gelegenheit, zu entkommen, es ist längst tot, sagen die Leute, aber ich weiß, daß das nicht wahr ist, es lebt und klingelt eines Tages an meiner Haustür, bitte, so unwahrscheinlich ist das nicht. Nehmen wir an, die Entführer haben das Kind los sein wollen, sie haben es aus einem fahrenden Wagen gestoßen, das Kind ist hungrig und durstig, es läutet, wo es sich gerade befindet, zum Beispiel an meiner Tür. Da steht es mit seiner Schielbrille und ich ziehe es in den Vorplatz und mache so schnell wie möglich die Türe wieder zu. Die Leute im Haus brauchen nicht zu wissen, wer da gekommen ist, sie würden den Jungen nur quälen, hunderte von Fragen würden sie ihm stellen. Ich frage nichts, richte ein Glas Milch, möchte an die Eltern telefonieren, einen Tränenkloß im Hals, bitte, spreche ich mit Herrn Soundso, mit Frau Soundso, ja, Ihr Junge ist hier, er ist gesund. Ich kann das aber nicht tun, weil die Eltern schon so viele Enttäuschungen erlebt haben und hierin und dorthin gelockt worden sind, in das verlassene Haus am Mühlgraben, nach Lyon, nach Neapel, und nie war dort eine Nachricht und nie war dort ein Kind. Ich muß zuerst die Polizei anrufen, dort hat man gewiß eine Personenbeschreibung, besondere Merkmale, Blinddarmnarbe, Stiftzahn, Leberflecken auf der Nase, am Kinn. Ich gehe in den Korridor, um zu telefonieren, dem Kind habe ich einen Kasten mit Bauklötzen hingestellt, die Haustüre habe ich abgeschlossen, die Küchenfenster sind vergittert, auskommen kann mir der Junge nicht. Die Beamten geben keine Auskunft, wollen aber einen Streifenwagen schicken. Ich laufe zum Fenster im Wohnzimmer, da sehe ich ihn schon herankommen, zwei Polizisten springen aus dem Wagen und knallen die Türen zu. Gleich darauf läuten sie an meiner Wohnungstür, sehr laut und sehr lang. Das Kind, denke ich, es wird erschrecken, ich muß es vorbereiten, sonst wird es in Ohnmacht fallen, vielleicht sterben vor Schreck. Schon laufe ich in die Küche, die aber das Kind inzwischen verlassen hat, das Glas Milch steht unberührt auf dem Tisch. Es ist ihm langweilig geworden, denke ich, es ist in mein Schlafzimmer, ins Wohnzimmer, ins Badezimmer gegangen, ich rufe ganz leise seinen Namen und reiße alle Türen auf. Das Kind ist in keinem der Zimmer, auch nicht auf der Toilette, alle Fenster sind geschlossen, unter meinem Bett liegt niemand, den Wohnungsschlüssel habe ich in der Tasche, jetzt in der Hand. Ich will aber nicht öffnen, ich kann nichts dafür, daß der Junge nicht in der Wohnung ist, ich habe ihn doch gesehen, er war doch da. Ich stehe hinter der Türe und wage nicht zu atmen, die Männer gehen endlich wieder, wahrscheinlich bekommen sie oft falsche Meldungen, Meldungen von Verrückten, die etwas sehen, das gar nicht da ist, zum Beispiel ein Kind. Den ganzen Tag über wage ich nicht das Haus zu verlassen. Aber am Abend gehe ich in den Park, sehe in einem Laubhaufen eine helle Haarsträhne, ein mageres Beinchen, das bewegt sich im Schlaf.


*19. Mai*

Ich wollte etwas zu Ende bringen und fange schon wieder Neues an, allerdings etwas lang vorgehabtes, zu dem ich nur bisher nicht gekommen bin. Eine Sammlung von Zeitungsausschnitten nämlich, die ich später zusammenstellen will und die ein selbstgeschriebenes Buch durchaus ersetzen können. Das Persönliche, das man von einem Buch verlangt, läge in diesem Fall in der Auswahl, was ist wichtig, was ist kennzeichnend für die Zeit, in der wir leben, was war mir so wichtig, daß ich es nicht überlesen habe. Die Schwierigkeit besteht nur in dem Zwang zu handeln, etwas mit der Hand (mit der Schere) zu tun, wo man doch am liebsten das Ausgewählte nur in den Gedächtnissack fallen ließe, der aber keinen Boden hat, ein unzuverlässiger Behälter, wie man weiß. Die für meine Ausschnitte bestimmte Schachtel ist da sicherer, eine Schuhschachtel, die aber auch gelegentlich verschwindet, auch die Schere verschwindet, entzieht sich, so, als solle, was nicht im Gedächtnis behalten wird, überhaupt nicht behalten werden. Immerhin habe ich heute diesem neu gegründeten Archiv Verschiedenes anvertraut. Nachrichten erstens über elektrische Reize, die dem Gehirn zu einer ganz neuen Erinnerungsfähigkeit verhelfen, Kinderzimmertapeten, frühe Abzählreime, Blusen der Mutter werden da ohne weiteres reproduziert. Zweitens das Bild eines buddhistischen Mönches, asiatisch entrückt und zugleich fanatisch, einer der Mönche, die zu Straßenkämpfen in Vietnam angetreten sind, Barrikaden bauen, Handgranaten werfen, die verwirrende Lage in ihrem Land noch mehr verwirren, vielleicht auch vereinfachen, das ami go home aus so vielen Kehlen könnte den Amerikanern am Ende einen Abzug ohne allzugroßen Prestigeverlust möglich machen. Drittens die Nachricht über die behördliche Schließung einer Schuppenfabrikation von Antibabymarmelade, die schon viel verkauft worden ist und die zum größten Teil aus Erbsenpurée bestanden haben soll. Viertens die Nachricht, daß den Starfighterwitwen für ihre toten Männer von uns anstatt 20.000 DM 40.000 DM, also das Doppelte gezahlt werden soll. Fünftens den Bericht von dem Amoklauf eines jungen Metzgers, der beim Parken einem anderen Wagen einen geringfügigen Schaden beigebracht hatte, zur Rede gestellt worden war, Streit bekommen und endlich geschossen, einen tödlichen Lungensteckschuß, einen halbtödlichen Bauchsteckschuß abgegeben, einen Ellbogen zertrümmert hatte, alles in der Wohnung des Geschädigten, die danach von Blut triefte, und wegen einer Schramme an einem fremden VW. Blinde Wut eines Menschen, der den Krieg nicht mehr erlebt hat, die große Entwertung menschlichen Lebens nicht mehr erlebt hat, aber die steckte noch in ihm, steckt, vielleicht für Generationen, in uns allen.

Ein Schwan, der aus irgend einem Grunde auf dem Land
leben muß. Ein plumpes häßliches Tier also, schwer, mit
groteskem Schlangenhals und graublauen Entenfüßen, die
ungeschickt übertreten, wenn der Schwan sich durch das
Unterholz zwängt oder am Rand der Landstraße hinwat-
schelt, um seine Nahrung zu suchen. Er haßt das kratzig-
trockene Unterholz, haßt die Vorstadt, deren Müll-
abladeplätze er mit gierigem plattem Schnabel durchwühlt, haßt die roten Hände, die ihn füttern wollen,
hackt in die ausgestreckten Hände, die Kinderbeine, die
wegzurennen versuchen, in das stumpfe Metall der Mülltonnen, die er oft umwirft und die dann klappernd und
dröhnend den Abhang hinunterrollen. Er weiß nicht, ahnt
aber, daß er wo anders schön wäre, seine Fortbewegung
ein Gleiten, sein Halsrecken- und -beugen sanft und edel,
er hat Visionen von schwarzen Teichen mit gelben Blättern, von kleinen Brücken, er sieht sich selbst seine Flügel
rühren und über eine glitzernde Fläche hinstürmen, nach
sanften, glatten Bissen tauchen. Statt dessen kratzt ihn,
was er verschlingt, im Hals, worauf er sich bettet, macht
ihn wund. Obwohl ihm der Begriff Teich fremd ist,
träumt er doch von einer Sonne, die auf Wellen blitzt,
von einem Mond, der sich im Wasser spiegelt, und betrachtet die wirkliche Sonne, den wirklichen Mond mit
bösen Augen, ist irgendwo, wo er nicht hingehört, wo er
hingehört, weiß er nicht. Von der Nahrung, die er zu
sich nimmt, um nicht zu verhungern, wird sein weißer
Bauch fett, schleift auf dem Boden, verdreckt, kotig,
manchmal versucht er noch, mit den Flügeln zu schlagen,
dann rennen die Kinder, die er verabscheut, schreiend ins
Haus. Dreibeine werden aufgeklappt, Kamera-Augen,
große, runde, auf ihn gerichtet, der Schwan in der Vor-

stadt, der Schwan bei den Mülltonnen, der Schwan, der in der Pfütze badet, ja das tut er, wenn es geregnet hat, wühlt er sich in das brackige Wasser, das aber schon bald wieder austrocknet und ihn zurückläßt mit schwarzem, verkrustetem Gefieder, häßlicher denn je. Schon alt, eine Schwanenspottfigur, ein Schwanengespenst, geht er fort aus der Vorstadt, fort von den mageren Büschen am Bahndamm, sucht sich keine Nahrung mehr, geht nur immer weiter, es ist ein heißer, trockener Sommer, in den Schatten des Waldes zu tauchen, tut gut. Er geht und torkelt, torkelt und geht, kommt endlich in ein Röhricht, da riecht es berückend, fremd und zugleich vertraut, er drückt seinen dicken unbeholfenen Leib durch die starren Halme und reckt seinen widerlichen Schlangenhals so hoch er kann. Da sieht er den See aus seinen Träumen, wankt und watschelt mit letzter Kraft ans Ufer und läßt sich hineingleiten, ins Frische, Weiche, seine Heimat, sein Element. Der See ist schwarz, auf seiner weiten Fläche schwimmen die ersten Herbstblätter, in einiger Entfernung treibt ein Boot, in dem ein Knabe sitzt. Der Knabe geht den Schwan nichts an, er spürt seine alten Kräfte, Kraft seiner Flügel, mit denen er jetzt einen heftigen Wirbel schlägt. Flügelweg dicht über das Wasser, alter Schwanenliebesweg, und der Knabe hebt die Flinte, schießt dem Heranbrausenden in die aufgereckte Brust.

*21. Mai*

Den heute Dreißig- bis Vierzigjährigen sind Gräber verhaßt oder gleichgültig, an Todestage können sie sich nicht erinnern, der Gedanke an einen solchen Tag, möge er nun zwei Jahre oder zehn Jahre zurückliegen, kommt ihnen absurd und lächerlich vor. Das schlechte Gewissen, das die Angehörigen meiner Generation den Toten gegenüber erfüllt, ist ihnen fremd, sie kennen weder den Zwang der Konvention noch die Angst vor der üblen Nachrede. Allenfalls zahlen sie im Vorhinein eine zehn Jahre lang auszuübende Grabpflege, es ist ihnen aber im Grunde ganz gleichgültig, was da wächst, Fleißiges Lieschen oder Brennesseln, Fette Henne oder saures Gras. »Ich habe das Grab meines Vaters, den ich außerordentlich geschätzt habe, in neun Jahren nur einmal besucht«, sagte mir ein junger Mann, während bei diesem Gespräch meine Tochter die Ansicht vertrat, daß ein Toter überall sei oder nirgends, und daß man Schmerz über sein Nichtmehrdasein an jedem oder an keinem Tage, aber gewiß nicht an einem durch den Kalender festgelegten empfände. Das umgrenzte, blümchenbepflanzte Stück Erde mit den Knochen eines verstorbenen Angehörigen ist für die jungen Leute abstoßend und widerwärtig, die Rasenbank am Elterngrab ist der schönste Platz auf Erden schon lange nicht mehr, und mit der Pietät ist es keineswegs nur in China vorbei. Ich selbst habe einmal in einem Gedicht geschrieben »und (wir) treten voll Ungeduld / unter die Erde die Toten«, was doch zeigt, daß die Abkehr von den Gestorbenen sich in meiner Generation bereits vorbereitet hat. Die Ungeduld erscheint mir charakteristisch, man will voraus-, nicht zurückschauen, damit ist auch die Macht der Toten gebrochen, die Angst vor der Rache der Vernachlässigten besteht nicht mehr. Das »von Erde zu Erde« ist ein Mythos, der wie jeder andere täglich ein wenig mehr von seinem Sinn verliert, Antigone, die ihre Pietät mit dem Leben bezahlt, mag noch angestaunt werden, aber das Chrysanthementöpfchen zu Allerseelen, ihre letzte Verwandlung, wird nur mit Unwillen dargebracht. Das Namennennen in der

Seelenmesse, auch beim jüdischen Jahreszeittag, mag als letzter vergeistigter Rest noch übrigbleiben, Evokation, mit der sich bald keine Erinnerung mehr verbindet, aber der Name noch ausgesprochen, immerhin. Langer Weg von den wächsernen Ahnenporträts und den Grabbeigaben der Alten über die noch heute üblichen starren riesigen Totenkronen römischer Beisetzungen in die Abstraktion gleichmäßig bepflanzter, mit Nummern versehener Gräber, auch von Zivilpersonen, die in endlosen Reihen ihre Ausräumung erwarten, von ferngelenkten Regnern begossen, von keinem Angehörigen besucht.

## DAS KIND                                    *24. Mai*
*T. W. A. gewidmet*

Die ausgedachten dämonischen Kinder, auf dem Schiff in »Highwind in Jamaika«, die zarten Geschwister in »The turn of the screw«, der gräßliche kleine Junge in Kathrin Ann Porters »Narrenschiff«, die Riesenzwerge der Gisela Elsner und Günter Grass' Sprotte und Jannemann, die einen Mörder ermorden – sie alle spiegeln die Angst ihrer Erfinder vor dem Abgründigen allen kindlichen Wesens, eine Erfahrung unheimlicher Art hat jeder einmal mit Kindern gehabt und sogar mit dem eigenen Fleisch und Blut. Meistens ist aber doch ein fremdes Kind das ewig fremde, das unverständliche und bedrohliche Geschöpf, gegen dessen bösartige Vitalität kein Kraut gewachsen ist. Hier das Erlebnis eines Freundes, übrigens eines Philosophieprofessors, mit einem solchen Kinde, der Freund hat mir vor Jahren davon erzählt und ich glaube, daß er es heute noch nicht vergessen hat. Das Kind hatte, während der Professor sich allein in der Wohnung befand, an der Etagentür geläutet, worauf er zunächst nicht reagiert hatte, da er niemanden erwartete und sich mitten in einer schwierigen Arbeit befand. Erst als sich das Klingeln, und recht ungeduldig, wiederholte, stand er auf, ging den langen Korridor hinunter und öffnete die Tür. Das Kind stand draußen, es war eines der Kinder, die im Hause wohnten und er kannte es vom Sehen. Es war ein etwa fünfjähriges Mädchen mit dem Gesicht einer alten Bäuerin, es trug eine karierte Schürze, und kleine starre Zöpfe waren ihm um den Kopf gelegt. Ich will meinen Ball, sagte das Kind, und ehe der Professor noch fragen konnte, warum und wieso, war es schon an ihm vorbei in sein Zimmer gelaufen, und deutete auf das Fenster, das halb offen stand. Der Professor begriff, daß der Ball in der Dachrinne liegen sollte und versuchte das Kind zu vertrösten, auf den nächsten Morgen, an dem es der Stundenfrau vielleicht gelingen würde, den Ball mit einem Besen hinunterzustoßen, er bot auch an, einen neuen Ball zu kaufen oder dem Kind das Geld für einen Ball zu geben, er wollte nur wieder allein sein, sich an seinen Schreibtisch setzen und das Kind nicht mehr sehen. Davon war jedoch keine Rede, die Kleine begann ihn mit ihrer hellen unerbittlichen Stimme herumzukommandieren. Er selbst mußte in die Besenkammer kriechen und einen Besen holen, der aber zu kurz war, dann ein anderes, ihm gar nicht bekanntes Haushaltgerät, das wahrscheinlich zum Entfernen von Spinnweben an den Zimmerdecken diente. Er lief hin und her, war schon außer Atem und wunderte sich, daß er jeden Befehl des Kindes ohne Widerspruch ausführte, sich nun sogar über das Fensterbrett beugte und mit dem Spinnwebbesen in der Dachrinne hin- und herfuhr, wobei er aber den Ball nicht erreichte. Die zwergenhafte Hausfrau, Ehefrau, stand hinter ihm, hatte die Hände über ihrem runden Bauch zusammengelegt und rief, tiefer, tiefer, und tatsächlich lehnte er sich immer weiter und schließlich gefährlich weit hinaus. Er war jetzt überzeugt davon, daß das Kind im Sinn hatte, ihn am Ende hinunterzustoßen oder doch hinunterstürzen zu lassen, und daß es nur zu diesem Zweck seine Wohnung betreten hatte. Tiefer, tiefer, schrie die kleine feiste Mörderin, und klatschte wie besessen in die Hände – dieses Geräusch war es dann, das ihn plötzlich zur Besinnung brachte, er konnte jetzt das ganze verrückte Unternehmen abbrechen und das Kind hinausführen, auch die Türe hinter ihm zuschlagen, er war aber, wie er mir erzählte, in Schweiß gebadet und zitterte am ganzen Leib.

TRÄUME 2                        *25. Mai*

Wieder einmal lebhaft geträumt, und zwar, daß ich im Wald geschossen, das betreffende Tier aber nicht erlegt, sondern waidwund geschossen hätte, was, da ich gar kein Jäger bin, auch aller Wahrscheinlichkeit entspricht. Es hätte mir dieses Kein-Jäger-sein zur Entlastung dienen können, zu einer Selbstbefreiung, wie sie auch im Traum, wenigstens im Unterbewußtsein des Traumes üblich ist. Ich war aber der erwähnten Tatsache zunächst gar nicht bewußt. Es fiel mir nicht einmal auf, daß ich es nicht fertig brachte, die schwere Büchse die vierzig steilen Sprossen des Hochsitzes hinaufzuziehen, ich mich vielmehr gleich am Waldrand hinsetzte, der so war wie immer, das heißt wie immer, wenn ich meinen Bruder in den Wald begleitet, nur etwas dunkler, und der Bach, eigentlich ein Bächlein, rauschte so laut wie er immer gerauscht hatte und ich war allein. – Ich legte das Gewehr an die Backe und blinzelte über Kimme und Korn, das

Gewehr ist an der Stelle, die an der Backe liegt, geriefelt, wahrscheinlich, damit es nicht abrutscht, und ich hielt es auch fest. Meistens hat man ein Glas dabei, einen sogenannten Feldstecher, aber den hatte ich nicht nötig, obwohl ich doch sonst, ich meine im Zustand des Wachens, sehr kurzsichtig bin. Ich sah sofort, daß sich drüben, im Bachgehölz, etwas regte, und paßte auf. Für gewöhnlich sind es nur Geißen mit Kitzen, die sich dort herumtreiben, aber diesmal war es ein Bock und zwar entweder ein junger oder einer, der, wie man sich ausdrückt, schon zurückgesetzt hat, so leicht zu unterscheiden ist das nicht. Der Bock war über den Bach gesprungen und stand nun in der Wiese, und ich zielte auf die Stelle, die man das Blatt nennt, und schoß. Während ich den Hahn abzog, fiel mir ein, daß ich ja gar nicht schießen konnte, es auch nie getan und nie gewollt hatte, und ich fing an zu zittern und warf die Büchse hin. Es hätte noch einmal gut gegangen sein, ein Blattschuß, sozusagen aus Versehen gelungen oder der Schuß ganz verfehlt sein können, aber so viel Glück hatte ich nicht. Der Bock brach zusammen, richtete sich wieder auf, brach wieder zusammen, stand endlich und torkelte ins Gehölz. Aus der Art, wie er sich bewegte, konnte ich sehen, daß mein Schuß ihm die Vorderläufe zerschmettert hatte. Den Gnadenschuß, dachte ich, ich muß ihm den Gnadenschuß geben, ich lief über die Wiese, wobei ich das Gewehr am Riemen hinter mir herzerrte, die schmale Wiese dehnte sich endlos, ich kam nicht voran. Als ich am Bach stand, war es schon dunkel, und ich sah den Bock nicht mehr. Ich hatte ein starkes Schuldgefühl, Jagdfrevel, Frevel, ein Wort, das mir immer Angst gemacht hat, ich mußte das verwundete Tier finden, es mit meinen Händen erdrosseln, die Büchse ließ ich am Bach liegen, watete durch das

Wasser und kroch durch den Wald. Der Himmel über der Wiese war leer von Vögeln, ein Nachthimmel schon, aber der Wald war voller seltsamer Geräusche, voller Rehböcke, die sich auf zerschossenen blutenden Knien mühsam aufrichteten, zusammenbrachen, die ich zu fassen, zu umklammern versuchte, aber unter meinen Händen zergingen sie und ich fiel mit dem Gesicht in Dornen und schwammiges Moos. Endlich sah ich den Bock, meinen Bock, wirklich, er stand wackelig, blutüberströmt vor einem Holzstoß am Wegrand, jetzt hatte ich auch das Gewehr wieder in den Händen und zielte auf sein brechendes Auge, aber das Gewehr war klein und schwächlich, nur ein Kinderspielzeug, und der Abzugshahn wackelte ohnmächtig hin und her. Ich ahnte jetzt, daß ich träumte, aber was will es heißen, die Schuld wird dadurch nicht geringer, man hat etwas unternommen, dem man nicht gewachsen war. Der Wald hat seine Gesetze, und das Töten hat seine Gesetze, auch für die Träume gibt es einen Gerichtstag, der bricht an beim Erwachen und endet nicht mehr.

*27. Mai*

»Es ist alles konstitutionell«, das habe ich meine Schwester, eine meiner Schwestern, oft sagen hören. Ich habe es als eine Art von Entschuldigung oder Rechtfertigung aufgefaßt, und mich gewundert, weil diese Schwester, wie übrigens auch die andere, zur Selbstentschuldigung gar nicht neigte, vielmehr streng mit sich war und ihre körperlichen und seelischen Schmerzen verbarg. Ich habe an den Ausspruch aber heute denken müssen, und zwar im Zusammenhang mit der letzten Lebenszeit zweier alter Künstler, die jetzt schon tot sind, und die gar nichts miteinander zu tun hatten, von deren Ende ich aber zufällig am selben Tage erfuhr. Jetzt habe ich sie beide vor Augen, den Maler Matisse, der nicht mehr stehen, nicht mehr sitzen, nur noch im Bett liegen konnte, und der, weil er nicht aufhören wollte, nicht aufhören konnte zu arbeiten, sich Bögen Papier oder Stücke Leinwand an der Zimmerdecke befestigen ließ, auf die er zeichnete und malte, indem er einen langen Stock, an dessen Ende ein Pinsel gebunden war, mit den Händen bewegte. Da war fast alles tot, nur etwas noch wach, der Drang zu erfinden, zu formen, sich auszudrücken und das Auge noch fähig zu sehen und zu kontrollieren. So qualvoll diese Manipulationen eines Sterbenden den Matisse Nahestehenden auch erschienen sein mögen, es war doch der Geist, der über den Körper siegte, über die Konstitution. Einen solchen Sieg hat der Schriftsteller Hemingway nicht errungen. Er war bis zuletzt auf, ging umher, fuhr umher, mußte ins Krankenhaus, wurde wieder entlassen, einiges war ihm verboten, an dem er früher gehangen hatte, das Fischen und Jagen und Trinken, aber das kann es nicht gewesen sein, was ihn zur Verzweiflung und schließlich zum Selbstmord trieb. Er muß vielmehr, und mit einer schauerlichen Hellsichtigkeit, beobachtet haben, wie sein Gehirn langsam aufhörte, auf die ein Leben lang gewohnte Art zu reagieren, das heißt zu notieren, zu sondern, zu verwandeln, was ja die geistige Tätigkeit nicht nur eines Schriftstellers, sondern jedes Menschen ist. Ein Vergessen, ein Verdummen in Würde mag es auch geben, aber das konnte Hemingways Sache nicht sein. Die Erinnerung an seine frühere außerordentliche Vitalität war ihm geblieben, er konnte vergleichen, mußte unaufhörlich vergleichen, er sah, was sein Körper mit ihm vorhatte und wollte sich von seinem Körper befreien.

Er versuchte es auf mehrere Weise, und wurde schließlich wie ein Verrückter überwacht. Er war aber nicht verrückt, wollte nur nicht klein beigeben, kleiner alter Mann mit zwölf Medizinfläschchen neben der Frühstückstasse, mit gelegentlichem Wühlen in alten Entwürfen, was sich da etwa noch verwenden, noch beleben ließe, und der Schnee vom Kilimandscharo glänzte nicht mehr, war grau und tot.

FREMDENFÜHRERSPIEL 4                                    *28. Mai*

Viertes Spiel einer Führung durch meine Wohnung, eine Serienwohnung, den 59 anderen des Blocks ziemlich genau gleichend, wie bereits erwähnt. Die heute von mir erfundenen Gäste, drei Hausfrauen aus der Nebenstraße, finden, was ich ihnen zeigte, zwei Teppiche und eine schmale Tischdecke, langweilig, sie haben dergleichen selbst zuhause und schöner, nicht alt und brüchig, und aus dem Orient, sondern neu und aus dem Kaufhaus, ein farbiger Fleck mit andersfarbigen Spritzern, leicht zu pflegen, vornehm, nicht zum Anschauen bestimmt. Unwillig beugen sich meine Besucherinnen über die große, dann über die kleine Teppichfläche, nehmen schließlich an dem schmalen, von der Fensterwand ins Zimmer hineingestellten Tisch Platz und betrachten mit Mißfallen das Stück zerschlissener Seide, das von einer trüben Goldborte eingefaßt und mit billigem dunkelblauem Shantung gefüttert ist. Ich gebe nicht nach, penetrant und lästig wie nur je ein Museumswärter beharre ich darauf, daß alles ins Auge gefaßt, festgestellt wird, auf dem großen Teppich die Rhomben und Blüten, die quadratischen Schmuckfeldchen mit den herunterhängenden Blütenketten, die eng dazwischen geklemmten gehörnten Tiere, die Flechtbänder, Zackenbänder, Wellenbänder, alles blau und rot, sehr wenig grün, regelmäßig und aus der Reihe tanzend, der Grund dunkel wie ein Nachthimmel, und am Rand, unendlich wiederholt, der Mensch zwischen den beiden rechts und links von ihm sich aufbäumenden Tieren. Wieso Mann, wieso Tiere, der Mann besteht aus einem Bögelchen und einem Knödelchen darüber, die Tiere sind nichts als schräg ihm zugeneigte gezackte Streifen, aber es ist doch so, das Löwentor von Mykene, der Mensch als Bändiger der Tiere, hier nur zum Zeichen verkürzt. Auf dem andern Teppich ist alles leichter, zierlicher, ein Gerank von Blüten auf der kleinen Innenfläche, darum herum sechs Räder, sechs Bänder, davon fünf schmale mit Blumen und ein breites mit Figuren, sehen Sie die Schiffe, sehen Sie das Ding, das aussieht wie ein Embryo, ein Motiv, das gewiß auch längst erkannt und gedeutet ist, aber ich kenne mich mit Teppichen nicht aus. Ich schaue nur hin und zwinge meine Besucher hinzuschauen, auch auf die Seidendecke, die meine Schwester, die ältere, mir in Peking gekauft hat. Wolken und Wellen sind da ins seidige Meerblau gestickt, Pagodendächer und Sonnenräder und zwei Drachen mit Schuppenpanzern und Klauenfüßen, den Chinesen gewiß so heilig wie den Leuten im vorderen Orient ihre seltsamen Ornamente. Das hat man da liegen und macht es sich wohnlich mit den heiligen Drachen, dem Lebensbaum und dem Bändiger der Tiere und sieht das alles gar nicht mehr, nur wenn man es jemandem vorführt, einem Geisterpublikum, einem Nichts.

<br>

*30. Mai*
Es fällt mir auf, daß ich dich nicht mehr anzureden wage, nicht mehr mit du anzureden wage, was ich doch in früheren Aufzeichnungen arglos getan habe. Soll dies bedeuten,

daß du für mich nicht mehr begreifbar bist, auch nicht mehr fähig einzugreifen, verschwunden, entrückt. Dabei vergeht kein Tag, keine Tageszeit, in der ich nicht an dich denke, und meine Einsamkeit ist, trotz meines geselligen Lebens, kaum zu ertragen, am ehesten noch hier, wo ich dir ein Zuhause so lange erhalten habe, aber vielleicht auf die Dauer doch nicht erhalten kann. Weswegen ich wahrscheinlich auch versuche, Dinge zu beschreiben, wem zeige ich sie, doch nicht wirklich den erdachten Besuchern, sondern dir, um dich zu halten, aufzuhalten, zurückzuhalten, bis es so weit ist, daß ich dir folgen kann. Ich habe, seit ich von der Flucht der Sternensysteme im Weltraum gehört habe, eine kindische Vorstellung von einer Flucht der Seelen, die sich zuerst langsam, dann immer schneller von der Erde entfernen, deswegen der Wunsch aller Liebenden zusammen zu sterben, der Scheiterhaufen auf den die indische Witwe sprang. Vieles hat sich schon zwischen uns geschoben seit dem strahlenden Septembermorgen, an dem dein Schlaf in einen andern, unabänderlichen überging, wieviele Jahreszeiten, Landschaften, Gesichter und Ereignisse, auch das sogenannte Weltgeschehen, von dem, wie wir überzeugt sind, die Toten nichts erfahren. Die alten täglichen Fragen, was sagst du zu dem und jenem, was sagst du zu de Gaulle, zum Ost-West-Gespräch, kann man schon nicht mehr stellen, der gescheite Gestorbene ist dümmer als der dumme Lebendige, der mit neuen Nachrichten täglich gefüttert wird. Daß die Toten zugleich auch klüger sind, eine andere Art von Kenntnis und Erkenntnis mit Löffeln gegessen haben, ist nicht zu bezweifeln, sie geben aber keine Auskunft, es sei denn auf die kindischste aller Frauen- und Männerfragen, liebst du mich noch, da dröhnt und hämmert die Antwort in den Nächten wie eine mediterrane Glocke, ja, ja, ja, ich liebe dich, ich liebe dich noch. Dabei hätte man doch gelegentlich gern auch Ratschläge, zum Beispiel ich in meiner Lage, soll ich mich anklammern, mich und damit auch dich am Leben erhalten, oder loslassen, das Haus loslassen, um das ich, nachts riesengroß im Hof hockend, meine Arme schlinge, behalte ich dich damit bei mir oder stoße ich dich fort, immer tiefer in die Zeitlosigkeit, in der ein Sichwiederfinden der Seelen so schwer vorstellbar ist. Daß ein Gestorbener zuerst nah, dann fern und immer ferner ist, erfährt jeder Zurückgebliebene, er rätselt aber an dem Zeitmaß solcher Seelenflucht unaufhörlich herum. Wenn ich wann sterbe, kann ich dich noch einholen, wie lange erkennst du mich noch, willst noch etwas von mir wissen, treffen wir uns womöglich erst im Unendlichen, wo nicht mehr die persönliche Liebe, sondern nur die Liebe an sich, als ein Teil des göttlichen Wesens, gilt. Warum hast du, da du mich doch liebtest, in all der Zeit nicht versucht mich nachzuziehen – das denke ich oft, dachte ich auch heute, und die romantischen Verse von Robert Frost fielen mir darüber ein. »The woods are lovely, dark and deep / but I have promises to keep / and miles to go before I sleep / and miles to go befor I sleep.« Die Versprechen, die ich zu halten, und der eine Mensch, den ich so lange es möglich ist, nicht zu verlassen habe, stehen mir deutlich vor Augen. Es erschreckt mich nur, daß ich dich unter Umständen nicht mehr einholen, nie mehr einholen kann.

GENDARMENGESCHICHTE                                   *2. Juni*
In der Nähe meines südbadischen Heimatdorfes und zwar in einer Kapelle am Straßenrand befand sich einmal eine Muttergottesstatue, bemaltes Holz, oberrheinisch, 17. Jahrhundert, soviel ich mich erinnere, die eines Tages verschwand, offensichtlich gestohlen war, gesucht wurde, wenn

auch noch nicht, wie es heute üblich ist, von den Abgesandten einer illustrierten Zeitung, sondern von dem Landgendarmen, einem nicht mehr jungen und nicht alten Manne, der allerlei ihm von den Dorfbewohnern angezeigte Spuren mit Tatkraft und Strenge verfolgte. Ein Ergebnis zeitigten seine vielfachen Befragungen und sogar Hausdurchsuchungen allerdings nicht. Der Gendarm äußerte am Ende die Ansicht, daß die Statue außer Landes, das heißt über die Grenzen des Breisgaues gebracht worden und damit seiner Zuständigkeit entzogen sei. Er sprach davon abends im Wirtshaus, und die Bauern nickten und stimmten ihm zu. Mit der Zeit wurde die Madonna zu einer Legende, die man den Kindern erzählte, im Vorbeigehen, da drin, ja, da war einmal eine, mit apfelroten Wangen und blauen Kleidern, einen Strahlenkranz hatte sie auf dem Kopfe und lächelte sehr liebevoll und schön. Der Gendarm versah weiter seinen Dienst, hatte Freunde und Feinde, sah gelegentlich, aber nicht oft, durch die Finger, bekam einen Stoppelbart und ein Leberleiden und wurde noch manchmal aufgezogen, da geht es dir wie mit dem Dieb der Muttergottes, den hast du auch nicht erwischt. Daß der Gendarm sich bei solchen Neckereien verfärbte, fiel niemandem auf, ein Mann hat ja ein Ehrgefühl und erst recht ein Gendarm, und es war verständlich, daß er an die Blamage nicht gern erinnert werden wollte. Mit dem Leberleiden wurde es langsam schlimmer, der Gendarm sollte nicht mehr trinken, trank aber doch, sollte in Pension gehen, ging aber nicht. Er war ein Junggeselle und wunderlich, ließ niemanden in sein Zimmer, das er selbst schlecht und recht aufräumte, schleppte sich lieber zum Arzt als daß er diesen durch eine Nachbarin holen ließ. Schließlich mußte er doch zu Bett bleiben, und die Nachbarin in die Stube lassen, das Bett aber durfte diese ihm nicht machen, und wenn der Arzt kam, zog er sich die Decke bis an den Hals. Gendarm, sagte der Arzt, der als Bub schon von dem Alten beim Äpfelstehlen erwischt und verprügelt worden war, man könnte meinen, du hättest ein Mädchen unterm Federkissen, laß ihn mich sehen, deinen Bettschatz, ich tu ihm nichts. Der Gendarm hielt die Decke mit seinen knöchernen Fäusten fest, und der Arzt, der die Absonderlichkeiten alter Leute gewohnt war, ertastete durch die Decke, was er ohnehin wußte, und wogegen kein Kraut gewachsen war. Der Gendarm starb eines Abends, als gerade niemand bei ihm war und die Schwarzwaldberge, die manchmal ganz weit weg sind, standen ihm hinter dem Kopf wie eine dunkelblaue Wand. Es ging dann alles seinen richtigen Weg mit Totenschein-Ausstellen, Waschen, Anziehen, Aufbahren, nur etwas war nicht richtig und hatte zur Folge, daß vor dem armseligen Haus, in dem der Gendarm gewohnt hatte, noch in der Nacht das halbe Dorf Posten bezog. Neben dem Körper des ausgemergelten Toten nämlich und an seinen Schenkel geschmiegt hatte man die vor zwanzig Jahren verschwundene Muttergottes gefunden, eine Schönheit wirklich, mit blauem Gewand und Apfelbacken, liebevoll, lächelnd, unversehrt.

DAS SPIEL »WIE-WÄRE-ES-WENN« 2      *4. Juni*

Neues »Wie-wäre-es-wenn«-Spiel, diesmal in Bezug auf ein altes Rezept des Paracelsus, von dem ich gelesen habe und demzufolge Menschen auf eine bestimmte Art zu Tode gebracht und dann wieder zum Leben, aber zu einem völlig veränderten, erweckt werden sollten. Das Charakteristische an diesen neuen Menschen ist ihre körperliche Stärke und geistige Dumpfheit, auch daß sie alle gleich aussehen und mit dem gleichen guten Willen die ihnen übertragenen Aufgaben erfüllen. Die Sache war praktisch, wäre praktisch auch heutzutage, Arbeitskräfte und billige, in Hülle und Fülle, makabre Experimente werden ohnehin genug in Angriff genommen, warum also nicht auch dieses, ich könnte es mir vorstellen, ich stelle es mir – und auf folgende Weise – vor. Die in den städtischen Spitälern befindlichen Kranken, und zwar zuerst die hoffnungslosen, später auch die zweifelhaften Fälle, sterben keines natürlichen Todes mehr, vielmehr beschleunigt man ihren Hingang und gibt ihnen zugleich auch Mittel, die ihren neuen Körper aufbauen sollen. Sobald sie tot sind, schafft man sie auf einen Friedhof vor der Stadt, der von hohen Mauern umgeben ist. Man behauptet, daß sie an einer ansteckenden Seuche gestorben seien, womit man erreicht, daß der Friedhof gemieden wird als ein Ort der Pest. Von dem Wiederausgraben und Beleben der Leichen erfährt niemand, die Wiedererweckten sind nicht neugierig zu hören, wie ihre Angehörigen jetzt leben und ob man ihnen ein gutes Andenken bewahrt. Sie kehren nicht in ihre Familien zurück und werden, da sie alle gleich aussehen, von niemandem erkannt. Es sind alles Riesen, mit runden Gesichtern, sie tragen graue Trainingsanzüge und graue Turnschuhe, wohnen in eigens für sie eingerichteten Lagern, begeben sich morgens, im Laufschritt und in Sechserreihen, in die Stadt und kehren abends, auf ein Sirenenzeichen hin, auf dieselbe Weise in ihre Baracken zurück. Überall eingesetzt, werden sie mit der Zeit die begehrtesten und in manchen besonders unbeliebten Berufen die einzigen Arbeitskräfte. Woher sie kommen ahnt niemand, man hält sie für sogenannte Gastarbeiter oder Fremdarbeiter und wundert sich nur, daß sie von den ihnen angebotenen Frühstücken oder Jausen nichts anrühren, auch daß sie, im Gegenteil zu andern Gastarbeitern nicht hinter den Frauen her sind, sondern diesen sogar ängstlich aus dem Wege gehen. Es kommt aber auf den Gedanken, die grauen Männer deswegen zu verspotten, niemand, man treibt auch keine Spässe mit ihnen, vielleicht, weil sie selbst einen trüben und wortkargen Ernst zur Schau tragen, vielleicht weil ihre Stimmen so klingen, als fielen Erdbrocken in ein offenes Grab. Es gibt einen ärgerlichen Zwischenfall, als eine Frau in dem bei ihr beschäftigten Grauen plötzlich ihren verstorbenen Mann wiedererkennen will, keiner hält wie du beim Kartoffelschälen das Messer, keiner zuckt mit der linken Augenbraue wie du. Die Frau wird in eine Nervenheilanstalt gebracht und es könnte alles weiter gehen, geht aber nicht weiter, weil die Sache, übrigens schon bei Paracelsus, einen Pferdefuß hat. Die Roboter können einen bestimmten Stoff nicht vertragen, darum ihre Absonderung, ihre streng überwachte Ernährung, irgend etwas dürfen sie nicht essen, man weiß nicht genau was und sieht sich auf jeden Fall vor. Einmal aber schüttet ein Tischlerskind aus der Einkaufstasche der Mutter ein Salzhäufchen auf den Küchentisch, spielt damit Schneeberg, glättet den Haufen von allen Seiten, steigt mit zwei Fingern auf das glänzend Weiße, leckt die Finger ab, glättet wieder und pflanzt am Ende ein Fähnchen auf den eroberten Berg. In diesem Augenblick kommt der bei der Tischlersfamilie beschäftigte Graue in die Küche, einen Eimer mit Wasser zu füllen, er sieht dem Kind zu, leckt ihm zu Gefallen am Salzhaufen, fängt dann überraschenderweise an zu lachen und zu weinen und zu reden, stopft sich das Salz in den Mund und in die Taschen und stürzt davon. Das Kind sieht vom Fenster aus, wie der Graue andern Grauen von dem Salz zu essen gibt, die dann ebenfalls lachen und weinen und in den Supermarkt an der Ecke laufen, den sie wenig später, große blaue Tüten im Arm, verlassen. Alle diese Männer kehren an dem Tag nicht an ihre Arbeitsstätte zurück.

Sie laufen durch die Stadt, bemächtigen sich allen Salzes, das sie auftreiben können, verteilen es und benehmen sich genau so wie der erste, der an dem Salzhaufen des Kindes geleckt hatte, und der dadurch in einen so seltsamen Rausch versetzt worden war. Während sie durch die Stadt laufen, sehen sie zum ersten Mal in den großen Schaufensterscheiben ihre Spiegelbilder und freuen sich, dann plötzlich fürchten sie sich und zerschlagen mit den Fäusten das Glas. Nachdem sie mühelos und nur zum Spaß einen Personenwagen umgekippt haben, tun sie dasselbe mit Lastwagen und Straßenbahnen und nachdem sie zu ihrem bloßen Vergnügen einen Fußgänger verfolgt haben, schlagen sie auf den nächsten, fürchterlich schreiend, ein. Als sie aus einem umgestürzten Tankwagen Flammen brechen sehen, tragen sie, aus Angst vor dem Feuer, das Feuer überall hin, von dem Wasserfall eines Kraftwerks erschreckt, reißen sie die Mauern nieder und lenken die Überschwemmung in die Stadt. Obwohl sich, noch ehe es Abend wird, alle Grauen lachend und singend an dem sonderbaren Aufstand beteiligen, und obwohl sie an Zahl den Einwohnern der Stadt längst überlegen sind, stellt sich doch bald heraus, daß sie keineswegs unüberwindlich sind. Sie sind stark, aber sie haben keine Waffen und hätten auch mit Waffen gar nicht umgehen können. Von ein paar in aller Eile auf die Dächer geschafften Maschinengewehren beschossen, verstecken sie sich nicht, sondern laufen, in derselben seltsamen Mischung von Freude und Verzweiflung, die schon der erste Salzesser zur Schau getragen hatte, in die Salven hinein. So bleibt am Ende keiner übrig, und als die Nacht kommt, sind alle Straßen und Plätze der Stadt von ihren grauen leblosen Gestalten bedeckt. Ein furchtbarer Gestank erhebt sich, wie von Leichen, die schon längst in Verwesung übergegangen sind. Das Ärgste aber ist, daß diese Fremden im Tode ihre eigenen Gesichter wiedergewinnen und daß auf diese Weise noch in derselben Nacht die Einwohner der Stadt erfahren, wen sie da haben arbeiten lassen, nämlich ihre eigenen Väter und Brüder, und wer, nämlich ihre eigenen Toten, von ihnen noch einmal getötet worden ist.

*8. Juni*

Ein Einakter von Arrabal, zwei Personen, ein junger Mann und eine junge Frau vor einer schwarzen Samtwand und rechts und links von einem kleinen Kindersarg sitzend und redend, eine Enthüllung, da wird die Menschennatur, ihr armer guter Wille und ihr hoffnungsloses Bösesein enthüllt. Die beiden haben, man erfährt es später, das eigene Kind umgebracht, was einen Augenblick, aber eben nur einen Augenblick lang »Spaß gemacht« hat, nun versuchen sie, unter dem Schock dieses Mordes ein neues Leben zu beginnen. Die Bibel, die der Mann gekauft hat, soll da helfen, er liest vor, die Erschaffung Evas aus der Rippe, später die Geburt Jesu, sein Tod am Kreuz. Das Überraschendste ist, daß die Frau von der ganzen biblischen Geschichte nicht die geringste Ahnung hat, von dem allen zum ersten Mal in ihrem Leben hört. Dürfen wir jetzt (in dem neuen Gutsein) noch miteinander schlafen, hat sie vorher gefragt, und der Mann hat geantwortet, nein; dürfen wir auch nicht mehr auf den Friedhof gehen, doch, und den Toten die Augen ausstechen, nein – das ist wieder so ein Überraschungsmoment, das die der Langeweile entsprungene naive Bosheit des Paares enthüllt. Naiv wie ihre Bösartigkeit ist auch, wie die Frau auf die ängstlichen und verzweifelten Bemühungen ihres Mannes reagiert, wie sie was sich in den biblischen Geschichten abspielt »schön« findet, wie sie meint, daß ihr Mann und sie als Pfleger gelähmter

Greise, als Kämpfer gegen das Unrecht »wichtige Leute«
sein werden. Großartig der aus diesen beiden Gesichtern
nie verschwindende Zug von Beschränktheit und wie bei
der Frau jeder gute Vorsatz wieder erstickt wird von der
Überzeugung, daß auch das Neue, das Gut-sein am Ende
langweilig werden und die Mühe nicht lohnen wird. »Aber
wir müssen es doch VERSUCHEN«, das sind die letzten Worte
des Mannes, sie wurden von dem Schauspieler Meissner unbedingt richtig – in Todesangst – gesprochen.


*12. Juni*

Die überall schon bestehende Automation reizt zum Spinnen, zum Ausspinnen des auf diesem Gebiet noch Möglichen, Verschwinden der letzten menschlichen Handrei-
chung, immer neuer Zuwachs an denkenden, planenden,
speichernden Maschinen, das Leben auch des uomo qual-
unque von solchen stummen und teilnahmslosen Dienern
bestimmt. An die Stelle von Ladengeschäften oder auch
Supermärkten, die man immerhin noch betreten und wo
man zumindest mit den Kassiererinnen noch das eine oder
andere fremdsprachige Wort wechseln konnte, gibt es nur
noch schön beleuchtete Auslagen, an denen die Kauflustigen
vorübergehen und hier oder dort stehen bleiben, um sich
die Kennziffer eines Gegenstandes, eines Kochtopfes, einer
Tischdecke, eines Unterrocks oder einer Krawatte zu notieren. In breiten von der Hauptstraße rechts und links
abzweigenden Korridoren befinden sich raffinierte Geld-
wechselapparate und Öffnungen von ganz verschiedener
Form und Größe, Münder sozusagen, die die gewählten
Artikel fertig ausspeien, vom Taschentuch bis zur Fernsehtruhe gleitet alles lautlos in die Hand des Käufers oder
in den Kofferraum des Wagens, mit dem er vorgefahren

ist. Es versteht sich, daß ein Feilbieten, Wiegen, Einpacken von Lebensmitteln nicht mehr stattfindet, daß vielmehr alle Mahlzeiten auf ähnliche Weise, das heißt nach Besichtigung von appetitanregenden Schaubildern aus dem Automaten gezogen und an Ort und Stelle, das heißt, an schmalen in Brusthöhe angebrachten Wandbrettern, verzehrt werden, Plastikbecher- und Bestecke, Folien und Pappteller werden von Müllschluckern aufgesaugt und gleich zerstampft. Das Kochen zuhause entfällt, Herde, Kühlschränke und dergleichen werden nicht mehr hergestellt, eine gesellige Bewirtung kann nicht stattfinden, oder doch nur bei sehr reichen Leuten, die sich von ausländischen Schwarzhändlern bei Nacht und Nebel das nötige bringen lassen und eine Mahlzeit auf ihren im Althandel teuer erstandenen Kochgeräten eigenhändig zubereiten. Da sich zur Hausreinigung niemand mehr zur Verfügung stellt, ist die kleinste und leerste Wohnung die beste, viele Leute gehen schon dazu über, die Nächte in paternosterähnlich auftauchenden und wieder verschwindenden Schlafkojen zu verbringen, eine in einen Schlitz gesteckte Münze öffnet ihnen für acht Stunden das mit air condition versehene Gemach. Die Untersuchung und Behandlung von Kranken vollzieht sich ebenfalls nachts und auf maschinellem Wege, am Morgen sind diese Kranken dann wieder arbeitsfähig oder dem Tode nahe, in welchem Falle sie sich in die Sargautomatenstraße zu begeben, einen geeigneten Sarg auszusuchen und sich hineinzulegen haben. Die Särge fahren, ohne Begleitung, aber vollautomatisch unter der Erde auf den Friedhof und werden nur unterwegs noch in einem Magazin künstlicher Blumen mit einer ihrer Preislage entsprechenden Garnitur oder mit einfachem Stachelgrün bedeckt. Es wird nicht lange dauern, bis wir uns an all dieses gewöhnt haben und sich niemand mehr an die Zeit erinnert, in der einer dem andern noch den Tisch deckte oder das Brot schnitt, in der ein Pfleger einem Kranken den Schweiß abwischte und ein Freund am Grabe seines Freundes weinte.

Und böse Kinder gehen dort/auf heißen Eisen immerfort – das sind Zeilen aus einer skandinavischen Ballade. Ich las vor kurzem mehrere dieser Sagengedichte, versuchte sogar aus einem eine längere Geschichte zu machen, aber ohne Erfolg, diese Stoffe lassen sich nicht anreichern, ausschmücken oder psychologisch deuten, sie verlieren dadurch viel von ihrer rauhen Rätselhaftigkeit und gewinnen nichts. Die eben erwähnte Ballade handelt von einem Fohlen, das »aus Menschengebein und Menschenblut« und »unter dem Stein« von drei alten Zauberweibern erschaffen wird. Der Held Krigsval wagt es zu besteigen, da trägt es ihn über Sunde und Fjorde dorthin, wohin er gar nicht will, in den Himmel nämlich und in die Hölle und der Held kehrt am Ende erschöpft und völlig verstört, mit Blut in den Stiefeln, heim. Als der König in den Krieg zieht, soll das Pferdchen, das Baiablakk heißt, zuhause bleiben, zerschlägt aber Stalltür und Koppel, erreicht längst vor dem König die Feinde und wütet unter ihnen »mit Huf und Zahn«. Das Pferd wird von Jungfrauen aus goldenen mit dem christlichen Kreuz verzierten Eimern getränkt, aber es ist jedermann unheimlich, am meisten dem König, der es schließlich mit Pfeilschüssen töten läßt. Kaum ist die dämonische Kreatur hin, will ihr der König ein christliches Begräbnis bereiten, aber er wagt es nicht, oder die Priester erlauben es ihm nicht. Da läßt er das Pferdchen wenigstens tief eingraben, so tief, daß die Raben sein Blut nicht trinken. Auch in einer anderen Ballade geht es um ein Ding aus

Menschenbein, nämlich um eine Harfe, die ein Spielmann sich aus einem aus dem Meere gezogenen Mädchenleichnam herrichtet, aus dem Brustbein, den Flügelknochen, den goldenen Haaren, und die Harfe, nicht etwa der Spielmann singt am Hofe des Königs des toten Mädchens Geschichte: wie es von der älteren schwarzhaarigen Schwester ins Wasser gestoßen und ertränkt wurde, wie ihm Goldkrone, Goldband und Bräutigam weggenommen wurden – der zuhörende König ist auch der Bräutigam, er hört das unheimliche Ding singen und erfährt, was seiner verschwundenen Liebsten geschehen ist.

In der dritten Ballade weint Ilselille um den toten Gatten, da erscheint er ihr und erzählt, daß über seinem Grabe zwar Gräser sich wiegen, doch unter dem Grabe Schlangen liegen, jedesmal, wenn Ilselille singt, ist sein Grab voll von Rosenblättern, jedesmal, wenn sie weint, ist es voll von eklem Blut. Alter, heidnischer Zauber in der ersten Ballade, in der zweiten und dritten die redenden Toten, die Gerechtigkeit fordernde Harfe, der Ehemann, der ähnlich wie im Märchen vom Tränenkrüglein ein Ende der Klagen verlangt. Aber wilder und farbiger, so scheint es mir, als in dem deutschen Märchen, da ja hier die Tränen sich in etwas Abstoßendes und Ekelerregendes verwandeln und der Tote Schlangen unter seinem Sarge sich rühren fühlt.

*17. Juni*

Ich habe mich an eine Reise, die ich im März gemacht habe, heute so lebhaft erinnert, daß ich sie ohne weiteres beschreiben kann. Wie schon früher, wenn ich die weit im Südosten gelegene Stadt aufgesucht hatte, fuhr ich im Zug, zuerst die Nacht durch, dann in Wien im Taxi von einem Bahnhof zum anderen, lief dann hohe Treppen hinauf, klappernd fiel ein Schild aus dem Richtungszeiger und der faszinierende Name Mürzzuschlag erschien. An der Bahnsteigkante trippelten Tauben in Krusten von Schnee oder Zucker, Schnee war unwahrscheinlich, schließlich war der Winter vorbei. Wie im Theater gab es einen Platzanweiser, ein mageres Männchen in einer Art von grauer Uniform, der wies mich in meine Samtloge, roter Samt, Galavorstellung Semmering, Bühnenbild von Wieland Wagner, kahl, häßlich, todtraurig, die Berge von schmutzigen Wattefetzen verhängt. Dann die schönen Waldtäler voll grünen, strömenden Wassers, Südbahn, Südbahn, Richtung Jugoslavien, freundliche Leute, heißt es, und der Ausländer merkt nichts von Tito, Felseninseln soll es da geben und den Palast des Kaisers Diokletian, aber ich steige schon vorher aus. Ich steige aus in einer Stadt mit gelben Häusern, und in den Wallanlagen stehen mächtige alte Platanen, eine ehemalige Residenz, jetzt voll von Rentnern und Schülern, Greisen und Kindern, mit neuerdings etwas Industrie. Ich kenne mich da schon ein wenig aus, kenne die Brücken über die aufgeregte Mur, kenne auch die Namen von ein paar Straßen und Plätzen, auch einige Sehenswürdigkeiten, den Schloßberg mit seinem Uhrturm, die Treppe in der Burg. Auch den Markt mit den üppigen Blumen und den südlichen Früchten, da stand ich und hörte zu, was geredet wurde, so weich, so verbindlich über Angela Prokop, die Wiener Prostituierte, die in der Pratergegend ermordet wurde, von wem, von ihrem Zuhälter, nein, von dem nicht. Ein Kind hat sie gehabt und für das Kind gearbeitet, schöne Arbeit, am Tag übrigens, nur am Tag, jeden Abend um acht Uhr ist sie im Bett gelegen, gut, daß tot ist, sagte eine harte Frauenstimme zum Schluß. Ich bin nicht gekommen, um etwas über Angela Prokop zu erfahren, auch nicht um in einem Priesterseminar Gedichte vorzulesen, auch nicht um im Krebsenkeller Paprika zu essen. Wozu bin ich gekommen, doch nur um in den Gesichtszügen deiner Verwandten deine Züge, in dem Klang ihrer Stimmen den Klang deiner Stimme wiederzufinden, Blutsverwandte, so sagt man wohl, und es wiederholt sich manches, die schmalen Köpfe, der Tonfall des Lachens, die Urbanität. Also die Treppe hinauf zu den Verwandten, drei Generationen in vier Zimmern, nichts von Wohlstandsgesellschaft, sieben Menschen, zwei Ehepaare, drei Kinder in zwei mittelgroßen und zwei winzigen Zimmern, man stelle sich vor, was das bei uns wäre, eine Hölle, aber hier ist es eine Geduld. Und das nächste Mal werde ich wieder mit deinem Neffen in seine Schule, eine Traumschule gehen und den Kindern deines Neffen werde ich hohe spitze Hüte mitbringen und Zauberstäbe, aber heute nichts von dem allen, heute nur dies. O, ihr ungleichen Brüder, ihr streitsamen Brüder, und der um vieles ältere lebt noch, aber hört nichts mehr, kann auch nichts von den Lippen lesen, war immer neugierig und erfährt nicht mehr das Geringste, steht nur, ein schmaler Schatten am Fenster und sieht hinunter auf den Hof, wo die Kinder spielen. Komm, setz dich zu uns, aber wir reden und lachen, wir teilen uns etwas mit, fragen und bekommen Antwort, da steht er auf, geht in sein Zimmer, wenn er dort das Ohr an den Rundfunkapparat legt, hört er nichts als ein wirres Dröhnen, aber immerhin etwas, das wirre Dröhnen einer verlorenen Welt.

### 21. Juni

Sehr beeindruckend in der Vorlesung von Otto Vossler die Zeit, in der Luther aufhört, ein Held und Führer des Volkes zu sein. Die großen Herren hatten zusammengehalten und die aufständischen Bauern geschlagen, die Bauern hatten schlecht gekämpft, waren sich untereinander nicht einig gewesen, außerdem gutgläubig und wenig blutrünstig; als sie besiegt waren, gab es Vergeltungsmaßnahmen, Hinrichtungen, Folterungen, Augenausstechen, auch heimtückischen Verrat der Fürsten, von denen der Herzog von Lothringen den Bauern freies Geleit versprochen, sie aber dann grausam niedermetzeln lassen. Luther, auf dessen Hilfe die Bauern gebaut hatten, war durch die Wiedertäuferbewegung, die er bekämpfte, anderen Sinnes geworden, oder doch nicht eigentlich anderen Sinnes, da er selbst seine schweren, ihn an den Rand des Wahnsinns führenden Jugendkrisen nur durch eine unmittelbare und persönliche Beziehung zu Gott überwunden und danach die vollkommene Unterwerfung unter Gottes Willen immer gepredigt hatte. An der Machtlosigkeit der Bauern konnte sich nur durch Gottes Gnade etwas ändern, dieser Gnade sollten sie sich überlassen. Wer auf sein Recht pocht, ist kein Christ, nicht einmal mehr ein Mensch, sondern ein »toller Hund«, und weltliche Ansprüche haben mit religiösen Ansprüchen nichts zu tun. Daß freilich Luthers Schrift gegen die Bauern in der Zeit ihrer *Siege* entstanden und Luther als ein feiger und opportunistischer Fürstenknecht nicht anzusehen ist, machte Vossler klar, ebenso klar aber auch, wie durch das Verhalten der Fürsten *und* Luthers der Stolz der Bauern gebrochen wird und sie nun erst eigentlich zu Untertanen werden, während Luther sein Ansehen verliert und die Reformation aus einer Volksbewegung zu einer religiösen Sekte wird.

FREMDENFÜHRERSPIEL 5                         *22. Juni*

Bei meiner heutigen Führung hatte ich kein Publikum, was ich zu zeigen hatte, zeigte ich mir selbst, nämlich das kleine

Relief, das in einem einfachen Rahmen aus Nußbaumholz über der Schreibkommode im Arbeitszimmer hängt. Die Skulptur ist eine stark verkleinerte Kopie einer der sogenannten Elgin marbles, des von Lord Elgin im Anfang des vergangenen Jahrhunderts vom Parthenontempel auf der Akropolis nach London geschafften Frieses – er wäre dort verkommen, sagen die einen, während die anderen das kostspielige Unternehmen als einen Kunstraub großen Stils bezeichnen. Ein Engländer, aber nicht einmal das weiß ich genau, hat vor hundert Jahren ein Stück aus dem großen Festzug nachgebildet, klein wie gesagt, eine Männerhandspanne hoch und eineinhalb Männerhandspannen breit, aber getreu, und doch, wie ein Vergleich mit einer Photographie aus dem British Museum zeigt, nicht völlig getreu, nicht mechanisch Zoll um Zoll übertragen, mit ein paar kleinen Freiheiten, Ungenauigkeiten, die wohl eher Absicht als Unvermögen sind. Die festliche Stimmung des großen Panathenäenzuges ist gewahrt, auch die strahlende Jugend der Teilnehmer am Reiterzug von denen hier nur zwei, zwei Jünglinge auf starken Pferden, zu sehen sind. Zwei Freunde meint man, nicht einfach zwei Reiter, denn der zur Linken des Reliefs wendet sich nach dem zur Rechten um und hebt winkend die Hand, sein kurzes Mäntelchen flattert im Wind der raschen Vorwärtsbewegung, auch seine kurzen Locken wehen, vom Wind ergriffen, sein nackter zurückgedrehter Körper drückt etwas von Zuneigung, von Mitteilung aus. Ein Ruf, und der, an den er gerichtet ist, scheint nicht zu hören, er ist ernst, seine Haltung gesammelt, man sieht ihn im Profil, der Wind streicht an seinem kurzen Gewand vorüber, die Haare liegen ihm glatt am Kopfe, er lächelt nicht. Die mächtigen Pferdeleiber sind im Galopp aufgebäumt, starke Hälse, kurze Mähnen, hoch ausgreifende Vorderfüße, ein herrlicher Anblick, aber was an der Szene ergreift, ist doch das Paar der Jünglinge, zwei Temperamente, ungeduldig aktiv der eine, der andere still und konzentriert, eben auf das, was hier von ihm verlangt wird, die sichere Beherrschung des ungestümen Pferdes, der vorbildliche Sitz. Dem vorausreitenden jungen Athener ist das nicht wichtig, er hat dem Freunde etwas mitzuteilen, das vielleicht die Leute auf den Tribünen, vielleicht die gaffende Menge, vielleicht auch nur die Reitordnung im Festzug betrifft. Sein Ruf hängt in der Luft, undeutbar, und es mag sein, daß ihn auch damals die dröhnenden Hufe übertönt haben. Das dachte ich heute, als ich das alte Relief ansah, das ich alle Tage sehe und doch nicht sehe, und es fielen mir darüber andere, einen ganz bestimmten Augenblick darstellende Bilder und Plastiken ein. Ein bestimmter Augenblick aus dem Leben von zwei hellenischen Jünglingen, ein Zuruf während eines Festzuges, und die Jünglinge sind seit ein und einem halben Jahrtausend tot. Aber hier in meinem Zimmer tun sie noch immer und den ganzen Tag und die ganze Nacht über dasselbe, reiten Galopp und kommen nicht von der Stelle, und niemals wird der zweite aufblicken und lächeln, ja, ich habe dich verstanden, es ist gut.

*29. Juni*

Unseres Da-seins, So-seins sollten wir uns in der Publikumsbeschimpfung von Peter Handke bewußt werden, dazu wurden wir von der Bühne her aufgefordert, nur darin sollte unsere Zuschauerschaft, Mittäterschaft bestehen. Jenseits der Rampe die ihr Da-sein, So-sein ebenfalls, aber mit Worten und Sprüngen und zuletzt recht lautstark bekundenden jungen Männer, diesseits das teils verstörte, teils amüsierte Publikum, das hätte mitreden dürfen, aber nicht mitreden mochte: Solang es das Theater der Neuzeit gab, also Jahrhunderte lang, waren wir dazu erzogen worden, schön still zu sitzen, uns auszulöschen, ganz Auge, ganz Ohr, die Dunkelheit im Zuschauerraum, das mehr oder weniger helle Licht auf der Bühne hatten unterstrichen, wie wir uns verhalten sollten. Kein Fräulein Soundso, kein Signor Taletale mehr, diese Personen verwandelt in Antigone und Achill, Grillparzers Medea und Becketts Hamm. Damit sollte es jetzt vorbei sein, womöglich für immer, die auf die musikalischste Weise plappernden und hüpfenden Jünglinge diktierten uns eine neue Rolle zu. Jeder er selbst, in derselben grellen Beleuchtung und seiner selbst *nicht* vergessend, vielmehr sich erst richtig bewußt werdend seiner körperlichen und seelischen Verfassung, seines Furunkels, seines juckenden Zehenpilzes, seiner ehebrecherischen oder mörderischen Wünsche. Ein Parkett von Kranken, von Verbrechern, als welche das Publikum von der Bühne her schließlich auch angesprochen und durch Lautsprecher angeschrieen wurde. Was dann aber doch nicht so viel anders war als früher, als schon mancher oder manche sich als Richard III., als Lady Macbeth schaudernd erkannt hatte, allerdings unter dem Schutz der Dunkelheit, und selbständiger, weniger gegängelt. Jeder hatte sein eigenes Erlebnis und hatte es allein gehabt, was eben hier und jetzt nicht mehr sein sollte, wir und ihr, hieß es immer wieder, wir lustigen, traurigen Pilzköpfe, ihr lasterhaften heuchlerischen Theaterbesucher, und was uns verbinden sollte, war im Grunde nur der Augenblick, die eben hier zwischen zwanzig und zweiundzwanzig Uhr gemeinsam durchlebte Zeit. Das war wenig, war, trotz des brillanten Wortfeuerwerks und der exakten Pantomime nicht viel mehr als das Auftreten einiger Spaßmacher in einem Wartesaal, wir alle im selben Raum, und unter denselben hellen Lampen dieselbe Luft atmend, nicht mehr.

Arno Schmidt einmal teilte sich in zwei fremde Stimmen,
zwei Ansichten über Dickens, seine eigene und eine, die
fragte, Einwände machte, ihn tadelte. Die Einwände
hatte sich Arno Schmidt selbst gemacht und die Fragen
sich selbst gestellt. Ich erfuhr aus dem Leben Dickens'
vieles mir Neues, Dickens als Gerichtsstenograph, auf
nächtlichen Zugfahrten das rasend schnell Stenographierte
rasend schnell übertragend. Dickens als ungeheuer erfolgrei-
cher Schriftsteller, Hausbesitzer, Grundbesitzer, diesseits und
jenseits einer öffentlichen Straße, jenseits lag die Wildnis, lag
sein Arbeitshaus und Arbeitszimmer, mit riesigen Spiegeln an
allen Wänden, damit er, überall hinblickend die vom Wind
aufgewühlten Blätter beobachten konnte. Der immens
reiche alte Dickens, der Wert darauf legte, einer der best-
angezogenen Männer von England zu sein, der, um,
unabhängig von seinen Verlegern, noch reicher zu werden,
als erster aller Schriftsteller Vorlesereisen unternahm.
Dem die Lesereisen in drei Jahren zwei Millionen ein-
brachten, und der bei dieser Gelegenheit mit Vorliebe
eine gewisse Mordszene zum besten gab, wobei sich dann
sein Blutdruck gefährlich erhöhte, sein Puls zu rasen
begann. Immer mußten Ärzte zur Stelle sein und waren
zur Stelle, aber Dickens verbrauchte sich, verbrannte und
starb am Schlagfluß, kein Besessener lebt friedlich, kaum
ein Besessener lebt lang. Das alles erfuhr ich aus dem fingierten Dialog und auch noch einiges über den zweigeteilten Arno Schmidt, was er ablehnt, nämlich Dickens'
populäre und rührselige Geschichten, eigentlich alle Ju-
gendwerke, alles lose und achtlos Aneinandergefügte,
alles Impressionistische, das ihm, Arno Schmidt, nur in
Reiseschilderungen berechtigt erscheint; ich erfuhr auch
was er, wenn auch mit Vorbehalten, schätzt, nämlich den

Roman Bleak House als Prototyp eines streng geformten, souverän gestalteten Buches. Um Aufbau, feste Fügung, genaue Durchführung geht es ihm, nur keine flüchtigen Notizen, Unverdautes, Unverarbeitetes, etwa in Tagebuchform dargeboten. Ich erinnere mich an Arno Schmidts gescheite witzige und höhnische Verurteilung von Tagebüchern in einer Vortragsreihe, in der ich selbst mit einem naiven Lobgesang auf das Tagebuch aufgetreten war. Er hat gewiß recht, das Bruchstückartige und Zufällige solcher Aufzeichnungen als eine mindere oder als überhaupt keine Kunst anzusehen. Dem kurzsichtigen Lyriker, dem das Nahe groß ist und das Ferne verschwimmt aber mag ein Bild der Welt sich auf solche Weise doch herstellen, und er mag auch anderen so etwas vermitteln wie ein Bild der Welt.

*im Juli*

Weil die Boulevardpresse eine hochsommerliche, regensommerliche Sensation braucht, werden lächerliche Indizien aufgebauscht, ausgeputzt. Jemand hat ein junges Mädchen zu einem jungen Mann in einen Wagen steigen sehen, einem Grenzbeamten ist es etwas merkwürdig vorgekommen, der Mann hatte zu lange Haare, ein für seine Jugend zu aufwendiges Auto, der Beamte hat den Wagen durchwühlt und nichts gefunden, sich aber das Kennzeichen notiert. Was natürlich sein gutes Recht war, nur daß da die Zeitungen schon auf der Lauer lagen, der Grenzübergang gehörte zu derselben Autostraße, an der vor kurzem ein junges Mädchen, das letzte von vieren, ermordet aufgefunden worden war, der junge Mann übte den zweifelhaften Beruf eines Privatdetektivs aus. Er war jetzt außer Landes, natürlich, aber man wußte wo. Die Eltern wurden befragt und ein wenig bedauert, brave kleine Beamtenfamilie, nein, unser Sohn ist zu so einer Tat nicht fähig, als wenn Eltern eine Ahnung hätten, wozu ihre Kinder fähig sind. Schlagzeilen, ganze Seiten, mit den Bildern des Mörders und den Bildern nicht nur des letzten, sondern aller an der Autobahn ermordeten Mädchen, der Mörder lacht, die Mädchen lachen, alle sind ausnehmend hübsch. Aussagen von Leuten, die einen so und so farbigen Wagen in der Nähe des letzten Tatortes gesehen haben wollen, von andern, denen der auf großem Fuße lebende junge Mann schon immer verdächtig war. Man wartet, zitternd vor Aufregung auf die Auslieferung des Massenmörders, die sich aber verzögert, der junge Mann hat in dem fremden Land wegen verbotenen Waffenbesitzes eine Strafe zu gewärtigen, natürlich Waffen und von der verschiedensten Art. Der Inhaber eines Detektivbüros, bei dem er sich, arbeitsuchend, einmal vorgestellt hat, erinnert sich, nennt ihn einen Angeber, nichts Ärgeres, aber die Zeitungsleute wissen es besser, sie brauchen ihren Autobahnmörder, ihren Ruhm, fixer und findiger als die Polizei zu sein. Ein paar Tage lang müssen sie schweigen, gottlob gibt es andere Untaten, Sittlichkeitsdelikte, sogar einen Mord. Die nächsten Nachrichten über den jungen Mann stehen nicht mehr riesengroß auf der ersten Seite, sondern klein, irgendwo im Innern der Blätter, es sind unwichtige Zeugenaussagen, wenn auch Aussagen von unbescholtenen Bürgern, die an der Küste, an die sich der junge Mann geflüchtet hat, ihre Ferien verbracht haben. An eben derselben Küste und in ebendemselben Ort, sie sind schon länger unterwegs, den jungen Mann haben sie bereits vor Wochen kennengelernt, haben in einem Lokal mehrmals abends mit ihm zusammen gegessen, wann etwa, dann und dann, auch der Tag des letzten Autobahnmordes wird genannt. Eine kleine Nebensache, wie gesagt, danach nichts mehr, kein Wort der Entschuldigung für den Rufmord, kein Wort an die Eltern, die zwar an eine Schuld ihres Sohnes nicht geglaubt, aber wahrscheinlich schadenfrohe und mißtrauische Gesichter um sich gehabt und sich nicht mehr aus dem Haus getraut haben vor Scham. Eine Entschuldigung lohnt nicht, lohnt sich nicht für einen offensichtlichen Hochstapler und Tunichtgut, der mit Revolvern und langen Messern herumreist und der vielleicht doch etwas auf dem Kerbholz hat oder etwas darauf bekommen kann. Für welchen Fall die Herren Redakteure denn auch alles im Archiv behalten, sämtliche Photographien, der Tag wird schon kommen, der schöne, an dem sie sagen können, so unschuldig war es also doch nicht, das Unschuldslamm, und wir haben es immer gewußt.


FEUERMAL                                    *23. Juli*
Eine Wunde am eigenen Körper, etwa an der Hand, ist etwas Faszinierendes, immer wieder Anzuschauendes, besonders wenn sie statt sich hinter einem Verband zu verbergen, unter dem heute verwendeten Wundschutz, einem glasklaren Gelee frei daliegt, wie durch ein Fensterchen läßt sich alles wahrnehmen, der Prozeß der Verschlimmerung, dann der langsamen Heilung, das Eitergelb und Feuerrot, die Krustenbildung und Verwerfung, wie ein Stück Erdgeschichte, am eigenen Leibe erlebt. Die Haut, die mehreren Häute, bei mir durch ausströmenden Dampf zerstört, versuchen sich wieder herzustellen, werden infiziert und müssen die schädlichen Stoffe zuerst austreiben, violette Ränder zeigen die Vergiftung an. Das Fensterchen

war durchlässig, schwitzte Feuchtigkeit aus, was unter ihm lag, veränderte sich von Tag zu Tag, von Stunde zu Stunde, zeigte Gräben, Rillen, schwarze Punkte und weiße Flächen, streckte Zungen nach innen und außen, schien schon gebessert und schickte sich dann wieder an zu vielfacher kleiner Eruption. Es tat nicht weh, hätte also wohl vergessen werden können, wäre es nicht eben diese kleine Weltschöpfung, diese langsame Verwandlung von roh Zerklüftetem in die frühere glatte Oberfläche gewesen. Das Feuermal erschien, nachdem sich alles in eine kleine bräunliche Narbe zusammengezogen und sich diese Narbe, nicht ohne meine neugierige Nachhilfe, abgelöst hatte, noch einmal wieder, die darunter befindliche zarte neue Haut blieb, wie um zu zeigen, daß sie aus dem Feuer stammte, noch lange flammend rot, auch unnatürlich glatt, fast spiegelnd, wie ein in vertrautem Gelände plötzlich auftauchender unheimlicher See.

*24. Juli*

Ausflug nach Unterfranken, zweimal vierundzwanzig Stunden, in vielen kleinen Städten ausgestiegen, Städten, die manchmal nur aus einer einzigen Straße bestehen, aber die Rathäuser sind groß und großartig, mit doppelten Freitreppen, gotischen Erkern, manchmal verschwindet unter ihnen ein Flüßchen, taucht auf der andern Seite wieder auf. Das Fachwerk ist eleganter als in Hessen, nicht nur gekreuzte Balken, ein Ornament, zwei Kelche oder zwei Blüten, eine mit der Öffnung nach oben, die andere mit der Öffnung nach unten, schön verzierte Portale, Reben waagerecht an den Häusern entlanggezogen, auf den Hoftoren Fette Henne angesiedelt, dicke Kissen und in Fensterkästen Petunien, Geranien, schön bunt.

Stadttore mit runden Türmen und ziegelgedeckten Dächern, Mönch und Nonne, nur der Mönch ist zu sehen, die Nonne liegt unten, wie die Art und Weise, Dächer zu decken, stammt der Spaß gewiß schon aus dem Mittelalter, Dächer aus lauter Nonnen gab es auch. In Escherndorf an der Mainschleife stürzten die Weinberge von allen Seiten wie leuchtend grüne Riesenwellen auf den Ort, in der Mitte des Strudels aßen wir friedlich, der Wein schmeckte nach Erde, die Bedienerin warnte vor dem Weg, den wir fahren wollten und dann auch fuhren, rutschend, schwankend wie auf grauer Seife, es hatte vier Wochen lang geregnet und der Fluß war über seine Ufer getreten, undeutlich geworden zwischen den Gemüseäckern des Tals. Vom Weingarten bei Volkach war das Wasser schon abgelaufen, die Reben wurden gespritzt, kleine braune Rinder zogen das Spritzmittel in Fässern den steilen Kalvarienweg hinauf. In der Kirche auf dem Hügel warnten große Schilder vor dem Berühren der Plastiken, Alarm sollte sogleich ausgelöst werden, die vor kurzem gestohlene Riemenschneidermadonna hing in ihrem aus Lindenholz geschnitzten ovalen Rosenkranz an Ketten hoch oben, man fragte sich, wie das möglich war, den Lastwagen lautlos auf die steile Anhöhe zu fahren, die große schwere Dame lautlos auf den Lastwagen zu schaffen, das Rätsel hat der wenig beachteten Herrin des Weingartens tausende von Besuchern verschafft. Auch in Dettelbach stand das Rathaus rittlings über dem Bach, in Volkach wollten meine Freunde Bast kaufen, wurden ins Gartengerätegeschäft geschickt, indessen hatte ich alle Zeit, die schönen Bürgerhäuser anzusehen, auch die heitere Rokokokirche, aber das war natürlich vor Dettelbach, vor Escherndorf und vor dem Mittagessen, es geht mir alles durcheinander, weil überall Ähnliches ist, vornehme gotische Rathäuser, Wohnhäuser aus dem 18. Jahrhundert, Wein, waagerecht gezogen, Fenster voll Blumen, Stadttore mit dicken Türmen, Gräben voll fetter Entengrütze, alles wohlhabend und wehrhaft und friedlich-fröhlich zugleich. Eine kleine Reise, die in der düsteren, einmal dem Balthasar Neumann zugeschriebenen und ihm dann wieder abgeschriebenen Kirche von Wiesentheid begann, die Nierensteine einer Händlersfrau spielten dort eine Rolle und in einem eleganten Selbstbedienungsladen wurde für den Abend das Nötige gekauft. Die letzte Station war Ipenhofen, die Kirche mit den mächtigen blauen Säulen und dem Riemenschneider-Johannes, der in sehr feinen Fingern einen Kelch mit einer Schlange hält, einen Gifttrank, auf den er hinunterlächelt, noch einmal davongekommen, aber zu einem noch viel schrecklicheren Ende bestimmt. Vor dem Johannesspital plagte sich eine Gelähmte mit einem schlecht konstruierten Rollstuhl, über dem Kirchenportal war ein spitzbärtiger Kopf, das abgeschlagene Täuferhaupt, eingelassen. Zwischen zwei ehemaligen Wassergräben gingen wir auf einem schmalen Damm rund um die Stadtmauer, Wehrtürme, Wehrtore, Obst- und Gemüsegärten und im inneren Graben schossen Buben auf etwas, aber man konnte weder die Zielscheibe noch die Buben sehen, hörte hinter der verfilzten Juli-Üppigkeit nur ihre Stimmen und das helle Peng-Peng. Ruhige kleine Städte, leere Landstraßen unter einem riesigen Himmel, und vom Haus der Freunde am Steigerwald der Blick durch das Fernrohr – im milchigen Dunst eine Kirchturmspitze, eine Wetterfahne, aber kein krähender Gockel, sondern etwas sehr weißes, schwer zu erkennendes: ein Schwan.

Hinter dem, was da war – hübsche Parkanlagen mit alten
Platanen, Salvienbeten, Rasenflächen hoch über dem
Rhein – das, was nicht da war, von dem man uns aber
erzählte, das Lustschloß Favorite, die sprühenden Fontä-
nen, die starren Heckenlabyrinthe einer vergangenen Zeit.
Gebäude, Treppen und Springbrunnen aus Luft, und es
hatte ohnedies alles nicht lange bestanden, Goethe, als er
mit seinem Großherzog ins Feld zog, hatte bereits nur
noch die Trümmer gesehen. Für den Fürstbischof war das
Bauunternehmen nur eines von vielen gewesen, Schön-
bornsche Baufreude, von der so viele Zeugnisse erhalten
sind, die Würzburger Residenz, die Schlösser in Wiesentheid und Pommersfelden, aber diese Favorite eben nicht.
Photographien von Stahlstichen hob der Gartendirektor
über unsere Köpfe, ließ sie auch umherwandern, da war
alles aufgenommen, das Schlößchen, die geschwungenen
Treppen, die starren schwarzen Taxuswände, Lustort für
Adel und Geistlichkeit, und jetzt saßen da alte Leute in
der spärlichen Sonne, zeigten Väter ihren Kindern die
kleine Exotik des Gewächshauses und die vor düster
phantastischen Landschaften umherschwimmenden Fische,
schleierumwallte und schwarz-weiß-gestreifte und winzig
und leuchtend dazwischen die blaue Demoiselle. Auf dem
Rhein fuhren Kohlenschiffe flußauf und Kohlenschiffe
flußab, das alte Rätsel, und in den umherwandernden
Grüppchen von Gelehrten und Schriftstellern wurde noch
besprochen, was der Tag zutage gebracht hatte, die Frage,
warum können oder mögen Dichter heute nicht mehr
erzählen oder die Frage nach den Unterschieden zwischen
der arabischen und der griechischen philosophischen Ter-
minologie. Ich saß im Vogelhaus mit dem Schwiegersohn
meines ersten Verlegers Bruno Cassirer, einem nun auch

nicht mehr jungen Professor aus Oxford, Bruno Cassirer hatte uns einmal auf den Rennplatz mitgenommen, wo seine Traber vor leichten Wägelchen liefen, weit und schön ausgreifend, das war im Jahr 1933 gewesen. Inzwischen war mein erster Verleger ausgewandert und gestorben, und sein Schwiegersohn war ausgewandert und Arabist geworden, ein Gelehrter von, wie mir schien, äußerster Integrität. Die Stadt Mainz war in Trümmer gefallen und wieder aufgebaut worden, auch die Brücke zu unseren Füßen, aber Dinge aus der Luft gab es noch immer und nicht nur die verschwundene Favorite. Auch die Pferde vom Rennplatz Ruhleben, die einmal so weit und hoch ausgriffen, und jetzt rannten sie durch die weißen Staubwolken von Dyckerhoff Zement. Auf ihren leichten Wägelchen kauerten kleine Skelette, mit seidenen Schirmmützen, grün und gelb, rosa und blau. Jeder Rennstall hat seine Farbe, ich hätte den Professor nach den Farben seines Schwiegervaters fragen sollen, ich habe sie vergessen, aber vielleicht erinnert auch er sich daran nicht.

*1. August*

Als vor einiger Zeit im Theater während der Pause der Sieg einer deutschen Fußballmannschaft von einer Lautsprecherstimme durch alle Wandelgänge und Erfrischungsräume gebrüllt wurde, war ich befremdet, sah schon voraus: Fußballnachrichten auch in der Kirche, vor oder nach der Predigt, eine feststehende Einrichtung, sonst geht keiner mehr hin. Wie sich später herausstellte, war die Durchsage ein Versehen, die Schauspieler in ihren Garderoben sollten von ihr erreicht werden, alle Schauspieler, so hieß es, seien Fußballbegeisterte, Fanatiker, Fans. Ich schüttelte auch darüber den Kopf, verstand es erst ein paar Wochen später, als ich im Fernsehen zwei der Spiele der Weltmeisterschaft verfolgte, übrigens die ersten Fußballspiele, die ich je von Anfang bis Ende sah. Erstaunlich und erregend das Zusammenspiel, die blitzschnellen Reaktionen, das zur Seite, unter Umständen auch Zurückspielen der stürmenden Mannschaft, der Verzicht auf den Schuß um der besseren Möglichkeiten eines anderen ungestörteren Spielers willen. Die Hunderte von raschen Entscheidungen, die Wendigkeit nicht nur des Körpers, sondern auch des Geistes, der schonungslose Einsatz – Kopfbälle, Fallrückzieher – im Augenblick der Gefahr. Rohe Gesellen mit muskulösen Waden, hatte ich früher gedacht, wen kann so etwas interessieren und vielleicht hätte es mich, ehe diese neue Sportart aufkam, auch nicht interessiert. Um Sieg oder Niederlage einer bestimmten Mannschaft ging es mir auch jetzt noch nicht, das Hochhüpfen und Sichumarmen der siegreichen Elf hatte etwas Fröhliches und Erfreuliches, welcher Nationalität die Sieger angehörten, berührte mich kaum. Damit stand ich freilich schon wieder abseits, durfte mich, ohne leidenschaftliche Gefühle zu verletzen, nur vor guten Freunden äußern. Zum richtigen Fan gehört der richtige Nationalismus, von dem man bei dieser Weltmeisterschaft etwas erleben konnte. Die verzweifelten verzerrten Gesichter der Zuschauer vor den Fernsehschirmen von Rio, die an einem Galgen aufgezogene Puppe, die den brasilianischen Trainer darstellen sollte. Die zornigen Tritte und Stöße während mancher Spiele, die heftigen Vorwürfe wegen Wehleidigkeit und Schauspielerei, auch wegen absichtlicher Verzögerungen der beinahe-Sieger, für die jede vertrödelte Minute zählt. Die Selbstmorde, Herzschläge unter den Zuschauern, die Stückchen verschwitzter Trikots, die den Spielern nach ihren Siegen als Trophäen vom Leib gerissen wurden, die Tränen der gestürzten Könige, die herausfordernden Nackenstreiche, wer schlägt, muß vom Spielfeld, wer zurückschlägt, aber auch, ein schwacher Spieler kann auf solche Weise die gegnerische Mannschaft eines starken Spielers berauben. So viel anderes noch, die vollkommen ausgestorbenen Städte und leeren Autobahnen, das Ehepaar, das nach dem englischen Sieg unter meinem Fenster mürrisch nachhause trottete und der halbwüchsige Sohn hielt den funkelnagelneuen Fußball mit den Fünfecken mürrisch unter den Arm geklemmt, währenddem sprangen die Engländer vor Freude schon in den Trafalgarbrunnen, was dem einen sein Uhl, und für die nächsten vier Jahre war die ganze Aufregung vorbei.

### 10. August

In Truman Capotes Bericht von dem Raubüberfall auf die Clutterfamilie sind die Ermordeten rechtschaffene Leute, der Vater raucht und trinkt nicht, duldet auch keine Trinker unter seinen Landarbeitern, der Sohn ist fleißig und ein geschickter Bastler, die Tochter ein wahrer Ausbund von weiblichen Tugenden, liebevoll, hilfsbereit und strebsam dazu. Die Mutter spinnt ein bißchen, aber auf eine sanfte und hilflose Weise, ihr Zustand hat sich in letzter Zeit gebessert, vielleicht wird sie wieder gesund. Wir erleben diese begüterte und doch bescheidene amerikanische Familie in kurzen Auftritten, die mit ganz anderen Szenen abwechseln – zwei junge Männer in rasender Fahrt auf den Landstraßen, und zwischen dem und jenem besteht ein Zusammenhang, die jungen Leute bewegen sich in einer bestimmten Absicht auf die glückliche und ahnungslose Familie zu. Statik und Bewegung, friedliches

Dasein und Getriebenwerden, auch wer den Klappentext nicht gelesen hat, spürt das Fatale dieses raschen Näherkommens, das dann mit der Ausrottung der vier Personen endet, welche die Mörder nie zuvor gesehen haben und denen gegenüber sie weder Zuneigung noch Abneigung, weder Liebe noch Haß empfinden. In Capotes Text ist die Mordtat zunächst ausgespart, man sieht die Toten mit den Augen der Nachbarn, der Polizei, der Einwohner der nahen Stadt – wie man weiß, hat sich der Berichter in jahrelanger Arbeit mit seinem grausigen Stoff vertraut gemacht, hat mit Hunderten von Personen gesprochen, die Zeugenaussagen, die Gerichtsakten, die psychiatrischen Gutachten studiert, er hat endlich auch die nach ihrer Flucht nach Mexiko und ihrem rätselhaften freiwilligen Zurückkommen Überführten im Untersuchungsgefängnis und in den Todeszellen besucht und von ihnen vieles, ja wahrscheinlich das eigentlich Wesentliche erfahren. Die Art, wie er uns nun mit den äußeren und inneren Vorgängen vertraut macht, erweckt ein leises Unbehagen über die Mischung von fiction und non-fiction, wenn auch die literarischen Zutaten sich meist nur auf nebensächliche Dinge beziehen. Das Rätsel der Untat zu erklären wird nicht versucht, seinen psychologischen oder psychiatrischen Vers kann jeder Leser sich selbst machen, und jeder kann auf die Bestialität und Gefühlskälte der jungen Mörder auf seine eigene Weise, mit Abscheu oder mit Erbarmen, oder mit Abscheu *und* Erbarmen reagieren. Ein erfundener Roman hätte dem Leser mehr Hilfen gegeben, daß Capote auf solche Hilfen verzichtet, daß er sich nicht scheut durch ein nacktes, das hat es gegeben, das gibt es, Ratlosigkeit hervorzurufen, ist der größte Vorzug seiner Darstellung, die nicht nur die schauerliche Verlorenheit der Gestrandeten und von der Gesellschaft Ausgestoße-

nen, sondern auch etwas von unser aller Lieblosigkeit und
Kälte zum Ausdruck bringt.

SCHAUPLÄTZE                                    *15. August*

Über die Wahl des Schauplatzes in meinen Geschichten
sollte ich Auskunft geben und gab Auskunft, nannte einige
Titel, sagte, ja, Sie haben Recht, was im Ausland spielt,
ist oft, sogar namentlich, festgelegt. Rom, das Cap der
Circe, Rio de Janeiro sind unverkennbar, während ich
mich in Deutschland mit Angaben wie »eine kleine
Stadt«, »eine große Stadt«, »ein Dorf« begnüge, auch
alles andere oft im Ungewissen lasse. Trotzdem habe ich
auch dort, wo ich die Szenerie wenig oder gar nicht beschreibe, sehr genaue Vorstellungen, auch die ganz und
gar erfundenen Geschichten können nicht im leeren Raume
spielen. Es wird aber da von meiner Phantasie nur hergestellt, was ich eben brauche, so zum Beispiel in der
Erzählung »Der Schriftsteller« nur das Arbeitszimmer,
die Veranda, das Treppenhaus, ein Stück Straße und der
Stehspiegel im Schlafzimmer, während der Rest dieses
Zimmers ebenso wie die Küche, das Wohnzimmer, das
Kinderzimmer unausgeführt bleiben, so wie man auf
einem Wohnungsplan einige Räume noch uneingerichtet
läßt oder sie gar mit einem Muster von schrägen Stri-
chen unkenntlich macht.

In »Wer kennt seinen Vater« ist mir vieles dunkel geblieben, ich habe da außer ein paar breiten Asphaltstraßen
mit jungen Bäumen und der Andeutung eines Industrie-
viertels nur den beschriebenen blau ausgelegten Vorplatz
und das ebenfalls beschriebene Arbeitszimmer des Vaters
deutlich vor Augen gehabt. Die fast durchweg erfundene
Erzählung »Das Inventar« hätte an einem beliebigen

Platz der italienischen Küste angesiedelt werden können, ich sah aber sofort Tor Vaianica, eine öde wildwestartige Feriensiedlung und ein hübsches Häuschen, das an der Strandseite der viel befahrenen Uferstraße liegt. Ich war dort einmal zu Gast gewesen, doch hat die Geschichte mit den damaligen Bewohnern des Häuschens nicht das Geringste zu tun. Man erschafft Schauplätze, Zimmer, Häuser, Gärten nicht aus dem Nichts, aber man springt recht willkürlich mit ihnen um, nimmt die Einrichtungsgegenstände einzeln hierher und dorther, ohne eigentliche Absicht, vielmehr kommt, wenn ich mich so ausdrücken darf, alles gelaufen und stellt sich zusammen, stellt die für die Geschichte notwendige Umgebung her.

In »Die übermäßige Liebe zu Trois Sapins« habe ich in bewußter Irreführung mein südbadisches Elternhaus ins Elsaß, an den Hang der Vogesen versetzt. Der Hügel, die Tannen, sind frei erfunden oder doch nicht ganz frei, sondern in Anlehnung an einen Calvarienberg bei Breisach, der Weg von der Bahnstation auf das Gebirge und auf das Gutshaus zu stimmt dann wieder, ist nur sozusagen spiegelverkehrt an das andere Ufer des Stromes verlegt. Das kleine Wappen über der Haustür ist authentisch, aber die im Garten jätende Schwester habe ich aus einem ganz anderen Garten, nämlich aus dem meiner eigenen Schwester in der Kaiserstuhlgegend, geholt. Von dort kommt auch die doppelte Treppe und in diesem alten Haus habe ich das Telefon läuten hören, obwohl der Anruf doch das Schicksal eines ganz anderen Anwesens besiegelte.

Als von einer Sage, die unter den Schweizer Sennen umgeht, habe ich von dem aus Brotteig gekneteten und mit Weihwasser belebten Tunsch erfahren. Was mir darüber gleich einfiel, war ein schmales Seitental des oberen Engadin, in das wir einmal einen Spaziergang gemacht hatten; wir müssen da sehr hoch oben vor einer Sennhütte auf einer Bank gesessen haben. Dort nun ließ ich meinen Polizeibeamten erschöpft niedersinken, während ich bei dem steilen gefährlichen Weg eine ganz andere Berglandschaft, nämlich das auf den Olperergletscher zuführende Hochtal vor Augen hatte. Die Stadt, in der sich das Revier befindet, war und blieb mir undeutlich, also wieder Schraffiertes um ein helles, deutliches, die Amtsstube des Polizeibeamten, herum.

In der »Schiffsgeschichte« ist ein französisches Schiff, mit dem ich einmal gefahren bin, zum Todesschiff, zu einer Art von »Fliegendem Holländer« geworden – ich habe es aber in allen Äußerlichkeiten genau nachgebildet, da mich ja gerade das Altmodische und Wunderliche des Dampfers zu meiner Geschichte angeregt hatten.

Der »Deserteur« spielt auf einem der Höfe, die, in einem Seitental recht abgelegen, doch noch zu meiner südbadischen Heimatgemeinde gehören. Es hat sich freilich ein solcher Vorfall dort nie abgespielt, die Zeitungsnachricht, auf der die Geschichte beruht, stammte aus Frankreich, durch unser Tal sind amerikanische Truppen nie gezogen. Aber das konnte mir gleichgültig sein. Ich brauchte eine mir vertraute Gegend, mußte mir vorstellen können, wie die Kirche aussah, von deren Turm die Osterglocken läuteten und wie der Weg aussah, auf dem man die keuchenden Hunde heraufkommen hört.

Anders ist es bei der Erzählung »Die Pflanzmaschine«, in der zwar die Familienverhältnisse des Häftlings und sein langes Gespräch mit dem Wachtmeister frei erfunden sind, vieles andere aber auf Tatsachen und auf eigener Beobachtung beruht. Den Gärtner, der keine Anzeige erstattet hat, kenne ich, die Pflanzmaschine habe ich oft auf dem zwischen den Neubauten der Vorstadt liegenden großen Gemüseacker arbeiten sehen. Der Wald ist Wirklichkeit, die Waldhütte Erfindung, vielmehr wo anders weggenommen und in eben diesen Wald gestellt. Der Vorgang einer solchen Umordnung ist aber, wie gesagt, kein bewußter, man sieht die Umwelt der Gestalten und Ereignisse und macht sich später klar, wie sie zustande gekommen ist.

ROM I                                         *5. September*

Die Treppe ist eng, steil, man zählt die Stufen, kommt jedesmal zu einem anderen Ergebnis, einhundertachtundzwanzig, einhundertdreißig, hat die Hände voll Kalkstaub, die Lungen voll Kalkstaub, bleibt stehen, keucht. Nach der Wohnung der Portiera sind es noch viermal drei Treppen, nach den Mauervorsprüngen, auf die man sich allenfalls niedersetzen kann, noch dreimal drei, die Arbeiter rufen hinauf und hinunter, mächtige Stimmen, die der enge Hohlraum noch anschwellen läßt. Oben sind die Gitter für den neuen Aufzug schon befestigt, auch die kleinen Türen, bald wird alles anders sein, bald werden wir schweben, gelassen aus dem Kästchen treten, ohne Atemnot die Haustüre aufschließen, casa nostra, das kleine Wunder über den Dächern, drei Zimmer, goldbrauner Spannteppich, weiße Wände, weiße Bücherschränke, keine Gardinen, wozu auch, wir sind höher als alle Fenster, sehen hinab auf die steinernen, schon wieder Natur gewordenen Schluchten der Altstadt (römisches Ocker mit Dachgärten und kleinen Balkonen), sehen hinüber zur Villa Medici hoch auf dem Pincio in Grün gebettet, sehen zur Porta del Popolo, nach St. Peter, überallhin. Ein erfüllter Wunschtraum (Wunschtraum auch eines Toten) und die kleinen Möbel meiner Mutter, der Schreibtisch, die Kommode aus Rosenholz, der geschnörkelte Spiegel mit seiner bukolischen Landschaft, alles aus der Vergangenheit der Familie, aber neu in der neuen Umgebung, jung und fröhlich, mit so viel Luft um sich, so viel römischem Wind. Ein Stuhl fehlt noch, zurückgehalten vom Tapezierer, dem die Architektin für ganz andere Dinge Geld schuldig ist, der Tapezierer erpreßt die Architektin, die Architektin gibt die Dokumente nicht heraus, läßt sich nicht anrufen, ist verschwunden, wer könnte da hindurchsehen, pazienza, Geduld. Statt auf dem Stuhl, sitzt Costanza auf dem Fußboden, blitzblau auf dem goldbraunen Spannteppich und telefoniert.

Viel zu tun, viel Verantwortung, und noch immer das Kindergesicht und die Kinderverzweiflung, wenn etwas nicht gut geht, und kein Glück, wenigstens keines im bürgerlichen Sinn. Was sie wahrscheinlich auch nie gewollt hat, die blitzblaue Tochter, die jetzt den Hörer hinlegt und sich dem Bandgerät zuwendet, eine Symphonie von Mahler soll aufgenommen werden, die sechste, aber das geht lautlos vor sich, man hört keinen Ton. Wie schön ist die niedere Decke mit den beiden dunklen Holzbalken und der Eßtisch, ein frattino; das Vögelchengeschirr haben wir gekauft, als wir noch in Rom waren, es ist nach Deutschland und wieder zurückgereist, aber nichts von gefühlsvoller Erinnerung, alles Jugend und neuer Beginn. Vom Fenster der Eßnische sieht man schräg unten ein faschistisches Gebäude aus Ziegeln und Marmor und tiefer noch das ewig überflutete Asphaltband des Corso Umberto, jenseits dessen unser Sträßchen eine breite Straße wird, die das Grabmal des Augustus umzieht. Auf der kleinen Terrasse stehen noch Regale, Tischlerabfälle, aber auch der Zitronenbaum, meiner, der von den Parioli heruntergewandert ist. Auf der eisernen Wendeltreppe kommt man zur oberen, eigentlichen Terrasse, wo es auch schon Möbel und Pflanzen, aber noch keinen Sonnenschutz gibt; so daß man vorläufig nur am Abend dort sitzen und umherwandern und tutta Roma genießen kann. Denn die Sonne brennt gewaltig, hundstagemäßig, jetzt, im September.

ROM 2                                    *10. September*

Als ob man einem Menschen, dessen Wohnung man beschreibt, etwas von seinem Gesicht nehmen könnte, habe ich die größten Hemmungen, zu sagen wie es hier ist, bei Ingeborg Bachmann, in deren Wohnung ich schlafen darf, wenn mir die Treppe in der Via Vittoria zu anstrengend ist. Eine Wohnung, deren Besitzer abwesend ist, nimmt ohnehin gleich unheimliche Züge an, soviel Persönliches ohne die Person, ein Nachlaß bei Lebzeiten, kaum daß man einen Gegenstand zu berühren wagt. Diese ist zudem ein Versteck, wie man es sich oft wünscht, da man ja immer beides haben möchte, das zugige Schwalbennest mit dem weiten Ausblick, Luft, Luft, und ein Eingeschlossenes, Kellerhaftes; Schutzgefühle vielleicht aus Luftschutzzeiten, aber nein, von viel früher her, Berliner Kindheit, verlockende Souterrains, in denen die Hausmeister wohnten, nur Füße sah man vor den Fenstern vorübergehen, Höhlengelüste aus Höhlenmenschenzeiten gewiß. Hier gibt es kein Fenster, das auf die Straße ginge, alle öffnen sich auf den Hof, der nicht etwa von einem einzigen Gebäude, sondern von vielen, verschieden hohen Altstadthäusern umschlossen wird. Die Terrasse ist riesig, von Bambuswänden umgeben, fremde Katzen, eine schöne schwarze und eine räudig von Wunden bedeckte grauweiße streunen unter den Oleandern. Ich weiß nicht, warum ich mich vor diesen Katzen fürchte, aus Angst, sie könnten mir ins Zimmer, aufs Bett, auf die Brust springen, die grünen Holzläden kaum zu öffnen wage. Dunkelheit also und Stille, Niemand-weiß-wo-ich-bin-Stimmung. Niemand weiß, wer ich bin. Das Leben ist irgendwo draußen, aber hier in der Muschel sollte es wiedertönen, meine Stimme werden, könnte sie werden vielleicht, wenn ich hier zuhause und kein Eindringling wäre, so aber bleibt die Muschel stumm. Wenn ich zwischen den Läden hinausspähe, sehe ich die grelle Sonne auf den Häuserwänden, die vielen kleinen Balkone, auf denen Wäsche aufgehängt ist, die Treppenhäuser mit den scheibenlosen Fenstern, die kleinen angeklebten Toiletten, alles ockerfarben und tagsüber merkwürdig still, nur die Katzen schreien. Nachts viele Stimmen, ein Hin und Her und Musik aus den Fernsehapparaten, auch Singstimmen und Lärm aus einer birreria, Geklapper von Geschirr und Gläsern, mich stört das nicht. Über Verkehrsgeräusche kann ich verrückt werden, aber die nächtlichen Äußerungen römischer Hinterhöfe sind mir ein wirres Schlaflied, von einer fetten Matrone gesungen, ihre dicken Ohrgehänge schwanken, Glasschmuck glitzert auf ihrer Brust.

*12. September*

Eine Frau kann so freiheitlich, so fortschrittlich gesinnt sein, wie sich das nur ausdenken läßt – als Mutter gehört sie dem vergangenen Jahrhundert an. Alles, was sie etwa im Gespräch mit anderen jungen Leuten äußert, jedes Verständnis, das sie zehnmal am Tag über ihren eigenen Schatten springen läßt, wird hinfällig, wenn es sich um die von ihr selbst geborenen und erzogenen Kinder handelt. Andere junge Menschen können unvernünftig sein, in ihren Liebesbeziehungen die falsche Wahl treffen, an eine gesicherte Zukunft nicht denken, Frau X wird ihnen das alles nachsehen und meinen, daß es eben zu ihrem Wesen und zu ihrem Schicksal gehöre. Für das eigene Kind gibt es nur ein Erstrebenswertes, Sicherheit in jeder nur erdenkbaren Form, Sicherheit um jeden Preis. Die Männer, die mit ihrer Tochter zusammenkommen, müssen liebesfähig, verantwortungsbewußt und zuverlässig sein. Alle Gefahren, die dem Sohn oder der Tochter drohen, stammen aus dem Familienarchiv, gab es da nicht zwei Selbstmorde wegen Schulden, starb nicht eine Verschwenderin im Elend, hat man also nicht recht, für die Tochter nach der gütigen aber festen Hand, für den Sohn nach dem bescheidenen und sparsamen Wesen zu verlangen, nach Ehepartnern also, durch die sich das Kind nicht ins Unglück stürzt? Den Sturz ins Unglück sieht eine Mutter beständig voraus, auch die Einsamkeit, die Armut im Alter – über ihren eigenen Tod hinaus möchte sie den Kindern den Schutz geben, den sie ihnen geben konnte, als sie noch im Sandhaufen spielten, alles was diese Nachkommen an Nichtswürdigem erleben könnten, fällt ihr selbst, und über das Grab hinaus zur Last. Im Tierreich geht es ganz anders zu, jetzt flieg oder brich dir den Hals, freilich wird da auch mehr als eine einzige Brut aufgezogen und mit der nächsten fällt die letzte dem Vergessen anheim. Das »troppo affezionato«, das ich eine junge Italienerin ihrer Mutter vorwerfen hörte, ist für Kinder, auch für längst erwachsene, eine Belastung, auch ein Zeichen von Selbstsucht und Eitelkeit, in einem halbwegs gelungenen Leben soll nun auch das noch, das Glück der Kinder, gelingen. Daß für die Kinder möglicherweise etwas ganz anderes Glück bedeutet, danach wird nicht gefragt, da versagt die sonst in reichem Maße vorhandene Phantasie. Ich pfeife auf einen Trauschein – zu solchen und ähnlichen Formulierungen mag sich Frau X wohl verstehen. In Wirklichkeit gleichen ihre Vorstellungen denen aus »Herzblättchens Zeitvertreib«, einem Buch, das noch aus dem Besitz ihrer Mutter stammte und über das sie sich bereits in ihrer eigenen Jugend lustig gemacht hat.

*14. September*

Mit seinem Verlangen nach der Geste, den wilden Schreien, dem Pantomimischen auf der Bühne, wollte der vom Wahnsinn gezeichnete Antonin Artaud zurück zu einem anderen, archaischen Theater, zu menschlichen Urzuständen, die ihm besser als die, wie er sich ausdrückte, »Intimitäten einiger Hampelmänner« geeignet erschienen, im Zuschauer eine Wandlung und Reinigung herbeizuführen. Die »Intimitäten einiger Hampelmänner«, das waren für ihn die Theaterstücke seit Racine, also das höfische, klassizistische, später das bürgerliche Theater, ein Durcheinander von menschlichen Beziehungen, die ihm samt und sonders verlogen dünkten. Am Anfang aller Dinge steht die Grausamkeit, ihr muß das Theater Rechnung tragen, am Anfang steht auch die Pest, die grauenvolle totale Vernichtung, unter deren Würgegriff der Mensch sein wahres Antlitz enthüllt. Artaud ist antisozial, auch antidemokratisch, er glaubt nicht an den Fortschritt, sondern an »Mächte« und »Kräfte«, aber auch an eine moralische Reinheit, die er auf seiner imaginären Bühne ebenfalls dargestellt haben will. Ein Bühnengefühl erscheint ihm unter Umständen wahrer und stärker, vor allem lebendiger und glühender als die Gefühle des wirklichen Lebens, die Raserei eines Schauspielers soll dem Zuschauer ein Außer-sich-sein mitteilen, in dem er erst er selber wird. Solche Zustände der Raserei muß Artaud dank seiner Krankheit gekannt haben, aber die Krankheit wiederum verhinderte ihn daran, seinen Gedanken den künstlerischen Ausdruck zu geben, den er, und das geht aus seinen Briefen an Jacques Rivière hervor, trotz aller Hinneigung zur Geste, zur Pantomime, ja zum »Schlächtermesser«, als etwas unendlich Erstrebenswertes, als ein für ihn verlorenes Paradies empfand.

Rom 3                                                    20. September

Wir fahren mehr als wir gehen, haben mehr Fahrteneindrücke als solche von Wanderungen, also auch mehr Fahrtenerinnerungen, Straßen, Stücke von Straßen, mehrfach zurückgelegten, die bleiben dann schon stehen, das heißt, einzelne Punkte bleiben stehen wie das zersprungene Quecksilber eines defekten Fieberthermometers, während andererseits auch das Gleiten, Nichtverweilen in der Erinnerung immer spürbar ist. Der Eindruck ist ähnlich wie bei einem Stück Musik, das man ja auch nicht in all seinen Teilen im Gedächtnis behält und bei dem gerade das Vorübergehen, Schonvorübersein den schmerzlichen Reiz ausmacht. Die Straße, die ich im Sinn habe, zweigt von der alten Via Ostiense ab, erreicht und verläßt sogleich wieder eine winzige Ortschaft, war einmal eine Privatstraße, für Mussolini gebaut, und seinem ausschließlichen Gebrauch vorbehalten. Als wirke das Verbot einer allgemeinen Benützung heute noch nach, wird die Straße gemieden, ist unbekannt, einsam, leer. Zwischen der Via Ostiense und der neuen prunkvollen Via Cristoforo Colombo führt sie an den Strand von Ostia, hat, asphaltiert, doch einen Feldwegcharakter, Felder zur Seite, auch Piniengehölze, stille Kanäle, Schilfrohr, dornigen Busch. In die Kanäle lassen Fischer ihre Rundnetze, auch ihre Angelschnüre hängen, die Pinien, in der Nähe des Strandes so oft von der Graukrankheit, Dürrkrankheit befallen, wachsen hier noch hoch und schön auf und recken ihre pathetischen Kronen in die goldgesprenkelte Luft. Graue Mauern, rötliche Mauern, schließlich zur Linken ein pompöses und verlassenes Halbrund, zwischen Pilastern führt dort die Straße in die eigentliche Pineta hinein.

Ein Getränkebüdchen mit Eisenstühlen und Eisentischchen, nach all dem Feldgeruch, Sumpfgeruch, Harzgeruch die erste Welle von Salzluft, der erste frischere Wind. Nicht wie auf der Cristoforo Colombo der Riesenblick über die langsam sich senkende Ebene, den blauen Wasserstreifen hinter dem Wald. Ein Schlängelweg, Schleichweg mit Schatten und stillen Schönheiten, zudem lento im kleinen langsamen Wagen, und entgegen kommt keiner, keiner überholt uns, nur am Getränkebüdchen stehen ein paar Leute, woher gekommen, wohin unterwegs. Man sollte von der Straße einen Film machen, Zeitlupe, lento, immer wieder zurückgreifen, auf das rote Bauernhaus, vor dem man einmal Tiere sah, einen Hund, Hühner, ein Kind im Fenster, dann alles tot, panisch schlafend, dann das Korbnetz, zuerst im Wasser, dann heraufgezogen, ein kleines Geschlüpfe und Geglitzer von Fischen in den Maschen, zwei, drei nur, dann die Getränkebude, nur die Hände, die Citronen ausdrücken, aus dem Syphon Wasser spritzen lassen, Kehlen, durch welche die Limonade rinnt. Dann die Waldtiefe, die Mückenschwärme, der Esel, der sich streckt und schreit. Nichts von den Rädern, dem Gehäuse, den Scheiben unseres Wagens, nur das Asphaltband, das hinter, unter dem allen unaufhörlich weggleitet, nur unsere Augen auf die wechselnden Kulissen gespiegelt, wie sie uns begleiten, dann hinirren zwischen den Stämmen, dann den Strand überfliegen, dann ertrinken im Meer.

*22. September*

I. B. erzählte mir, daß eine Episode ihres neuen Buches von einer chinesischen Geschichte angeregt sei. In der Geschichte schenkt ein Mann einem andern ein Buch, dessen Seiten mit Gift durchtränkt sind. Wenn der Beschenkte das Buch zu Ende gelesen, also alle Seiten umgeblättert hat, hat das Gift seine Wirkung getan, er stirbt. Meine Phantasie ging andere Wege. Ich stellte mir vor, einer schriebe ein Buch, in dem er einen ihm nahestehenden, ja den ihm zu allernächst stehenden Menschen schildert, und zwar ganz genau, sein Äußeres und sein Inneres, die Gestalt, die Haut, das Haar, alles sozusagen großporig, in Nahsicht, er rückt seinem Objekt auf den Leib, beäugt, betastet es, studiert seine Bewegungen, seine Art rasch mit den Wimpern zu schlagen, einen Fuß vor den anderen zu setzen, sich mit der Hand an die Stirn zu greifen, zu horchen, sich zu besinnen, sich zu entrüsten, sich zu freuen. Er macht, mit einem Wort, aus dem Menschen, den er am meisten liebt, ein Studienobjekt, das ihm am leichtesten und alle Tage zugängliche, bleibt an der Oberfläche nicht haften, fängt an zu spionieren, stellt gezielte Fragen, die der andere arglos beantwortet, haben sie, Mann und Frau (oder Freund und Freund), nicht auch sonst geredet, nicht auch sonst einander zu ergründen versucht. Jetzt steht etwas dahinter, eine Absicht, die als

135

eine künstlerische perfide geadelt ist, was denkst du, was fühlst du, was hast du in der und jener Situation deiner Vergangenheit empfunden, wie hast du geliebt. Das Buch wächst, nimmt zu an Seiten, an Bedeutung, wer hat das schon einmal unternommen, wahrscheinlich viele, aber nicht so ausschließlich, so dringlich, ein Mensch mit gelichteten Haaren und guten Zähnen, ein Schwarzseher, ein leicht zu Erschütternder, ein politisch so und so eingestellter, ein Faß voll Erinnerungen, die sich bewegen wie Schlangen und verknäult an die Oberfläche kommen. Wer hat das schon einmal dargestellt, dieses Auftauchen und Weggleiten von nicht mehr Gegenwärtigem und wie dabei die Farbe der Haut sich verändert, die Farbe des Weißen im Auge und was die Hand dabei tut. Ein Mensch, der einen Menschen schildert, der ihm, seinem Nächsten damit nicht nur das Gesicht, sondern auch die Haut, auch den Körper, die Seele, den Eros wegnimmt, und der, dem das geschieht, weiß nichts, nur daß er, der Geschundene, immer hinfälliger wird, an Gedankenflucht leidet, an Gliederzittern, an Herzschwäche, an welcher er schließlich auch stirbt, und zwar in dem Augenblick, in dem der Schreiber (oder die Schreiberin) ihm das fertige Buch, schön gebunden, mit gefälligem Schutzumschlag, auf die Bettdecke legt.

*24. September*

Sie müssen bedenken, sagte ich heute zu einem Bekannten, wie das war, in den sogenannten besten Jahren meines Lebens, daß man damals Lampenschirme aus Menschenhaut, aus der Haut von ermordeten Häftlingen gemacht hat, von allem anderen ganz zu schweigen. So, daß ich jetzt noch gewisse Lampenschirme aus einem

hellen dünnen krakeligen Pergament nicht ansehen kann, es könnte doch noch etwas übrig geblieben sein, Pergament war immer dauerhaft und vielleicht waren noch große Vorräte da. Beleuchtungskörper waren ohnehin das Letzte, was es noch zu kaufen gab, kein Brot, keine Wurst, keine Stühle, keine Herde, aber Beleuchtungskörper die Hülle und Fülle. Sie erinnern sich, diese Geschäfte waren immer gut ausgestattet, alle Ware hing von der Decke herab. Übrigens habe ich neulich auch in meinem Besenschrank ein Stück Seife gefunden, graubraun, schleimglatt, schwer wie ein Stein. Kriegsseife sagen Sie, aber ich sage, Seife aus dem Fett von ermordeten Häftlingen, ich hätte das Stück gleich wegwerfen sollen, aber ich habe es nicht weggeworfen, manchmal schleiche ich mich an den Besenschrank und nehme es in die Hand. Das waren die besten Jahre meines Lebens, übrigens auch Ihres Lebens, aber solche Erinnerungen gingen meinem Bekannten auf die Nerven, lassen Sie das doch, sagte er, lassen wir die Vergangenheit ruhen. Aber ich wollte sie nicht ruhen lassen, das sind doch Ungeheuerlichkeiten, der Lampenschirm, die Seife, geschäumt hat sie ohnehin nicht, aber wir sind uns damit über das Gesicht, den Hals gefahren, mit dem Leichenfett unserer Brüder, und vielleicht war der Körper Ihres besten Freundes dabei. Hören Sie auf, sagte mein Bekannter zornig, das sind krankhafte Vorstellungen, und ich sagte, ja, da haben Sie recht.
Aber sie beruhen auf Tatsachen, auf Taten, und das ist es, was wir unseren Enkeln zeigen sollten, einen Lampenschirm, ein Stück Seife, und sagen, homo homini lupus, und sagen, es müßte nicht sein.

Dinge, die ich nicht mehr tun werde, meines Alters wegen
nicht mehr tun werde, weit hinausschwimmen etwa, so
weit, daß die Küste versinkt, die Badehütten sich klein
an den Boden drücken, die Gefahrenfahne, dieser rote
Wimpel, nicht mehr deutlich zu erkennen ist. So daß ich
das Gefühl habe, nicht mehr am Meer, sondern im Meer
zu sein, ein Delphin, der taucht und springt zwischen
zwei Kontinenten, was natürlich übertrieben ist, da es sich
auch früher nur um das Mittelmeer gehandelt hat. Der
atlantische Ozean, etwa an der Küste von Brasilien,
war mir immer bedrohlich, schon die erste Uferwelle
riß einem gurgelnd den Boden unter den Füßen weg.
Aber nun auch das nicht mehr, das Hinausschwimmen
am lateinischen Ufer, an der salernitanischen Küste
und das aufgeregte Winken spielzeugklein von den
Felsen her, Warnung vor Wadenkrämpfen, vor
Haien, Warnung, die ich einmal in den Wind schlug
und drehte mich, sonnengeblendet über der fernen weißen Tiefe, dem Wellengekräusel auf dem
Sand.
Oder die Wanderungen allein in unbekannten Wäldern,
immer weiter, noch um diese Wegbiegung, noch über
jenen Bergkamm, wundern soll mich, was einst ich sah,
über den hohen Bergen. Das war eine Zeile von ich weiß
nicht mehr wem, jedenfalls einem Mann aus dem Norden,
und jetzt tragen mich meine Füße nicht mehr so weit, und
ich bin auch ängstlicher geworden, erschrecke vor Schatten,
die sich bewegen, vor Ästen, die aneinanderschlagen, o die
Gespenster einer alten Einbildungskraft, der ein Leben
lang von Mordnachrichten gespeisten, und wer im Grunde
nichts mehr zu verlieren hat, der hängt an dem, was er
nicht mehr zu verlieren hat, spürt schon den Würgegriff

des Unbekannten, der da die Schlucht heraufkommt, was hat er im Wald zu suchen, wenn nicht mich, wen wird er in den sumpfigen Weiher drücken, wenn nicht mich. Wundern soll mich, aber ich muß es ja nicht mehr sehen, muß die fremden Länder nicht mehr sehen, weiß sie schon alle, kann sie aufsagen, die Pyramiden und die mexikanischen Tempel und der steinerne Mann mit der Opferschale hockt mir rätselhaft lächelnd an der mondbeschienenen Wand.

Oder die Gespräche bis zum Morgengrauen, das Fragen, Behaupten, Fragen, Feststellen, unermüdlich, aber jetzt ermüdlich, schon bald nach Mitternacht, welche Ungeduld, welcher Zorn auf die alles so gut Wissenden, so treffsicher Formulierenden, als wenn es nicht nur lauter Rätsel gäbe, lauter tödliche der Menschennatur, alle schon mit dem Menschen erschaffen, adamische Rätsel sozusagen, die nun so flink, so glashart übersprochen werden, oder auch nicht flink, alkoholisch mit schwerer Zunge. Ich kann da nicht mehr zuhören, nicht mehr mitreden, konnte es einmal, kann es nicht mehr, die Nacht ist meine Zeit nicht länger, oder gerade die Nacht ist meine Zeit, die menschenleere, die Schlafnacht, oder vor dem Schlafen am Fenster stehen, stumm. Also faul, könnte einer sagen, denkfaul, redefaul, schließlich handelt es sich um die brennenden Fragen der Politik, der Soziologie, der Literatur, das alles strengt Sie also ungebührlich an, welche Nervenschwäche, welch greisenhafte Gleichgültigkeit. Aber ich bin nicht gleichgültig. Ich bilde mir auch nicht ein, daß ich alles besser als die andern wisse, keine Belehrung mehr nötig habe. Nur die Nacht darf mir keiner nehmen, die Zeit, in der ich meinen Garten bebaue. Cultiver son jardin und mit Pflanzen hat man es da zu tun, mit Stecklingen und Setzlingen, oder auch nicht mit Pflanzen,

sondern mit Worten, mit den rasch keimenden zarten
Weizenkörnern der Träume.

Ein alter Mann, der in Prag lebt, versteckt, ängstlich,
verfolgungswahnsinnig, so daß zu ihm nur findet, wer
ihm die abgerissene Hälfte eines Briefes bringt, den er
selbst geschrieben hat, an einen Freund geschrieben hat,
der mit dieser abgetrennten halben Seite also für den
fremden Besucher bürgt ...
Dieser alte Mann, der Gustav Janouch heißt, hat als
Jüngling, als halbes Kind noch, Franz Kafka im Büro der
Arbeiterversicherung besucht, zuhause besucht, ist mit ihm
spazieren gegangen, hat sich aufgeschrieben, was Kafka
gesagt hat, zu dem und jenem, zu Menschen, zu Büchern,
zur Judenfrage, zur Religion. Ein Ausspruch ist mir im
Gedächtnis geblieben, warum gerade dieser, vielleicht
wegen des Wortes Gnade, eines goldbraunen Wortes, etwa
die Farbe vom Karamel. Ich bemühe mich, sagte Kafka
zu dem jungen Janouch, ein richtiger Anwärter der Gnade
zu sein. Der Satz hat etwas in mir in Schwingungen
versetzt, wie ist das, bemühe ich mich selber um Ähnliches, und würde es doch nicht auszusprechen wagen, so
zimperlich sind wir geworden in bezug auf die Meta-
physik. Dabei ist das Wort der schönsten Worte eines und
sein Sinn der schönsten einer, da wird einmal nicht gerechnet, Bemühung, Belohnung, nein, alles geschenkt. Ein
ärgerliches Wort für die Atheisten aller Konfessionen,
schon der Hauch von Mystik, der ihm innewohnt, muß
sie verdrießen, außerdem haben auch Könige, Richter und
große Herren Gnaden verteilt.
Gnädiger Herr, und schon sind wir bei den Bücklingen,

dem Rocksaumküssen, der würdelosesten Devotion. Kafkas Gnade ist allein die göttliche, sie muß etwas zu tun haben mit der Todesstunde und dem Leben nach dem Tode. Die Annäherung ist vorsichtig, nur ein Anwärter, und das ist noch ein Amt, das man »richtig« erfüllen muß. Worunter ich mir so etwas vorstelle wie eine bestimmte Form der Passivität, des Nicht-Wollens, nur Horchens, wobei natürlich, zumal für Kafka, auch ganz andere Stimmen, und solche der Finsternis, hörbar werden.

FLAMINGO                                    *30. September*

Es kommt vor, daß man unter den toten, aber vom Feuer oder durch die Gewalt des Aufpralls nicht völlig zerstörten Passagieren eines abgestürzten Flugzeuges einen findet, der auf den Listen nicht erscheint, um dessen Knochenreste sich auch niemand kümmert, dessen Versicherungssumme nicht in Anspruch genommen wird. Ein Überzähliger also, ein mehr als blinder Passagier, der, ehe seine Überreste mit bescheidener Feierlichkeit und ohne Begleitung von Angehörigen oder Freunden in die Erde gebracht werden, viel Kopfzerbrechen verursacht. Das gibt es doch gar nicht, kann es nicht geben, einen Menschen, der nicht auf irgendeine Weise mit anderen Menschen zusammenhängt, der nicht vermißt wird, von irgend jemandem, vom Hausmeister des Hauses, in dem er gewohnt, dem Bäcker, bei dem er sein Brot gekauft hat. Es stimmen aber die in den Vermißtenanzeigen auftauchenden Körpermerkmale, Maße, Gebiß usw. mit denen des so überraschend aufgetauchten Toten nicht überein. Wie es diesem gelungen war, ohne Vorzeigen seiner Papiere das Flugzeug zu besteigen, blieb ohnehin rätsel-

haft, es kann so etwas aber vorkommen, zumal auf viel
beflogenen Strecken und seit das Flugzeug zu einem Mas-
sentransportmittel geworden ist. Die vollkommene Einsamkeit, Kontaktlosigkeit des Toten gibt mehr zu denken,
und welcher Art die Tarnkappe war, die ihn für alle
unsichtbar machte, sein ganzes Leben lang und noch auf
seinem letzten Weg über die Rolltreppe in den Clipper,
in den Tod. Die Mitreisenden können nicht mehr aussagen, können nicht sagen, ob und wie und warum der
Mann ihnen aufgefallen ist, was doch immerhin möglich
wäre, das heißt, es wäre möglich, daß er sich, so kurz
vor dem Tode, auffällig gemacht, eine Rede gehalten,
einer neben ihm sitzenden Frau von sich erzählt hat, vor
einem Kind auf die Knie gefallen ist, alles gewissermaßen
zum Entgelt, in seiner letzten Stunde, und doch umsonst,
da man ihn am Ende doch nur als einen Überzähligen,
einen eigentlich gar nicht Vorhandenen im Gedächtnis
behalten wird. Überzählig wie der Flamingo, der vor
einiger Zeit in dem hessischen Ried auftauchte, wo ja
Flamingos nicht gerade zuhause sind, wo auch dieser nicht
zuhause war, aber woher war er gekommen, von nirgends,
in keinem zoologischen Garten, in keiner Privatmenage-
rie fehlte einer, er gehörte nirgends wohin. Ein überzähliger Flamingo, ein überzähliger Mensch, nicht vermißt,
nicht beweint und doch merkwürdiger, des Aufmerkens
würdiger als die vielen rosafüßigen und gezählten Vögel,
denen der Wärter gezählte Fische zuwirft, als alle die
Menschen, die – wie es heißt – ihren Hinterbliebenen
unvergeßlich sind. Ein Mensch, aus dem Nichts auftau-
chend und ins Nichts zurückkehrend, wird zum Menschen
an sich, nimmt, überlebensgroß, mythische Züge an.

Von allen Nachkommen unserer Familie hat nur einer, eine junge Frau, diese aber auf die leidenschaftlichste Weise, den Wunsch, etwas »von früher«, zum Beispiel von meinen Eltern zu erfahren. Wie war das, fragt sie, haben sie sich geliebt, wie lang haben sie sich geliebt, warum dann nicht mehr, was war später, wie sind sie gestorben und so weiter, und, sind keine Briefe, keine Tagebücher da. Ich soll mich erinnern und erinnere mich, wenn auch ungern, Eltern, und wenn sie auch schon dreißig Jahre lang im Grab liegen, sind tabu, wer wäre, als Kind, nicht zu Tode erschrocken, hätte er die Eltern weinen sehen. Ihr Privatleben, nicht Familienleben, war eine Blaubartkammer, hinter deren Tür man Erschreckendes vermutete, auch erschreckend Schönes, das aber dem Eindringling die Wimpern versengen, die Fingerspitzen verkohlen mußte, es war nicht für ihn bestimmt. Dabei spielen Eltern, während sie schon die Elternrolle spielen, doch auch noch die von Liebhabern, Eifersüchtigen, von Enttäuschten, was alles nebeneinander hergeht, hast Du Dein Französisch gemacht, Du liebst mich nicht mehr, oder das Kind kommt ins Zimmer, während der Vater über die Mutter herfällt, macht sich klein, zwergenklein, elfenleise, zieht sich zitternd zurück. Hast du so etwas erlebt, fragte meine Nichte, und ich sagte, natürlich nicht, wir hatten immer große Wohnungen und die Schlafzimmer der Eltern waren weit weg. Wenn wir in der Nacht aufwachten und uns fürchteten, riefen wir nicht nach der Mutter, sondern nach dem Kindermädchen und dieses Kindermädchen war immer für uns da und hat nie einen Liebhaber gehabt. Woher weißt du also, fragte die Nichte, und ich sage, das kann man sich vorstellen und außerdem habe ich einmal meinen Vater überrascht, wie er eine fremde Frau küßte, ich war damals schon erwachsen, aber es war mir nicht egal. Da war also schon alles aus zwischen deinem Vater und deiner Mutter, fragte meine Nichte, und ich sage, ja, als mein Vater aus dem Krieg nachhause kam, war alles aus, oder es fing auch erst an, wenigstens für meinen Vater, der danach eine große Liebe nach der andern hatte. Aber vorher war so etwas nie gewesen, meine Eltern waren, was man ein schönes Paar nennt, ein ideales Paar. Ob meine Mutter nach dem Kriege ebenfalls Beziehungen zu andern Männern gehabt habe, will meine Nichte wissen, und ich sage, niemals, für sie gab es keinen andern Mann als meinen Vater. Sie hatte auch nicht erlebt, was er erlebt hatte, war nicht wie er gewissermaßen auf einen Nullpunkt der Existenz gekommen. Mein Vater hat nämlich, als er aus dem Krieg heim kam, in das Gutshaus, in die Wohnung gar nicht zurückkehren wollen, er hat sich ein Zelt im Garten aufgeschlagen, die Nächte im Zelt waren, wie ich annehme, der Nullpunkt, und wahrscheinlich ist er, auch als er wieder im Hause wohnte und aß, nie wirklich heimgekehrt. Wie kann das sein, fragte meine Nichte erstaunt, war er denn ein Patriot oder mit Leib und Seele Soldat? Keineswegs, sage ich, er war ein Außenseiter, er hatte demokratische Ansichten und wurde der rote General genannt. Als er noch jung war, beschloß er einmal, mitten aus einer glänzenden Laufbahn heraus, den Abschied zu nehmen, er litt damals an Kopfschmerzen und Depressionen, die ihm meine Mutter auszureden versuchte, was ihr schließlich auch gelang, wahrscheinlich weil sie überhaupt nicht wußte, was Depressionen waren. Sie war also töricht, sagt meine Nichte. Sie war, sage ich, gesund. Als Kind, wenn das Abendgebet und das Gutenachtsagen vorüber war, richtete sie sich noch einmal in ihrem Bettchen auf

und sagte mit einer vor Lebensfreude zitternden Stimme
»morgen« – was ungefähr so viel bedeutete wie das
»morgen wieder lustik« des Königs Jérome. Bei einem
Kind, bei einer so zarten jungen Frau, wie sie es später
war, muß diese Lebensfreude von großem Reiz gewesen
sein. Meine Mutter wurde jedoch später dick und ihr
Schritt wurde schwer. Als mein Vater und meine Mutter
nach dem Kriege auf dem Lande lebten und mein Vater
wegen der Einfuhr des russischen Holzes seine Buchen-
stämme nicht mehr verkaufen konnte, nahm meine Mutter
Pensionäre auf, ausländische Studenten, mit denen sie
deutsch sprach, Tennis spielte und Charaden aufführte
und denen sie am Abend Lieder von Schubert, Schumann
und Brahms vorsang. Mein Vater hielt sich aus all dem
heraus und zwar einfach dadurch, daß er morgens schon
viele Stunden auf war, während die andern noch schliefen und sich in sein Schlafzimmer zurückzog, wenn die
andern aufstanden und sich ihren sommerlichen Beschäfti-
gungen hingaben. Am Abend saß er, während im Salon
Musik gemacht wurde, in seinem Zimmer und entwarf
mit Pastellkreiden phantastische Landschaften und alle-
gorische Gestalten, die in irgend einem Augenblick ganz
gut gelungen schienen, die er aber nach Art der Dilettan-
ten regelmäßig wieder verdarb. Er ging, die Worte,
agricola der Landmann, zur Entschuldigung vor sich hin-
murmelnd, früh zu Bett, hörte sich aber ein bestimmtes
Lied meiner Mutter gelegentlich mit großem Vergnügen
an. Was war das für ein Lied, fragte meine Nichte, und
ich sagte, leise flehen meine Lieder durch die Nacht zu dir,
und füge hinzu, daß meine Eltern damals schon völlig
nebenher lebten, daß aber böse Worte zwischen ihnen nie
gefallen sind. Trotzdem meine Mutter, sagte ich, sehr
schön und sehr liebenswürdig war, fanden wir Kinder,

daß mein Vater unter seinem Stand geheiratet habe, unter dem Stand seiner geistigen Fähigkeiten, seiner Einfühlung, seiner Phantasie. Als er, weil er sich an einer Krebskrankheit nicht hatte operieren lassen wollen, eines Nachts einen Darmdurchbruch erlitt, lag meine Mutter mit wachsverstopften Ohren im Nebenzimmer und schlief ausgezeichnet, was mich, als sie es mir arglos erzählte, entsetzte und worüber ich auch heute noch nicht hinweggekommen bin. Ihr wart also, sagt meine Nichte, ihr drei Mädchen, verliebt in Euren Vater und deswegen ungerecht, und ich sage, ja, wir waren alle in ihn verliebt.

*10. Oktober*

Von der Vergangenheit, der schändlichen deutschen Vergangenheit geschüttelt werden heute mehr als meine eigene (schuldige) Generation, die damals vierzehn – sechzehn – achtzehn Jahre alten, die noch kaum etwas miterlebt, jedenfalls nichts verstanden haben, für die also nicht Quälerei, Rechtsbruch und Mord an sich, sondern das Verhalten ihrer Väter in jenen Jahren zur peinigenden Frage wird. Der Vater als möglicher Mörder – schon vor einigen Jahren als in Argentinien Eichmann entdeckt wurde, der für tot galt, aber mit seiner Frau und seinen Kindern unter einem andern Namen lebte – schon damals habe ich mir Gedanken darüber gemacht, was, als alles herauskam, in diesen Kindern vorgegangen sein muß, der gute Vater, der Gutenachtsagevater, der Sonntagsausflugvater, ihre Hände hatten, klein, in seiner Hand gelegen, vielleicht hatte er Spielzeug gebastelt, Fahrräder repariert, auf Fragen, wie funktioniert das, ein Wankelmotor, wie heißen die kleinen Fische, die den großen trägen halb blinden Walen den Weg weisen, befriedigende Auskunft gegeben. Und dann derselbe Vater, nicht mehr zu Hause, dafür auf den Titelseiten aller Illustrierten, und die Gesichter der Illustriertenleser verzerren sich vor Abscheu, Ekel und Haß. Einen Eichmann hat nicht jeder zum Vater, nicht einmal einen kleinen, aber Verdacht ist doch in vielen Kindern aufgewachsen, heimlich, wie eine Krankheit, die keine Schmerzen verursacht. Die junge Amerikanerin Sylvia Plath, die studierte, Gedichte schrieb, heiratete, Kinder bekam, danach bessere Gedichte schrieb und sich mit 30 Jahren ohne ersichtlichen Beweggrund das Leben nahm, muß an einem solchen Geheimschaden, Spätschaden gelitten haben und an ihm zugrunde gegangen sein. An der Diskrepanz nämlich zwischen dem Vaterbild und dem Mörderbild, das schloß sich nicht zusammen, zerriß sie, ließ sie einen Tod wählen, der gewissermaßen eine kleine private Gaskammer war. Dabei war, einer kleinen in ihrem Gedichtband veröffentlichten Biographie zufolge, der Vater vor der Nazizeit ausgewandert, war an einer amerikanischen Universität ein Insektenforscher gewesen, hatte kein Blut an den Händen, nicht einmal im übertragensten Sinn. Man kann aber aus Sylvia Plaths Daddy-Gedicht erraten, was da vorgegangen sein mag, Auswanderung vielleicht wegen der nicht arischen Mutter und des Vaters Augen trotzdem aufleuchtend bei jeder Nachricht aus der alten Heimat, den Bildern der Straßen voller Hakenkreuzfahnen, den Filmen von der Olympiade, bei der die ganze Welt Deutschland und dem Führer akklamierte. Da der Vater starb, als Sylvia neun Jahre alt war, kann ihr das alles kaum zum Bewußtsein gekommen sein. Was ihr zum Bewußtsein kam, war der gute Vater, der starke, der sehr geliebte Vater, sein Gesicht über ihr Bett gebeugt, ihr kleiner Schritt, der neben seinem großen hinhastete, ihre Hand in seiner Hand.

Später dann kamen die anderen Erinnerungen, oder das, was sie über den Vater hörte, vor allem über die Zeit hörte – das hat er gutheissen können, und das und das, da wuchs Grauen auf. Da fielen die beiden Väter auseinander, da mußte sie mit dem einen fertig werden, Schluß machen und verlor dabei den anderen, und mußte am Ende Schluß machen mit sich selbst.

13. Oktober

Ich hörte von Brillengläsern, auf die man seine eigenen, in einem Ausdruck lebhaftester, gespanntester Aufmerksamkeit aufgerissenen Augen malen lassen könnte – diese Gläser sind offenbar zum Gebrauch bei Vorträgen, Vorlesungen, Parlamentsdebatten und dergleichen bestimmt. Hinter der gemalten Zugewandtheit, Weltoffenheit schließt man seine eigenen todmüden Augen, hört zu oder hört auch nicht zu, schläft vielleicht sogar ein, kränkt aber niemanden und gibt seine eigene Schwäche nicht preis. Vom vorgeschriebenen keep smiling, das doch noch einer beträchtlichen eigenen Anstrengung bedurfte bis zu den gemalten Augen ist ein weiter Schritt, man könnte sich noch andere in derselben Richtung vorstellen, zum Beispiel eine zarte Gummimaske, den eigenen Zügen ebenfalls genau nachgebildet, still und menschenfreundlich lächelnd, dahinter kann dann das versteckte Gesicht verfallen, Falten des Ärgers, der Bosheit, des Zornes ziehen. Ein sozusagen mechanisches, etwa durch eine kleine Operation an den Stimmbändern herbeigeführtes Verstellen der Stimme wäre ebenfalls nicht undenkbar. Es könnte dann kein Mensch mehr einen anderen anbrüllen, nur leise, sanfte Töne kämen aus seinem Mund. Trugaugen, Truglächeln, Truggesinnung und irgendwann einmal werden die Strahlbrillen, die Gleichmutmasken abgerissen und mit dem so leicht nicht wieder zu verändernden sanften Gurren von Hühnern, aber mit schrecklich würgenden Händen fallen die Unverwandelten übereinander her.

*15. Oktober*

Auf meiner Landkarte, eigentlich einer Weltkarte, die beiden Hälften der Erdkugel wie in unserem alten Schulatlas nebeneinander gestellt, auf dieser Karte habe ich heute ein winziges Stück so lange ins Auge gefaßt, bis es wirklich als ein Stück Welt mit Formen, Farben und Luft über dem papiernen Umriß sich erhob. Der Umriß glich der äußersten Spitze eines Vogelflügels und schon waren in der Luft Vögel, Vogelzüge in ihren charakteristischen Formationen, Vogelschreie über schmelzendem Schnee. In den Wäldern wuchsen Maiblumen mit fetten makellos weißen Glocken und auf schwarze Teiche stießen Seeadler und Kronenreiher herab. Vor den Katen der ärmlichen Dörfer wuchsen gigantische Fliederbüsche mit kardinalroten Blütentrauben, Weißdorn und flammendes Herz. Wind, Wind und die Juniwiesen leuchtend unter dem reingefegten Himmel, Pferdeherden galoppierten, aufgescheucht, über die löwenzahngoldenen Flächen, Fohlen rieben am Gestänge den hellfarbigen Hals. Rohrdommeln, damals gehört und dann nie wieder, Wollblumen damals und dann nicht wieder gesehen. Auch nicht die Elche, die riesig, schwerschäuflig, leichtfüßig durchs Bruch zogen, über die mit giftgrünem Gras bewachsenen Sumpfstellen, wo man die hohen Birkenstämme auf ihren fauligen Wurzeln zum Schwanken bringen konnte mit leichter Hand. Dreißig Jahre her das alles, aber überdeutlich, ein Land, in dem man weitsichtig wurde und hellhörig, das Gras

wachsen hörte, die Wetterkarte der Wolken verstand.
Lange Winter, später tropisch-üppiger Frühling, Johannis-
beerwein, weiße Nächte und ein Hauch des Herbstes schon
im August. Östliches Land, in das die Einreise verweigert
wird, das jetzt von Kirgisen und Kalmücken, andere sagen, von Chinesen bewohnt ist, so wenig weiß man, und
ist doch nicht weit. Liegt aber vielleicht längst unter Wasser, unter einer grauen Wasserglocke, auch die wandernden
Sandwellen, der wüstengelbe Streifen zwischen Salzwasser
und halbem Süßwasser, unter afrikanischem Himmel,
eines der Länder unserer Jugend und die Einreise wird
nicht mehr gewährt.

DAS SPIEL »WIE-WÄRE-ES-WENN« 3          *20. Oktober*

Meine vorige Eintragung brachte mich auf den Gedanken,
einige Briefe an Tote zu schreiben, Briefe, die natürlich
schon den Lebenden zugedacht waren, zu denen es aber
nicht gekommen ist, oder zu denen ich nicht gekommen
bin – der Sprachgebrauch legt nahe, daß da etwas ist, das
auf mein Kommen wartet, an dem ich aber vorübergehe
oder das ich sogar geflissentlich übersehe. Die leeren Bogen
eines Briefblocks sind voll von unsichtbaren Schriftzeichen,
man müßte sie nur nachziehen, tut das aber nicht, sondern
tippt eilig über sie hin, geschäftliche Mitteilungen, Beurtei-
lungen eingesandter Manuskripte, Verlagskorrespondenz,
Zusagen, Absagen von Lesungen, Vorbereitung von Reisen
und dergleichen mehr.
Ein Schriftsteller teilt, was er der Welt mitzuteilen hat,
auf andere Weise mit, auch seine Überlegungen zum Ta-
gesgeschehen fließen da ein, es ist ihm lästig und sogar peinlich, sich in Briefen gewissermaßen selbst abzuschreiben, so
daß sich seine Privatkorrespondenz schließlich auf das nur

wenig erweiterte »Wie geht es Dir, mir geht es gut (oder schlecht)« der Kinder reduziert. Seine Gedankenbriefe hingegen sind ausladend, hemmungslos, durch Stilbemühungen nicht gezügelt, es sind fast lauter Liebesbriefe, starke Übertreibungen, Lieder des Türmers, es sei wie es wolle, es war doch so schön. In diesem Ton werden auch meine Briefe an die Toten gehalten sein, lauter Liebhaber, in Wirklichkeit vielleicht nur flüchtige Bekannte, aber was ist geblieben, die Augenblicke des Einverständnisses, in einer besonderen Lage, einer besonderen Landschaft, die nicht immer eine besonders schöne ist. Ein Gruppe skandinavischer und italienischer Freunde, die einmal zusammen einen süditalienischen Paß überquert hatten, wurde durch den erschreckenden Doppelblick auf das Meer und in ein melancholisch üppiges Kastanien- und Fruchttal derart zusammengeschmiedet, sie schrieben sich, in alle Weltgegenden verstreut, noch jahrelang Postkarten, auf denen nichts als die Worte »remember passo di Chiunzi« standen. Remember, remember, Tenor auch meiner Gedankenbriefe, keine Spur von Wehmut, nur ein Aufrufen des Unvergeßlichen, wobei es keine Rolle spielt, daß der andere sich, wie wir meinen, gar nicht mehr erinnern kann. Das kleine Zuspätkommen, auf welchem diese Tatsache beruht, scheint mir nicht wesentlich, vielleicht glaube ich nicht an die Unfähigkeit der Toten, Briefe zu lesen, wahrscheinlich erfahren sie Zeile um Zeile, noch ehe diese Zeilen niedergeschrieben sind. Erinnere Dich, A, (gestorben 1966) an den Eiswind am Pregel, lauter spitze Kristalle, uns in die Wangen gestoßen und unsere Hände, nebeneinander auf dem vereisten Geländer des Stegs. Erinnere Dich, B, (gestorben 1954) an die Nacht im Bahnhofsbunker, wie wir da lagen auf dem nassen Zementboden, Kopf auf dem Rucksack, geschüttelt von Detonationen. Erinnere Dich, C, (gestorben 1963), wie die Esel schrien im Dickicht über der kastalischen Quelle, erinnere Dich, D, (gestorben 1959) wie wir gingen und sprachen, gingen und sprachen, durch öde Straßen, wie immer einer den andern heimbegleitete, aber das Zuhause waren die Worte, die einander zugewandten Gesichter, das nächtliche Hin und Her. Mein Entzücken über eine Handbewegung, eine Brauenbewegung, den Klang einer Stimme, die raschen präzisen Schlüsse des männlichen Geistes, die männliche Schwermut, alles unter den Horizont gewandert, aber von mir noch einmal heraufgezogen, ein Fischer, Menschenfischer, Lebensfischer, wer wäre es nicht.

20. Oktober

Zu den Aufführungen heutiger Musikstücke treten gelegentlich auch tonlose Szenen, die durch die ihnen zugewandte atemlose Aufmerksamkeit an Bedeutung gewinnen. Ein Mädchen kommt auf die Bühne, legt sich stumm auf den stummen Flügel, ein Mann zündet sich in gerade noch ertragbarem Zeitlupentempo eine Zigarette an. Ein Nichts an Geschehen, nur überlangsame Bewegung, die musikalische Elemente vielleicht in sich trägt, vor allem aber sich selbst zu einem Ereignis werden lassen will. Das Vertraute, in einem anderen Zeitmaß dargeboten, wird unvertraut, eine Nervenerregung, eine Sensation. Die Gasmaskenfrauen, die vor einigen Jahren durch die Keller von Ulm ihre Kinderwagen schoben, gingen da weiter, oder eigentlich weniger weit, da war noch ein Gedanke verborgen, eine Absicht, so ist Euer Leben, das vergangene wie das zukünftige, ihr steckt schon unter Gasmasken, wißt es nur nicht. Der Zigarettenraucher auf dem Konzertpodium bekundet nichts dergleichen, erhebt nur eine oft geübte, zumindest oft gesehene Geste zu einer jener zugleich öden und spannenden Prozeduren, wie es heutige Musikstücke sind. Ein einziges Ritardando und schon ist ein Kunstwerk geboren, eine einzige Verschiebung der Akzente, und schon sind wir der Gegenwart entrückt. Die Verschiebung der Akzente besteht im Bereich der modernen Musik nicht zuletzt in der Zweckentfremdung der Instrumente, an deren Wiege nicht gesungen wurde, wozu alles sie jetzt dienen müssen, die Klaviere mit dem zugesperrten Tastenmaul und den maltraitierten Saiten, die Becken, die nicht geschlagen, sondern mit dem Geigenbogen gestrichen werden. Eine neue Klangwelt und der Alltag spielt herein, darf, soll mitspielen, vor einem offenstehenden Fenster des Konzertsaales hockt, vermutlich mit dem Notenblatt in der Hand, ein Motorradfahrer auf seiner Maschine, hockt, fährt nicht weg, läßt aber von Zeit zu Zeit seinen Motor aufheulen und knattern. Leben als Kunstwerk und in das Kunstwerk einbezogen, eingebautes Leben, wie weit entfernt von den virtuos komponierten, virtuos gespielten Violinkonzerten, zwischen Lorbeergebüschen, in einem von Abonnenten gefüllten Saal.


*25. Oktober*

Noch etwas von der Vergangenheit, unserer und der des vor kurzem erwähnten, versunkenen Landes, in dem wir doch keineswegs zuhause waren, viel weniger als in Italien und das doch seine kaschubischen Zeichen noch überall hinsetzt, auf eine römische Mauer, in einen westdeutschen Fluß. Es war da unter uns Freunden nämlich so etwas üblich wie ein Happening, Verfremdung des Gewohnten, nur daß wir es so nicht nannten, ihm auch nicht so tiefe Bedeutung beimaßen, es war eine Form von Geselligkeit, ein Spaß. Der Schauplatz war keine Wohnung, an deren Tür man zu bestimmter Stunde zu läuten hatte und in der Wein und Käsegebäck zur Bewirtung bereitgehalten wurden. Vielmehr traf man sich irgendwo, an einer Straßenecke, auf einem Platz, wie es dann weiter ging, lag in der Hand der Veranstalter, eines Schriftstellers, eines Malers, eines Ortseingesessenen auf jeden Fall. Zwei Kutschen etwa fuhren vor, die ältesten, klapprigsten Beerdigungskutschen, die in der Stadt aufzutreiben waren, mit knochigen Pferden, die denen auf dem Rethelschen Totentanz glichen. Auf das glänzende Spritzleder stäubte der Regen, wir fuhren um viele Ecken, erkannten keine Straße, kein Haus, keine Brücke mehr, die schwarzgekleideten Kutscher hatten ihre Zylinder über die Ohren gezogen und antworteten auf unsere Fragen nicht. In einer uns völlig unbekannten Hafengasse hatten wir auszusteigen, an einem verlassenen Quai schweigend zu verweilen. Kornspeichertreppen ging es hinauf und Kellertreppen hinunter, alles Neuland, Fremdland, dargeboten ohne historische oder soziologische Erklärungen, ein Stück der Stadt, in der wir lebten, aber labyrinthisch und im Licht der an langen Ketten schaukelnden Glühbirnen unsere Gesichter weiß, zuckend, einander fremd. Bootsfahrten durch schweigende Kanäle, Einkehr in Kneipen, an deren Mauern das Hafenwasser klatschte und von deren Decken altmodisch aufgetakelte Holzschiffe hingen. Den Schnaps trank man durch eine Scheibe schwimmender Leberwurst, kam ins Reden mit plattzüngigen Männern, verstand nicht, wurde nicht verstanden, nur die Augen verstanden, die lachten über den Gläsern sich zu. Weit weg das Zuhause mit Lampe und Bücherwänden, und die Nacht ging darüber hin. An einer Haltestelle trennte man

sich – die Straßenbahn fegte, leer und tosend, letzte Verzauberung, durch die fahlgraue Stadt.

Daß man auf einer Photographie einen viel beredteren
Blick haben kann als auf einem gemalten Portrait, habe
ich heute bemerkt, als ich eine Aufnahme von Rosemarie
Clausen mit dem allerdings noch unfertigen Ölbild von
Ferry Ahrlé verglich. Beim Photographiertwerden starrte
ich ins Dunkle, bemühte mich aber, jemanden vor mir zu
sehen, ein Gegenüber, um dessen Gefallen ich werbe, dem
ich ein Gefühl der Zuneigung zeigen wollte, und diese
Zuneigung konnte von dem einhundertstel Sekunde lang
geöffneten Objektiv erfaßt und auf der Platte wiedergegeben werden. Der Maler, dem man an mehreren Tagen
stundenlang gegenübersitzt, sieht in denselben Augen
jeden nur möglichen Ausdruck, Freundlichkeit, Ernst,
Strenge, Schwermut, Müdigkeit, und muß von allem absehen und dieses aufgeschlagene Ding an sich auf die Leinwand bringen. So, daß ich mich, wenn ich das Bild an-
sehe, über die Beziehungslosigkeit meines gemalten Wesens
wundere und mich sein bloßes gegenüberloses Schauen
erschreckt. Ein Paar Augen, ohne Zweifel meine, durchaus
»getroffen« und doch auch wieder unpersönlich, des Persönlichen entkleidet. Menschenaugen, die unmenschlich
starren, wohin eigentlich, worauf? Tatsächlich habe ich,
auf einem Holzstuhl mit Armlehnen sitzend, die Rückseite
der Leinwand, eigentlich ihre linke Kante, dahinter die
blaue Wand angesehen, der Maler äugte hinter dem
großen Rechteck dann und wann nur blitzschnell hervor.
So, als wolle er ein Wild in der Wildnis überraschen, und
mit dem Wort Wildnis läßt sich das, was meine gemalten

Augen spiegeln, auch am besten bezeichnen. Ein Tier in
der Wildnis und erschreckend allein.


*1. November*

An der früher schon geschilderten, nahe meiner Wohnung
gelegenen Kastanienallee, einer ehemals mit Landhäusern
bebauten Ausfallstraße, werden wieder drei Häuser abgerissen. Der Grund und Boden, so nahe dem Stadtkern
gelegen, ist zu kostbar, die Steuern sind zu hoch, die
Angebote zu verlockend; wie es heißt, sollen an dieser
Stelle mehr als zwanzigstöckige Bürohäuser entstehen. Ob
unter diesen das geplante und zu Beginn meiner Aufzeichnungen erwähnte Pilzhaus sein wird, weiß ich nicht.
Es ist von dem Projekt, wie auch von der Absicht der
Stadtverwaltung, die schönen Kastanienbäume zu fällen,
in letzter Zeit nicht mehr die Rede. Der Zustand, in dem
ich, von einer kleinen Reise heimkehrend, die drei mir
wohlbekannten Häuser vorgefunden habe, zeigt aber, wie
schnell so etwas geht, und daß man unter Umständen mit
seinen Trauergefühlen zu spät kommen kann. Das erste
der Häuser, ein Eckhaus mit breitem Vorgarten, war nämlich bereits hinter langen Gehängen von Sackleinwand
versteckt. Das Obergeschoß fehlte, die Balkone waren ab-
geschlagen, die weißen Zierate des hübschen Ziegelbaues
lagen zertrümmert im nassen Gras. Das zweite Haus war
noch nicht verhängt, der Vorbau stand noch auf seinen
Pilastern, aber die darüber errichteten Säulen trugen ihren
Giebel nicht mehr. Die Fensterrahmen des ersten Stock-
werks waren nur noch halb vorhanden, und im Garten
lag ein Haufen von Balken und Eisenträgern, Mikadospiel
für Riesen, stachlig und wirr. Auch das dritte Haus hatte
kein Dach mehr, sein klassizistischer Schmuck war ver-

schwunden, es war nichts als ein Gehäuse, graue Mauern mit Fensterlöchern, ein Knochengerüst, drei Knochengerüste oder halb schon zerfressene Leichname, etwas, dem man nicht nachtrauern kann. Wahrhaft trostlos nur die Gärten, diese kleinen Platanenwälder, in denen einmal Rhododendron und Magnolien blühten. Das Gesträuch überall weggeschlagen, unter den gefleckten Stämmen Stapel von Rundholz, Ziegeln und tönernen Röhren, und aus kleinen grellgelb gestrichenen Motorengehäusen laufen Kabelschlangen über die zerbrochenen Schwellen. Ein Bagger, ein kleiner Kran, Hütten für Geräte und Wohnwagen, alles überstreut von Herbstblättern, und tiefe Fahrrinnen im novembergrauen Schlamm. Ich habe das alles heute betrachtet, genau, sachlich und kalt. Vielleicht liegt es an der Jahreszeit, daß ich nun, was fällt, noch stoßen möchte, daß es mir mit der Verwandlung der alten Wohngegend nicht schnell genug gehen kann. Blühte vor dem vierten, noch nicht angetasteten, aber gewiß auch dem Tode geweihten Haus die vertiefte und darum einem kleinen See so ähnliche Cyllawiese und ich sähe sie von den Raupen des Baggers aufgewühlt, würde mir vielleicht anders zumute sein.

*3. November*

Ich sah in der Zeitschrift »Das Kunstwerk« Wiedergaben von neuen Bildern des dreißigjährigen Karlsruhers Dieter Krieg, die mir sehr merkwürdig erschienen. Sie waren keiner der jetzt modischen Malweisen zuzuordnen, erinnerten auch an keine vergangenen, waren unrealistisch ohne phantastisch, magisch, ohne surrealistisch zu sein. Gemalte Kachelwände, aufgehängte weiße Tücher und Stühle aus gebogenem dicken Stahlrohr verbreiteten eine klinische Atmosphäre, schmale Mullbinden, um dicke schwarze Anzüge gespannt, legten den Gedanken an Fesselung nahe. Der Mensch als Kranker, im Krankenhaus, aber so einfach war es nicht, der Mensch kein Mensch, nur ein Körper in dunklen Hüllen, auf einem einzigen Bild war ein pathetisch zurückgebogener, aber quallig zerfließender, mund-nase-augenloser Kopf zu sehen. Auf einem anderen Bild glaubte ich, wahrscheinlich zu Unrecht, auf weißem Kissen ein von zwei schlangenartigen Blutströmen gespeistes und entleertes Herz zu erkennen, es konnte aber auch die Andeutung eines Kinderkopfes oder eines Uterus sein. Hände, beängstigend weiche, stummelfingerige, tauchten überall auf, verkümmerte, zum Greifen und Festhalten unfähige Gliedmaßen, aber dem Maler wichtig als etwas fleischig Stillgelegtes, wie die fleischig schlaffen Geschlechtsteile, die man zu erblicken glaubte, vielleicht ebenfalls zu Unrecht, aber dann mußte auch diese Täuschung beabsichtigt sein. Der Mensch ein Reduzierter, reduziert auf den »behandelten« mit »Anwendungen« aller Art bedachten Krankenhaus- oder Altersheiminsassen, was nicht besonders interessant wäre, hätte Krieg nicht durch die Kühnheit seines Hinstellens und Weglassens verstanden, im Beschauer wirkliche Angstgefühle zu erwecken, Gefühle, die möglicherweise durch die (in der Zeitschrift nicht wiedergegebenen) Farben wieder aufgehoben werden, wie ja so oft der Bildgegenstand durch die Malfreude der Maler aufgehoben, ja in sein Gegenteil verwandelt wird. Die Meisterschaft des Bildes triumphiert über die dargestellte Verkümmerung, so wie bei Beckett die Meisterschaft des Wortes über seine amputierten, gefesselten Gestalten triumphiert. Allerdings ist bei Beckett, was übrig bleibt, der Kopf, das unermüdliche Denken, Sichrechenschaftgeben des auf diese Weise un-

sterblichen Menschen, während Krieg nur das schlaffe
Fleisch seiner kopflosen Männer überleben läßt.

BALLETT I                               *4. November*
Eine groteske Tanzszene, die »der Bundestag« heißt. Den
Hintergrund bildet eine kitschige Rheinlandschaft, mit
Burgen, in die hinein ein geisterhaftes Bürohochhaus ragt.
In den Fenstern des Hochhauses Silhouetten von beständig
emsig Schreibmaschine schreibenden Mädchen. Auf der
Bühne, nach ihrer wirklichen Sitzordnung, die Abgeordneten, die aber keine Bänke und Pulte haben, also auch
nicht sitzen, sondern nur eine Sitzhaltung einnehmen.
Manchmal drängen sie sich aus den nicht vorhandenen
Bänken und gehen aufrecht in den Hintergrund, verlassen
den Saal, kehren zurück. Einige der Figuren tragen Masken, die den Gesichtern bekannter Politiker gleichen,
andere das deutsche Einheitsgesicht. Der Präsident hat eine
Glocke, die er oft bewegt, die aber keinen Ton von sich
gibt. Dagegen erhebt sich manchmal in der Kulisse ein
grelles Läuten, das alle zusammenfahren läßt. Einige Ab-
geordnete schlafen. Von Zeit zu Zeit steht eines der Sitz-
männchen auf und redet, was aber niemand hören kann,
da jeweils eine Gruppe des Plenums dann mit Kinder-
rasseln zu rasseln beginnt. Auf transparentem Stoff erscheinen im Himmel die großen Worte – Einigkeit macht
stark – ich kenne keine Parteien mehr – im Namen des
Volkes. Es erscheinen aber dort auch Gesetzesparagraphen
und Schuldenaufstellungen und einmal ziehen die apo-
kalyptischen Reiter, in den Händen Luftballons in der
Form von Atompilzen, vorbei. Von den Abgeordneten
werden bald rechts, bald links, bald in der Mitte, an
Stangen Schilder erhoben, auf denen aber bei allen Par-

teien der gleiche Text, etwa: Wohlstand für Alle – Sicherheit das A und O – Alte Bürger, wir sorgen für Euch, stehen. Bei einer immer dringlicher werdenden Musik sind am Ende alle Abgeordneten wach, bewegen sich hektisch und reden durcheinander – der Text dieses Redens darf nicht verständlich sein, man muß aber hören, daß er aus lauter Schlagworten besteht. Ganz vorn beim Souffleurkasten hockt der kleine Michel, fett, aber bleich, es werden ihm von Zeit zu Zeit von Dienern riesige Geburtstagstorten mit Lichtern gebracht. Er ißt, hört gelegentlich angestrengt zu, klatscht manchmal unmotiviert in die Hände, schläft schließlich ein. Das Reden und Streiten wird immer chaotischer, die Schuldenzahlen auf den Transparenten werden immer höher. Im Tumult verdunkelt sich die Szene, die Musik geht in Trommelwirbel und Marschtritte über. Der kleine Michel erwacht – er trägt jetzt eine Uniform, nimmt gewohnheitsmäßig Haltung an, macht ein paar zackige Schritte, bricht dann zusammen und weint.

In dieser Tanzszene soll die ganze Bewegung im (gespielten) Hinsetzen, Aufstehen, Reden, Rasseln, Schilder hochheben bestehen. In das Bild einbezogen sind die Vorgänge – Wortvorgänge und Bildvorgänge – auf den transparenten Schleiern. Es soll nicht die Demokratie diffamiert, sondern nur die Gefahr mangelnden Gemeinsinns aufgezeigt werden.

*5. November*

In der Geschichte, die Thomas Bernhard vorlas, erzählt der »neue Lehrer« eines Internats dem »alten Lehrer« auf Spaziergängen um den Mönchsberg egozentrisch, monologisch, besessen, von seiner Schlaflosigkeit, die hier als ein gefährliches, ja tödliches Leiden erscheint. Von den stets peinlich genau registrierten Nachtstunden der letzten Monate hat er nur drei oder vier mit einem Punkt oder Kreis (ich erinnere mich daran nicht) als Schlafstunden, die übrigen aber mit einem Kreuz als schlaflose bezeichnet, er ist, wenn er einmal schlafen konnte, sogleich wieder aufgewacht, seine Einsamkeit inmitten des Massenschlafs von Schülern und Lehrern war entsetzlich, ein Ausgestoßensein, das ihn an den Rand des Wahnsinns trieb. Ich erinnerte mich beim Zuhören daran, daß ich, wie dieser unglückliche »neue Lehrer«, als Kind oft nicht einschlafen konnte und darüber in einen von keinem Erwachsenen nachzuempfindenden Zustand dumpfer Verzweiflung geriet. Die Geschwister schliefen, das Haus schlief, die Straße schlief, während in meinen Ohren das schreckliche, nicht zum Schweigen zu bringende Leben sauste und mein Herz immer unruhiger schlug. Man hatte uns Kindern, da wir in weitab gelegenen Mansardenzimmern hausten, in Ermangelung einer elektrischen Anlage für den Notfall eine alte Tischglocke hingestellt, die ich dann auch, wie mir schien, erst gegen Morgen, aber wahrscheinlich bereits eine Stunde nach dem Zubettgehen, in Bewegung setzte, was alles sich zwei- oder dreimal wiederholte, meine Panik, das Klingeln, der müde Schritt des Kindermädchens auf der Treppe, mein Jammerruf, ich kann nicht einschlafen, der freundliche Zuspruch, der nicht mehr ganz so freundliche Zuspruch, endlich die strenge Aufforderung, jetzt leg dich um und schlaf, die dann seltsamerweise dazu führte, daß ich mich umlegte und schlief. Ein so nervöses Kind würde man heute einem Psychiater vorführen, mit mir geschah nichts dergleichen, wahrscheinlich haben meine Eltern den Ton der Tischglocke, der wohl allenfalls bis in die Küche drang, nie vernommen, und das Kindermädchen hat sich über sein treppauf-treppab Laufenmüssen nie beklagt. Solche krankhaften Wachzustände sind bei mir in den späteren Jahren nicht mehr aufgetreten, oder doch nur ganz selten, zwei- oder dreimal in jedem Jahr, und ich habe sie dann gelassen, fast neugierig hingenommen. Das Kindsein oder Erwachsensein macht, wie auch der Lehrer in Bernhards Geschichte bemerkt, da viel aus. Dabei ist die Nichtschläferverzweiflung dieses »neuen Lehrers« aber durchaus die eines Kindes, ebenso grauenhaft und irreparabel und gerade dieser Tatsache verdankt die Erzählung ihren Schrecken und ihre Kraft. Übrigens hörte man, während Bernhard las, eine Frau zuerst unterdrückt kichern, dann mehrmals hell herauslachen und diese Frau ist am Ende zu Thomas B. gegangen und hat ihm zu seinem Humor gratuliert. Sie hat ihn gefragt, ob er immer so lustige Geschichten schriebe, und war sehr enttäuscht, daß die vorgelesene noch nicht gedruckt war und sie sie nicht kaufen konnte. Der absurde Vorfall hat Bernhard während des ganzen Abends beschäftigt, er erzählte ihn immer wieder, lachend, konsterniert, höhnisch und auch wie im Traum. Er hatte, und auch wir hatten noch andere Zuhörer lachen hören, es waren, wie er meinte, die guten Schläfer gewesen, die Normalen, die in einem am Rand des Wahnsinns wie am Rand eines Abgrundes vorsichtig Hingehenden eine groteske und erheiternde Erscheinung sehen.

7. *November*

Die buddhistische Plastik war mir immer fremd, reizvoll nur die vielarmigen jungen Götter und Göttinnen, aber abstoßend der fette nabelbeschauende Buddha mit seinen Schlitzaugen und seinem Mundwinkellächeln, das mir nicht wie das Lächeln der archaischen Kuroi von scheuer

Heiterkeit, sondern von verschlagenem Besserwissen zu zeugen schien. Eine Photographie des Tempels von Borobudur habe ich in meinem Wandergepäck jahrelang mitgeführt, da reizte mich die barocke Vielfalt der Formen, das wuchernd Vegetabile, das den europäischen Begriffen von Last und Kraft nicht spielerisch, sondern wie eine tropische Naturgewalt widersprach. Jetzt habe ich auf einer Grammophonplatte buddhistische Musik im Haus, Tempelgesänge und Schlagzeugkonzerte aus japanischen Klöstern, und in dieser Musik ist von all dem bisher Erfahrenen nichts, weder die Anmut der jugendlichen Götter, noch das geheimnisvolle Lächeln des Buddha, auch von wuchernd Pflanzlichem nichts. Nur der lange mühsame Weg, ein Singweg, Trommelweg, Glockenweg fort von den Menschen und der Welt, in den einsamen Raum der Meditation. Blinde Mönche singen in ihren Zellen zu Baßlauten, der Priester singt, wenn er an hohen Festen glückbringende Bohnen unter die Menge wirft, mit einem Wechselspiel von raschen Holzgongschlägen und ruhigen fernen Glockentönen werden die Mönche zur Nacht in ihre Zellen entlassen. Vorbeter und responsierender Chor bestreiten den großen Bußgesang, bei dem die sieben Buddhas des mystischen Rads angerufen und das Gelübde der sieben Pfeile abgelegt wird. Große Trommelsignale zum Gebet und sogenannte Geheimstücke, Gesänge, die, nur für Eingeweihte bestimmt, zur Erleuchtung führen. Immer ist, in ihrem Wechsel von Zögern und Eilen die Schlagzeugmusik erregend, immer sind die Sologesänge, nur durch ein kleines Tremolo, ein uns ganz ungewohntes Abschnappen der Stimme am Ende jeder Passage verziert, von einer fast quälenden Monotonie. Atem ohne Ende, der schließlich absichtlich zurückgenommen wird, was gelegentlich wie das Abfließen des letzten Badewassers klingt. Hetzen der Trommelschläge, da-*da*-da, da-*da*, *da, da* dadadada, *da* dadadada, immer schneller, endlich kaum mehr gegliedert, wie Mäuse, die auf dem Speicher rennen. Tiefer Gong und helle Glöckchen abwechselnd, auch hier das accelerando und am Ende ein langsames Ausklingen, wobei der letzte Ton einen ganz eigenen Charakter, etwas merkwürdig Dringendes und Fragendes hat. Das Bedeutsammachen der Pausen, aus der heutigen Musik so vertraut, ist hier mehr als ein Kunstmittel, wie man überhaupt keinen Augenblick vergißt, daß hier kein Konzert gegeben, sondern Gottesdienst gefeiert wird. Der Zuhörer als Horcher an der Wand, und viel mehr als die düstere Eindringlichkeit des sakralen Geschehens erfaßt er nicht. Er ist nicht eingeweiht und wird nicht eingeweiht, und doch bleibt, wenn die Platte abgespielt ist, etwas von dem heftigen Drängen und der schwermütigen Ruhe östlicher Mystik in ihm zurück.

*8. November*

Man müßte einen Spezialarzt fragen, ob es das gibt, einmal besser hören, einmal schlechter hören, immer mit denselben Ohren, nicht etwa erkältet verstopften oder eben durchgeblasenen, Alletageohren also, aber doch. Bitte, Herr Doktor, Sie werden es nicht glauben, aber gestern... Was war gestern, fragt der Doktor, der nicht viel Zeit hat, er legt seine Instrumente zurecht. Es war nach Tisch, sagte ich, und ich las die Zeitung, ich war natürlich schläfrig, wie immer nach dem Mittagessen, aber geschlafen habe ich nicht. Plötzlich habe ich, genau so deutlich, als wenn sie bei mir im Zimmer wären, Leute reden hören, und zwar Leute, die im Stockwerk über mir wohnen, einen Mann und ein Kind. Der Mann wies das Kind an, seine Bauklötze (oder Teile eines anderen Spielzeugs) aufzuräumen, da, sagte er, ist noch einer, und da und da, das Kind sagte, ich will aber noch spielen, und der Vater wurde ärgerlich und sagte, wird's bald, als ich so klein war wie du, habe ich auch aufräumen müssen, und wenn ich es nicht getan habe, hat es Schläge gegeben. Alles so laut wie bei mir im Zimmer, und dabei habe ich keine besonders guten Ohren mehr, im Gegenteil, wenn ich bei meinem Bruder auf dem Land bin, in dem großen Haus, hören die Kinder das Telefon, aber mein Bruder und ich hören es nicht. Geben Sie acht, sagt der Doktor, der jetzt mein Gehör prüfen will, ich flüstere – er sitzt etwa drei Meter von mir entfernt und flüstert, und ich schüttle den Kopf, ich verstehe ihn nicht. Das ist noch nicht alles, sage ich, ich bin am Nachmittag nicht ausgegangen, weil ich Briefe zu schreiben hatte, ich habe auf der Schreibmaschine geschrieben, aber oft lange Pausen gemacht, und während dieser Pausen habe ich noch verschiedenes andere gehört. Zum Beispiel, fragte der Spezialist, er ist dick und phlegmatisch, aber doch auch ungeduldig, seine Wangen laufen von außen nach innen himbeerrot an. Zum Beispiel aus dem Nebenhaus, sage ich, von jenseits der Brandmauer, was eigentlich gar nicht möglich ist, ein Ehepaar oder jedenfalls ein Paar hat sich da gestritten, und der Mann hat der Frau gesagt, daß sie einen verrotteten Charakter habe. Der Arzt mußte lachen, er begreift nicht, daß ich aufs Äußerste beunruhigt bin. Es hat aber inzwischen viele Male geläutet, das Wartezimmer muß voll sein, also sagt er, zu mir kommen die Leute, weil sie zu wenig hören, nicht zu viel. Es ist aber, sage ich, das Zuwenighören längst nicht so schlimm wie das Zuvielhören, so fängt es an, im eigenen Hause, aber dabei bleibt es wahrscheinlich nicht. Gespräche aus allen Häusern der Straße und dann aus der Parallelstraße, zum Verrücktwerden, und der Arzt horcht auf und sieht mich mißtrauisch an. Nein, nein, sage ich rasch, das sind nicht etwa Stimmen, die ich mir einbilde und die es gar nicht gibt. Es muß mit dem Alter zusammenhängen, ältere Leute, sagt man, hören Entferntes besser als Nahes, es gibt da Zonen, die ausgelassen werden, und ich wünschte, es würde noch mehr ausgelassen und ich hörte mitten in der Stadt die Waldbäume rauschen oder das Meer. Der Arzt ärgert sich über den Laienunsinn, also nähert er sich mir mit einem blitzenden Ding, das er in eines meiner Ohren einführen will. Aber da bin ich schon aufgestanden und hinausgelaufen, habe mich nicht verabschiedet, was ja auch unnötig war, da ich diesen Arzt gar nicht, nur ein Messingschild an seiner Haustüre, kenne. Ein Halsnasenohrenschild, das ich gesehen habe, als ich mit meinen Briefen an den Kasten ging, an dem Nachmittag, an dem ich plötzlich so erschreckend gut hörte, was sich übrigens nicht wiederholt hat, sich aber jederzeit wiederholen kann.

*10. November*

Die kurze Erzählung, die das Mädchen zur Beurteilung mir gebracht hatte, handelte von einem jungen Selbstmörder, der es nicht ernst gemeint hatte mit seinem Sterbenwollen, der geglaubt und sogar geplant hatte, gerettet zu werden und der dann von seinem Schlafmitteltod überrascht wurde, ob er Besuch erwartet hatte oder noch hatte telefonieren und um Hilfe rufen wollen, erinnere ich nicht. Nur daß er eben nicht bereit gewesen war zu sterben, gerade nur an die Grenze gelangen wollte, weiter nicht. Ein alter Kindertraum, Traum eines vernachlässigten, einsamen Kindes, was wäre, wenn ich auf dem Eis einbräche und läge dann am Ufer weiß und steif, und die Eltern, eilig herbeigerufen, beugten sich über mich, weinten und schrieen. Oder was wäre, wenn ich, die unbeliebte Schülerin, von der Kletterstange unglücklich stürzte und läge in der Turnhalle leblos, und der Lehrer, der natürlich nicht ohne Schuld wäre, scheuchte die Klassenkameradinnen weg, die sich dann in einer Ecke zusammendrängten, erregt und mitleidig, während schon der Arzt käme, in Hut und Mantel, sein Ohr an meine Brust legte, dann aufstünde und ernst den Kopf schüttelte, dann den Turnsaalstaub abklopfte von seinen Knien. Kindertraum vom kleinen Tod, aus dem man wieder aufwacht, von allen geliebt. Nur daß es in der Geschichte meiner Besucherin eben schlecht ausgegangen war mit dem Selbstmörder, der übrigens mit einiger Geschicklichkeit so geschildert war, daß man nicht mit Sicherheit sagen konnte, war es ein er oder eine sie. Und Sie, fragte ich, nachdem ich die Erzählung zu Ende gelesen hatte, wie leben Sie, mit Vater und Mutter und Geschwistern, oder allein, und was machen Sie, studieren Sie oder arbeiten Sie, und meine Besucherin sagte zu all dem, nein. Ich gehe noch in die Schule, sagte sie, ich bin erst sechzehn Jahre alt, unehelich, mein Vater hat meine Mutter verlassen, ich habe ihn erst im vorigen Jahr kennen gelernt. Sie leben also bei Ihrer Mutter, fragte ich, und das Mädchen, das viel älter aussah als sechzehn Jahre, nicht schüchtern, aber auch nicht besonders lebhaft war und sich merkwürdig sachlich, wie ohne alle Gefühle, ausdrückte, sagte ja. Mit meiner Mutter, die aber einen Freund hat und abends nie zuhause ist, auch am Tage nicht, weil sie da arbeitet und wenn wir uns sehen, sprechen wir nicht zusammen, oft eine ganze Woche lang kein Wort. Und in der Schule, fragte ich entsetzt, wie ist es da, haben Sie Freundinnen, und das Mädchen schüttelte den Kopf. Mit einigen Mitschülerinnen, sagte sie, könnte ich Kontakt haben, aber die interessieren mich nicht, und die mich interessieren, beachten mich nicht, und ich habe mit ihnen keinen Kontakt. Und Ihre Arbeiten, fragte ich, und deutete auf die mit Schreibmaschine beschriebenen Blätter auf meinem Tisch. Haben Sie die einmal jemandem, zum Beispiel Ihrer Mutter gezeigt? Nein, sagte das Mädchen ungeduldig, das würde ich nie tun, besonders nicht meiner Mutter, ich sagte Ihnen doch, wir sprechen kein Wort zusammen, außer in der Schule spreche ich mit niemandem ein Wort. Ich nahm meinen Kugelschreiber und merkte bei den kurzen Geschichten dies und jenes an, Ungeschicklichkeiten im Ausdruck, sprachliche Kühnheiten, die keine waren, sondern nur ein etwas krampfhaftes Verlangen nach Originalität. Den ganzen Tag kein Wort, dachte ich, als meine Besucherin sich verabschiedete, und sagte schüchtern, wollen Sie wiederkommen, ich meine, nicht nur mit Ihren Arbeiten, sondern auch, wenn Sie einmal Lust haben zu reden oder nicht weiter wissen, und das Mädchen sah erfreut aus und sagte, ja. Sie ist aber nicht mehr gekommen, und ich habe mir das damit erklärt, daß sie gar nicht in der Stadt, sondern außerhalb wohnt und auch dort in die Schule geht, und ich habe nichts unternommen, sie wiederzusehen.


*12. November*

Eine neue Arbeit in der Öffentlichkeit zum ersten Mal lesen ist ein Wagnis, man »probt« ja auch nicht zuhause, ich jedenfalls tue es nicht oder doch niemals laut, ich müßte über mich selbst lachen oder über meine Stimme erschrecken, so allein im Zimmer, in der Wohnung, was ist das, eine Stimme allein, ein Unding, sie ist zur Mitteilung bestimmt. Da ich nicht laut übe, kann ich mir auch nicht, wie es die gelernten Vorleser tun, in den Text hilfreiche Zeichen machen, Absetzen, Stimme heben, Stimme senken, rasch lesen, langsam lesen, Pause, mit Gefühl. Ich muß alles dem Augenblick überlassen, der natürlich von vielen nicht vorher abzusehenden Umständen bestimmt ist, von den Gesichtern der zunächst sitzenden Zuhörer, den Straßengeräuschen, den Fluggeräuschen, der eigenen körperlichen Verfassung, der Luft im Saal; wobei aber die Tatsache, daß man vor anderen mit seinem eigenen Text konfrontiert wird, viel wichtiger als alle diese Äußerlichkeiten ist. Die Erregung des erstmaligen Vorlesens kommt im Allgemeinen dem Vorgelesenen zugute, es ist nichts schlimmer, als wenn man eine Geschichte schon so oft gelesen hat, daß man sie fast auswendig weiß – da irren die Gedanken ab, wo habe ich nur meine Rückfahrkarte, wie mag der Freund die Operation überstanden haben, und dabei liest man immer weiter, läßt nichts aus und verspricht sich nicht. Bei einem ersten Vorlesen ist so etwas natürlich unmöglich, auch das freundliche Aufblicken, einen Zuhörer ins Auge fassen und sich dann ohne weiteres zurückfinden ist unmöglich, die Augen können den Text nicht verlassen. Eine neue, noch unerprobte Form macht auch das Vorlesen zu etwas ganz Neuem, von Satz zu Satz probiert man aus, nein so geht es nicht, vielleicht so. Vor einigen Tagen las ich in einer Buchhandlung Teile aus der »Beschreibung eines Dorfes«, fing unbefangen an, konnte nicht unbefangen bleiben, die Perioden waren störrisch, schwer in einen Fluß zu bringen, der Inhalt schien mir langweilig, ich bezweifelte, daß es mir gelungen war, die Besonderheit dieses Dorfes, dieses Tales mitzuteilen, geschweige denn den Leser oder Hörer spüren zu lassen, daß die Angst vor der Beschleunigung allen Zeitablaufs der Antrieb zu meiner Arbeit gewesen war. Sobald man nicht mehr sicher ist, verstanden zu werden, liest man schlecht, ungeduldig, gehässig gegen sich selbst. Ich las also schlecht, gehässig, ungeduldig, erst nach dem durch die knappe Zeit bedingten großen Sprung vom Buchanfang zum Buchende wurde ich ruhiger und fand mich in meinem eigenen, zwischen Prosa und Lyrik angesiedelten Stil zurecht. Ich durfte nach den kurzen Absätzen die Stimme nicht senken, durfte sie, um das angestrengt Drängende der Schreibweise zum Ausdruck zu bringen, so gut wie nie senken, was für mich, aber auch für die Zuhörer sehr anstrengend war. Keine Prosa, auch kein Gedicht, eher eine Litanei, wenn auch eine weltliche, und so habe ich die »Beschreibung« dann zu Ende gelesen, als eine eintönige Zwiesprache mit mir selbst, wie Stimme und Gegenstimme, wie Vorbeter und responsierender Chor.

ROM 4                                          *13. November*

Erinnerung an das Fest der römischen Polizei auf der sogenannten Piazza di Siena, einem tiefgelegenen von Pinien umgebenen Stufenoval, ein Fest, das alle Jahre stattfindet und dessen Höhepunkt das große Reiterkaroussel ist. Um dieses Karoussel zu sehen, war ich hingegangen, es vergingen aber Stunden mit historisch-militärischen Darbietungen, die das dicht gedrängt stehende, sitzende, umhergehende Publikum entzückten. Gruppen und Grüppchen von Soldaten in historischen Uniformen marschierten über den Platz und verteilten sich zu Füßen der Tribünen, die Namen besonderer Helden aus dem ersten und zweiten Weltkrieg wurden durch den Lautsprecher gerufen, die medaglia d'oro Soundso und Soundso und Soundso, und jedesmal wurden nach der Nennung des Namens die Trommeln gerührt und Salut geschossen, und die Zuschauer brachen in Schreie der Begeisterung und in Händeklatschen aus. Als alle Gruppen ihre Plätze erreicht hatten und anfingen mit Habt acht, Rührt Euch, Hinlegen, Aufstehen, Gewehr im Anschlag, Gewehr ab, kam von ganz hinten her und völlig allein ein riesiger Tambourmajor oder dergleichen, jedenfalls ein sehr großer finsterer Mann mit einer hohen schwarzen Pelzmütze und ging in der freien Mitte kerzengerade über das kurze Gras. Er sollte gewiß nicht den Tod darstellen, aber für mich war er das, und ich hätte mich nicht gewundert, wenn rechts und links die marschierend kleine Kreise beschreibenden, trommelnden, zielenden, das Gewehr absetzenden Männer, diese Soldaten aller Kriege der letzten Jahrhunderte bei seinem Herannahen der Reihe nach umgesunken wären. Hielt er nicht wirklich einen Stab in der Hand, den er in senkrechter Richtung, also hinauf und hinunter bewegte, und dirigierte er damit nicht ein nicht endenwollendes schauerliches Konzert? Die Gestalt erschreckte mich, es zeigte sich aber von ihr außer mir niemand beeindruckt, noch immer wurde Salut geschossen, wurden Namen gerufen, und die Namen mit Jubel begrüßt. Als der Riese seinen langen Weg zurückgelegt hatte, räumten die historischen Gruppen das Feld und machten motorisierten Abteilungen Platz. Motorradler fuhren über steile Brücken und durch Feuerräder, es war jetzt das Knattern der Motoren die einzige Musik. Soldaten ließen sich von Tanks überrollen und erinnerten damit an die im Afrikakrieg geübte wahrhaft selbstmörderische Methode, unter den feindlichen Tanks Sprengladungen anzubringen, die dann einige Meter weiter nicht nur den Tank, sondern auch den Überrollten in die Luft gehen ließen. Auch fuhren Ketten von schweren Maschinen von beiden Seiten auf eine dünne, aber voll-

kommen undurchsichtige Stoffwand zu – wenn sie die
Wand durchbrachen, prallten sie nicht aufeinander, sondern glitten im geringstmöglichen Abstand aneinander
vorbei, so wie wenn man die Finger beider Hände ineinander schiebt. Inzwischen ging hinter den Pinien schon
die Sonne unter, in den Zelten am Ende des langen Ovals
stampften die Pferde der berittenen Polizei, bald sollten
die Reiter ihre schönen, aus Ritterzeiten stammenden
Spiele aufführen. Aber das paßte nicht mehr, paßte mir
nicht mehr. Ich ging, vorbei an den Eisverkäufern, an den
Stuhlvermietern, dem Rotkreuzwagen, über Moos und
braune Piniennadeln dem Ausgang des Parkes zu.

*14. November*

Vor einigen Tagen begegnete mir vor unserer Haustüre
einer der Maler, die, fünf oder sechs Mann hoch, alle paar
Monate erscheinen, um in mehreren Wohnungen gleichzeitig ihre Arbeit zu verrichten. Übermorgen kommen wir,
sagte der junge Mann. Ich war sehr überrascht. Obwohl
ich im Frühjahr gewisse, kulanterweise zu Lasten des
Hauswirtes gehende Schönheitsreparaturen für meine
Wohnung selbst beantragt hatte, habe ich doch nie recht
daran geglaubt, daß diese Arbeiten wirklich ausgeführt
werden würden. Wie die meisten Hausbewohner habe ich
vielmehr angenommen, daß unser ganzer Wohnblock zunächst dem Verfall anheimgegeben und dann abgerissen
werden würde, um einem drei bis viermal so hohen Gebäude, möglicherweise sogar einem Pilzhaus Platz zu
machen. Wenn ich mich recht erinnere, habe ich die langsame Verwandlung unserer Wohngegend in ein Rechenzentrum zuerst mit Zorn und Trauer, dann mit wachsen-
der Gleichgültigkeit registriert. Ich habe darüber allerlei

geschrieben, unter dem Motto »bitte Abschied zu nehmen« habe ich versucht in fingierten Führungen durch meine Wohnung diese Wohnung sozusagen vorsorglich dem Vergessen (meinem Vergessen) zu entreissen. Danach habe ich begonnen, mich mit anderen Dingen zu beschäftigen, es sind mir aber diese anderen Dinge vielleicht nur im Hinblick auf eine mögliche Liquidation meiner hiesigen Existenz bedeutsam erschienen. Jetzt, nach der Ankündigung des Malers, oder wie man es hier ausdrückt, Weißbinders, befand ich mich in der Lage eines Menschen, dem eine tödliche Krankheit zuerst zugesprochen, dann wieder abgesprochen wird, oder in der eines Auswanderers, dem man im letzten Augenblick das Visum verweigert und der sich in der alten Heimat wieder einrichten muß. Als die Handwerker dann wirklich kamen, war ich meiner Verwirrung bereits Herr geworden, hatte die zu streichenden Zimmer ausgeräumt und die Farbe des neuen Bodenbelages bestimmt. Ich habe mich nicht entschließen können, das helle Blau der Wände zu ändern und werde auch den Bildern, der Welle, Dürrnstein, dem Bendixenblatt und den seltsamen Schmelzflußblumen von Martin Schmid, ebenso dem kleinen Reiterrelief, dem Spiegel mit den Schwänen und dem Plan von Rom ihre alten Plätze geben. Vorläufig ist aber daran nicht zu denken. Meine Wohnungstüre ist ausgehängt, die Weißbinder kommen und gehen, der Bodenleger kommt und geht. In dem einzigen nicht zu renovierenden Zimmer zwischen Gestapeltem, wie eine Maus im Möbellager, hausend, stelle ich fest, daß es Berufe gibt, die heiter, und andere, die finster und schwermütig machen. Obwohl ich die Maler bereits seit Jahrzehnten kenne, werden sie doch nicht älter, sind ewige Springinsfelde, die pfeifend und singend treppauf und treppab laufen, ihre weißen Fragezeichen auf die Fensterscheiben malen, versprechen aufzuräumen und nicht aufräumen, vielmehr auf dem neuen Linoleum Stilleben von Mandarinenschalen, Bierlachen und Zigarettenstummeln hinterlassen. Der Bodenleger ist nur einer und es kommt mir vor, als sei er der einzige in der ganzen großen Stadt. Er ist groß und schwer und alt, und murrt, während er die hohen starren Linoleumröhren herbeischleppt und ausrollt, unaufhörlich drohend vor sich hin. Er ist der Mensch, der arbeiten muß, und darüber nie hinwegkommt, der Sklave, der mit seinen Ketten rasselt, eine finstere archaische Gestalt.

*im November*

O diese Novembersonntagvormittage in dem von den Weißbindern aufgefrischten Blau, draußen der Nebel, drinnen tiefe Stille, manchmal Glockenläuten, alle Einwohner des großen Mietshauses, der ganzen Straße, in ihren Betten schlafend, aufwachend, wieder einschlafend, ich allein wach. Eine Vigilie am hellen lichten, vielmehr dunkel blinden Tage, und ein Ende ist so oder so gesetzt. Blaue Stunde am frühen Vormittag und völliges Alleinsein, was bei mir nach acht Jahren, nach zehn Jahren immer noch bedeutet, mit ihm sein, ihm erzählen, du glaubst es nicht, 15 Sitze im bayrischen Landtag und was anderswo eine Partei, eine vielleicht ganz gesunde Opposition wäre, ist bei uns eine Lawine und eine des Bösen, mögen die Leitworte Heimat, Sparsamkeit, Sauberkeit noch so unschuldig klingen. Man hört die Stiefelschritte schon auf dem Straßenpflaster, und morgen die ganze Welt. Und gab es nicht Leute, die nach dem letzten Krieg behaupteten, dieses Volk müsse ausgerottet werden, sonst würde nicht Ruhe in Europa, nicht Ruhe überall. Es gab noch einen anderen Vorschlag, keine Industrie und natürlich keine Waffen, nicht einmal hochwertige Nahrungsmittel, nur Kartoffeln, ganz Deutschland ein einziger Kartoffelacker, mit ein bißchen Handwerk, Schnitzwerk, Spielzeug und Kuckucksuhren, und im Spätherbst wäre Kartoffelfeuerrauch überall aufgestiegen, die armen braven Deutschen hätten am Abend ihre Hacken beiseite gestellt und aus jedem Haus hätten die in Heimarbeit hergestellten Kuckucke geschrieen. Utopie und eine dumme, was in einem Volk steckt an Arbeitskraft und Erfindungslust, kommt heraus, und was nicht darin steckt an politischer Vernunft und Humanität, kommt nicht hinein, und mit dem Wahnwitzigen, Selbstmörderischen wird die schöpferische Unruhe bezahlt. Sie werden es uns nicht durchgehen lassen, nicht noch einmal durchgehen lassen, wer denn? – die andern, die auch keine Engel sind und vielleicht selbst Dreck am Stecken und nationalistische Gefühle haben, was soll ihr Einspruch bewirken, wenn nicht Trotz, ihr habt uns nichts zu sagen, wir bauen uns unsere Atomwaffen allein. Tragt den Kopf hoch, ihr Vertriebenen, die ihr hier längst auf einen goldenen Zweig gekommen seid und eigentlich gar nicht gewillt wart, ins Ostelbische Karge zurückzukehren, aber jetzt kann man euch ansprechen mit den alten Liedern, das muß sich doch vereinen lassen, Wohlstand und alte Heimat, ließe sich vereinen, wenn nur einmal wieder einer mit der Faust auf den Tisch schlüge, eine Faust ist eine Faust, auch wenn sie sich aus dem Grab herausreckt. Blaue Stunde am frühen Vormittag und alle so still, die Bürger unter den Federbetten, kein Wetter zum Herausfahren, Taunuswandern, ich könnte auch noch schlafen, mag aber nicht. Es könnte doch wieder jemand auf den Gedanken kommen, uns auszurotten, das Volk der Richter und Henker, das Volk der Gasöfen, »obwohl man da ohne Zweifel stark übertrieben hat«. Jetzt läuten wieder die Glocken, kommen gewackelt und holen die Schläfer, -armes, entsetzliches Vaterland, ein ewiger Friede war dir nicht bestimmt.

Und eigentlich wollte ich mich mit einem Toten unterhalten, aber ich habe das alles nur gemurmelt, kaum die Lippen geöffnet, zum ersten Mal sollte er etwas nicht hören, nicht wissen, fort sein, weit fort.

*21. November*

In einem Gedicht habe ich einmal versucht, meinen Standort zu bestimmen, den man ja, auch ohne es zu wollen, unablässig bestimmt. Wie stehe ich zu dem und jenem, was bedeutet mir der und jener, das und dieses, die Egozentrik ist da keine Überheblichkeit, eher eine Bescheidenheit, mit dem eigenen Blickpunkt bescheide ich mich, da weiß ich Bescheid. »Wo«, habe ich in dem Gedicht gefragt, und mir die Frage gleich selbst beantwortet, »ziemlich nah vom Altar, aber stumm, ein verstockter Beter«, was auch heute noch zutrifft, wenn auch nicht in dem Sinn der Besorgnis um mein eigenes kleines Seelenheil, auch nicht in dem einer Weltabgewandtheit oder der Überzeugung, es ist hier unten alles eitel, nur das Jenseitige zählt. Mein Blickfeld hat sich mit den Jahren nicht verengt, mein Mitgefühl ist nicht schwächer geworden, meine Neugierde schläft nicht. Es könnte mir, da ich in absehbarer Zeit ohnehin nicht mehr mitrede, egal sein, was da geredet wird, welche Stimmen laut werden und welche zum Schweigen kommen, aber es ist mir nicht egal. Ich kann die Sorge in mir nicht abtöten, auch nicht das, was man einmal als Humanitätsduselei bezeichnet hat, und vielleicht bald wieder bezeichnen wird. Die Verzweiflung, die einen alten Menschen überkommt, Verzweiflung über die Aggression, die Feigheit, die Kälte (in den andern und in ihm selbst) ist im Grunde die Verzweiflung der biblischen Propheten, die sahen und nicht abwenden konnten, warnten und nichts bewirkten, nur daß, was damals der Selbstmord einzelner Reiche war, jetzt der Selbstmord des ganzen Planeten ist. Was Gott tut, ist noch lange nicht wohlgetan, und wer mit den Menschen und mit sich selber hadert, hadert auch mit ihm, auch ich tue das beständig, aber seine Existenz zu leugnen käme mir nicht in den Sinn. Wer in der Liebe wohnt, der wohnt in Gott, das Metaphysische als Liebesmacht, zugleich als Gesetz, dort also die Liebe und das Gesetz, hier das armselige Liebenwollen, die Gesetzlosigkeit, das zappelige Stückwerk, und wenn dieses Jenseits von den Menschen erfunden wäre, wäre es nicht weniger erstaunlich, nicht weniger göttlich, ein Sinnbild von großer Majestät. Ein Felsen, der dem, der ihn gebildet hat, überall im Wege steht, um den er nicht herumkommt, ein Ding, gläsern, glatt, nicht zu erklimmen, besonders nicht auf der Leiter der guten Werke, aber für den Sterbenden öffnet sich wohl ein Tor.

### 22. November

Zur Standortbestimmung gehört die Bestimmung der Kondition, des körperlichen und seelischen Zustands, der Fähigkeiten, die man noch hat oder bereits nicht mehr hat; schließlich ist das ganze Leben ein Abbau, wie man hört, schon vom zehnten Lebensjahr an. Auch dem, der sich nicht oft und vor allem nicht gern mit seiner Gesundheit beschäftigt, fällt mit der Zeit einiges auf, Empfindlichkeiten für dieses und jenes, kleine Mißstände des Körpers, die man mit Mitteln aus der Hausapotheke bekämpft.

Der Arzt hat sich aus all diesen Anfälligkeiten ein Bild des Organismus längst gemacht, das interessiert auch den Kranken, vielmehr Gesunden, nur Altersverfallenden, es interessieren ihn die Beziehungen zwischen Körper und Geist, Körper und Seele, Körper und Charakter, und was sich da wandeln kann im Laufe der Zeit. Auch *wer* da bestimmt, das Wesen bestimmt, der Herzmuskel, das Nervengeflecht, das Geschling von Därmen oder der über all dem frei schwebende Vogel Bewußtsein, der am Ende vielleicht so frei gar nicht schwebt, sondern von den wechselnden Körperzuständen abhängig ist. Auch wer von seinem Körper nichts wissen will, ihn vielmehr behandelt wie einen Knecht, der zu sorgen, aber nicht mitzureden hat, stellt eines Tages erstaunt fest, daß der Knecht nicht mehr sorgt, dafür mitredet, sich sogar manches herausnimmt und barsche Anweisungen gibt. Heute wird nicht gearbeitet, nicht gegessen, nicht auf einen Berg gestiegen – was fällt dir ein, du bist wohl nicht ganz richtig – nein, Herr, nicht mehr ganz richtig, gewöhnen Sie sich daran.

Ach, das hochmütige Wort von dem Geist, der sich den Körper schafft. Alles, was wir tun können, ist doch nur, unser Übel festzustellen und darüber zur Tagesordnung überzugehen, zur Ordnung eben dieses Geistes, der sein Tagwerk verrichten will. Das Feststellen ist, ich sagte es schon, nicht ohne Reiz, es ergeben sich da interessante Fragen, warum bin ich zugleich phlegmatisch und, im vegetativen Nervensystem, höchst erregbar, warum entzünden sich meine Halsseitenstränge, warum springt mein Blutdruck, rennt mein Puls, steigt mein Grundumsatz, zerfällt meine Darmflora, alles periodisch, durch nichts begründet, was sind das für Späße? Und warum, was aber schon kein Spaß mehr ist, schwinden gewisse Substanzen aus meinem Knochengerüst, besonders den Hüftknochen, so daß ich oft ohne Schmerzen nicht mehr auftreten kann. Es ist der Geist – und dumme kleine Verschen erfindet man sich, auf der Straße zu singen, sieh nur meine / flinken leichten Beine, oder man stellt sich vor, einen langen buschigen Eichhörnchenschwanz zu haben und sich mit diesem Schwanz auf die Erde zu stützen, was merkwürdigerweise Erleichterung schafft, es werden dabei wohl wichtige Muskeln entspannt. Das entsprechende alberne Verschen heißt, laß hängen den Schwanz und geh wie im Tanz, und, während der Körper bald einen Stock brauchen wird, fühlt sich der Geist immer schwereloser, möchte nicht nur tanzen, sondern tanzt. So wachsen sie auseinander, der Körper und die Seele, um dieses schöne altmodische Wort zu gebrauchen, Körper und Seele, die dazu bestimmt sind, sich eines Tages zu trennen, die sich aber noch nicht trennen wollen, sie sind aneinander gewöhnt. Weswegen denn auch im Traum, eigentlich schon im Vorschlaf, die alte Einigkeit wieder hergestellt wird, da drückt man sich in die Kissen, dehnt sich zwischen den Laken, hat kein Alter, kein Gewicht, kein Gebrechen mehr, entfernt sich mit Lakenflügeln, Traumschritten, aus der Wirklichkeit, aus dem Tag.

*24. November*

Klaus Bendixen erklärte seine neuen graphischen Blätter, – glänzend schwarze Flächen mit Einsprengungen von schockierend roten oder grünen Farbstreifen oder mit von Farbriegeln gewissermaßen eingeklammerten Bildchen (Farren, Eiskristalle, Nadelbaumzweige) als einen Versuch, aus dieser Fläche, einer pulsierenden Haut, Farben und Bildgegenstände hervorbrechen zu lassen und sie zu dem einförmigen Schwarz in Gegensatz zu bringen. Mir erschienen die kleinen, unregelmäßig geformten Bildchen wie plötzlich auftauchende Erinnerungen des heutigen, städtischen Menschen, Erinnerungen an Vegetabiles, Zweige, Wälder, Urpflanzen, Dinge, die wir noch in uns tragen, die wir aber nicht mehr ausdrücken können oder wollen. Eine kurze, vielleicht eingeklammerte Zeile in einem Gedicht, auf der schwarzen Fläche ein eingeklammertes Weiß, in dem Nadelzweige erscheinen, Ersatz für den Wald, der nicht mehr gemalt, nicht mehr, wie man früher sagte, »besungen« wird. Dem Ausbruch der starken Farben aus dem Schwarz ist in der Literatur nichts vergleichbar, weil sich mit Worten, die ihres Sinnes nie völlig entkleidet werden können, so elementar nicht umgehen läßt. Die Zersplitterung, das zusammenhanglose Nebeneinander sind noch ausdrückbar, aber der Verkörperung des Abstrakten sind Grenzen gesetzt. Ein Nichts-als-Farbe, Nichts-als-Linie, so etwas möchten wir Schriftsteller auch einmal haben, weswegen uns auch in Malerateliers immer Neid überkommt. Form ohne Inhalt, aber zauberkräftig, wie die zehn katzenzungenartigen Gebilde, die sich Bendixen für einen Bildentwurf ausschnitt und auf einem weißen Blatt untereinander legte – gerade diese Gebilde machten mir den ganzen Unterschied klar. Das *Wort* Katzenzungen schmeckt nach Schokolade, ruft alle möglichen Assoziationen, Kinderzimmer, Kindergesellschaft, hervor. Die Form Katzenzunge ist, sogar in der Reihung, von solchen Bezügen frei, sie mutet an wie eine Urform, bekommt im regelmäßigen Untereinander sogar etwas Metallisches und Drohendes, Panzerkette, Fesselung, – dabei hatten zur Vorlage, zumindest zur Anregung wirkliche Schokoladenkatzenzungen der Kinder gedient.

B. sagte von der schlesischen Kohle, daß sie ganz nahe der Oberfläche, an vielen Stellen sogar oberirdisch, zu finden und darum leicht abzubauen, leicht wegzutransportieren und billig sei, – er erzählte dann auch, wie vor mehr als hundert Jahren diese Kohle entdeckt worden ist. Es hatte da auf einem der riesigen Güter des Grafen Sch. einen Förster oder Forstgehilfen oder sogar nur Waldläufer gegeben, der, in einen Streit mit Wilderern verwickelt, von diesen zum Krüppel geschossen wurde, so daß er sein kleines Amt nicht mehr versehen konnte. Der Graf ließ den Mann kommen, versprach, wie der König im Märchen, ihm einen Wunsch zu erfüllen und war erleichtert, als der Verkrüppelte um nichts anderes bat, als um ein mäßig großes Stück Land, auf dem er ein Häuschen bauen und sich selbst versorgen wollte. Das Grundstück, das er sich aussuchte, lag zum Erstaunen des Grafen nicht im Dorf, nicht einmal in der Nähe, was will der verrückte Kerl dort draußen allein. Es stellte sich aber, was er wollte, bald heraus. Während der Graf durch seine Wälder nur im Jagdwagen gefahren war und dabei das Wild im Auge gehabt hatte, war der Förster zu Fuß gegangen, klein, nah am Boden, auf dem er wohl auch einmal ausgeruht und mit den Händen in die Walderde gegriffen hatte, wobei er etwas entdeckte, was dem Reiter und Wagenfahrer immer verborgen geblieben war. Dieses Etwas war die Kohle, die er dann auf dem geschenkten Grundstück sogleich abzubauen begann und die ihn zu einem reichen Mann machte in kurzer Zeit. Obwohl er jetzt viele Leute ins Brot setzte, war er unbeliebt; was man dem Grafen hingehen ließ, die Herrenallüren und das bessere Leben, wurde ihm geneidet, er soll auch ein finsteres, einsiedlerisches Wesen gehabt haben, jedenfalls lebte er in seinem Häuschen ohne Frau, ohne Verwandte oder Bedienung, ganz allein. Eines Morgens dann lag auf seiner Schwelle ein wimmerndes Paket, ein Kind, vermutlich ein uneheliches, das in dem Gedanken, der reiche Mann könne es aufziehen oder versorgen, da hingelegt worden war. Jetzt wird die Geschichte romanhaft, fast märchenhaft, der Einsiedler und Ausbeuter, den angesichts eines hilflos ihm überlassenen Wesens Rührung überkommt, der, von einer Sekunde zur anderen, ein Vater wird, ein Mensch. Er nimmt eine Person aus dem Dorf auf, dann, als die Milch- und Grießbreizeit des Kindes vorüber ist, noch andere Personen; das Kind, ein Mädchen, wird gekleidet wie eine Prinzessin und schließlich auch wie eine Prinzessin, nämlich in den teuersten Internaten erzogen. Wie es heißt, neidete der Graf seinem ehemaligen Angestellten den Reichtum nicht, vielleicht weil er gutmütigen Sinnes war, vielleicht weil er ahnte, daß zumindest seine Nachkommen von der Entdeckung des Mannes noch profitieren würden. Tatsächlich hatte mit dem ersten Spatenstich des abgefundenen Försters eine neue Ära begonnen, – man erinnert sich an Hauptmanns Fuhrmann Henschel, dem die eben in Betrieb gesetzte Eisenbahn das Geschäft verdarb, das war dieselbe Zeit, Kohle und Dampfkraft, Fluch und Segen der aufkommenden Industrie. Die Geschichte des häßlichen, verhaßten Krüppels geht märchenhaft weiter, die Prinzessin wurde so schön wie ein Mädchen nur werden kann und heiratete den Sohn des Grafen, da war dann alles wieder beieinander und dem Abbau der schlesischen Kohle keine Grenze gesetzt. Der Roman des Waldläufers Kurulla ist einmal geschrieben worden, B. selbst hat ihn, in gestapelten vergilbten Heftchen, im Haus von Verwandten entdeckt. Um die Töchter des Märchenpaares hat später der europäische Adel sich beworben, auch die Besitzer des Fortsetzungsromans stammten von ihnen ab. Mich interessierte vor allem der Bezug zu dem großen Industriellen meines Heimatdorfes, der, im ersten Weltkrieg durch die rechte Hand und damit zum halben Krüppel geschossen, auf den im Besitz seiner Familie befindlichen steinigen Wiesen umherging, sich auch hier und dort niedersetzte, das Gestein prüfte, dann in der Stadt prüfen ließ, ein kleines Kalkwerk errichtete, schließlich die Kalkwerke der ganzen Umgegend aufkaufte und stilllegte, ein Monopol hatte, das eigene Werk wachsen und wachsen ließ, ein sehr reicher Mann wurde und reiche Nachkommen hatte. Das alles im 20. Jahrhundert, nichts von Ausbeutertum und Haß, aber in mancher Hinsicht doch dasselbe wie in der alten schlesischen Geschichte, der Arbeitslose, Landkundige, Findige, der, weil er die Erde anfaßte, reich wurde, während der Gutsherr auf seinem alten Kriegspferd durch die Wälder ritt, wohl auch einmal abstieg, aber in sein Skizzenbuch nicht Gesteinsformen und Zahlen, sondern die Linien der Wolken und des fernen blauen Gebirges eintrug.

*5. Dezember*

Das Jahr 1946 – das Jahr 1966, nach Berichten aus ein und derselben Internatsschule. In unserer Klasse, erzählte ein Mann, der jetzt siebenunddreißig Jahre alt ist, hat sich einmal folgendes abgespielt. Ein Küchenmädchen oder die Köchin, daran erinnere ich mich nicht mehr genau, hatte zu ihrem Geburtstag, wahrscheinlich von bäuerlichen Verwandten, einen Kuchen geschickt bekommen. Der Kuchen, den das Mädchen am Nachmittag mit den andern Angestellten verzehren wollte, stand in der Anrichte, die auch den Schülern zugänglich war, bereit. Er war schon aufgeschnitten und als die Besitzerin ihn in ihr Zimmer tragen wollte, fehlte ein Stück. Die Sache wurde an die große Glocke gehängt, buchstäblich, sämtliche Kinder mußten in der Aula antreten, der Direktor stand auf dem Podium und verlangte, daß der Schüler, der das Stück Kuchen genommen hatte, sich meldete, was auch sofort geschah. Der Junge, der, wie alle Schüler (man erinnere sich, 1946, – französische Zone) – dünn und bleich war, mußte aufs Podium kommen und sich neben den Direktor stellen, und der Direktor sagte zu den Lehrern und zu den andern Kindern, seht euch den Soundso genau an, er ist ein Dieb. Als der ehemalige Internatsschüler diese Geschichte erzählte, hatten wir gerade den Film »Der Zögling Törleß« gesehen, in dem, wie in dem ihm zugrundeliegenden Roman von Musil, ein Schüler durch einen kleinen Kameradendiebstahl die Empörung (und die sadistischen Neigungen) einiger Mitschüler hervorruft, und ich fragte, ob auch der Kuchenesser solchen Verfolgungen ausgesetzt gewesen sei. Der Erzähler sagte, im Gegenteil, jeder von uns fand die Strenge des Direktors empörend, schließlich handelte es sich um einen Mundraub, wir waren alle verhungert, und jeder von uns hätte, wenn er die Gelegenheit gehabt hätte, dasselbe getan. Die andere Geschichte, die im Jahre 1966 spielte, habe ich von dem Vater eines Schülers erfahren. Es handelte sich, wie ich schon sagte, um dasselbe Internat, und es stand, wenn auch keine Geburtstagstorte, so doch ebenfalls ein Backwerk im Mittelpunkt. Weißt du, was sie dort, sagte der mir befreundete Vater, in der Klasse meines Buben gegründet haben, eine Mohrenkopf-A.G., was stellst du dir darunter vor. Ich stelle mir vor, sagte ich arglos, daß die Kinder von ihrem Taschengeld Mohrenköpfe kaufen und diese heimlich, mitten in der Nacht, vielleicht im Schein einer verhüllten Taschenlampe, gemeinsam verzehren. Nein, sagte der Vater, so ist es nicht. Die Mohrenköpfe werden nicht gegessen. Vielmehr stellen sich die Kinder am hellen lichten Tag in zwei Reihen auf, nehmen jedes einen Mohrenkopf in die Hand und schleudern ihn, auf ein bestimmtes Zeichen hin, ihrem Gegenüber mit aller Kraft ins Gesicht.

### 6. Dezember

Heute habe ich wieder einmal das Landkartenspiel gespielt, bin mit dem Finger über die kleine Heimat gefahren und habe mich an das Scherzwort aus der ersten Nachkriegszeit erinnert, was machst du am Sonntag, – ich nehme das Fahrrad und fahre um Großdeutschland, – ein Scherzwort, aus dem eine kleine Bitterkeit sprach, aber auch eine große Zufriedenheit, daß es mit dem Maulaufreißen und den sogenannten großen Zeiten vorüber war. Im Norden, eigentlich Nordwesten blieb meine Fingerkuppe liegen, auf dem hanseatischen Stadtstaat an der Elbe, und was da zuerst auftauchte, war nicht der Hafen oder das Alsterbecken, sondern eine kleine picklige Metallscheibe mit einem winzigen Drehhebel, den drehte ich wieder, in Rauch und Kerzenlicht, über ein altes Stehpult gebeugt. Die Musik ist kaum zu hören, aber doch zu hören, eine feine zierliche Geisterstimme im Brahmskeller, – ob das Stehpult und die Spieluhr dem großen mißachteten Sohn der Stadt gehört haben, weiß ich nicht, aber ich will es mir einbilden und bilde es mir ein. Was jetzt – gebackene Fische, das war in Kriegszeiten, aber vor der Zerstörung, ein Festessen der Stadt in einem großen Hotel, dicke gebackene Fische, nun esset fein und trinket satt, was der Magistrat euch vorgesetzt hat. Dann das Haus meiner Verlegerin am Leinpfad, der Blick vornhinaus auf

Straße und schwarzen Wasserlauf, hintenheraus auf Bäume und schwarzen Wasserlauf, und Gespräche am alten Treidelweg auf und abgehend, und die kleinen Schiffe zogen lautlos, nur mit einem schmalen Rauschen der Bugwelle vorbei. Sommerliches Schulau, winterlicher Sachsenwald und das Alte Land zur Zeit der Kirschenernte, auf hohem Damm ging man zwischen den Baumkronen, aus denen die vom Wind gebeutelten Glocken die Spatzen vertrieben. Das Alstertal, grüne Wiesen noch im November, Brücke und weidendes Pferd und eine Vision von Zelten, welche die Bewohner der Innenstadt hier aufgeschlagen hatten, um den Bomben zu entgehen. Der Blick in die Glitzerstraße vorweihnachtlich, aber ohne Tannenbäumchen, nur Gold, ein Baldachin aus Gold für die Hausfrauen, die Väter mit Tragtaschen, Einlaß in den Weihnachtsmonat, erster Advent. Die Elbe blau und sommerlich, die Elbe unter einem dicken Wulst von Nebel nicht sichtbar, nur ein paar braune Wellchen am Ufer, und die hölzernen Landungsbrücken schon nach ein paar Metern verschluckt vom reglosen Grau. Nebelhornstimmen von überallher, in jeder Stärke und Tonhöhe, vorsichtiges Sichausdemwegegehen, und dann von weit draußen der Riese mit der Riesenstimme, der nach seinem Schleppschiffchen schrie. Das Schleppschiffchen fuhr aus, gerade dort wo wir standen, am Hafen Oevelgönner, ein glitzriges Spielzeug, ein zarter Lichtumriß, der bald verschwand; nur wer sehr gute Augen hatte, konnte nach langem Hin- und Herreden der Nebelhörner, Riesenstimme, Zwergenstimme weit draußen das Zwergenbuglicht und in unwahrscheinlicher Höhe über ihm einen Scheinwerfer des Riesen sehen. Oevelgönner, Übelwoller, wer alt und pensioniert ist, will übel, und ein Quartier der Pensionisten, der alten Kapitäne ist die kleine Fußgängerstraße an der Elbe wohl immer gewesen. Es sind aber dort alle Vorhänge und Gardinen zurückgezogen, man will sehen, aber auch gesehen werden, sehen lassen, die alten hübschen Möbel, die Eckschränke voll Porzellantassen, die Bilder von Segelschiffen an der Wand. Das Licht nicht unter den Scheffel, und einmal war es wohl auch wichtig für die Schiffe, da konnten die alten Kapitäne mit ihrer Pensionistenlampe den jungen den Weg weisen, was nicht mehr nötig ist, aber doch zu denken gibt, wenn man dort hingeht mit bereifter Stirn und klammen Fingern, zwischen Ufergärtchen und Häuserzeile, zwischen Abendfrieden und dem immer noch gefährlichen Element.

### 7. Dezember

Die alte Dame hatte ihren Besuch angesagt und natürlich hatte ich es so einrichten wollen, daß wir allein blieben, weil ich schon ahnte, daß sie von sich sprechen wollte und von meinem Vater, den sie geliebt hatte, in einer Zeit, die dreißig Jahre oder länger zurück lag und ebenso lange hatte auch ich sie nicht mehr gesehen. Ich hatte es so einrichten wollen, wir beide allein, aber dann kam, fast zur gleichen Zeit, eine Bekannte von auswärts, die mit ihrem Enkelkind unterwegs war und die dann auch bleiben mußte, weil ihr Zug noch nicht ging und sie sich mit dem vierjährigen Mädchen weder im rauchigen Wartesaal noch auf dem zugigen Bahnsteig aufhalten mochte. Die alte Dame, die schwer ging, aber groß, schlank und sehr aufrecht stand und die einen herrlichen weißen Pelzmantel anhatte, zeigte sich über die Tatsache, daß sie nicht der einzige Gast war, irritiert. Sie beachtete meine Bekannte überhaupt nicht und warf angewiderte Blicke auf das kleine Mädchen, das, obwohl es die Tochter eines Spaniers war, aussah wie Alice im Wunderland und das mit meinen kleinen Häusern, Bäumen und Tieren zufrieden spielte. Setzen Sie sich neben mich, befahl die alte Dame und fing gleich an zu erzählen, was alles ihr in den dreißig Jahren geschehen war, erzählte mit einem Hauch von Stimme, nur wenn ich mein Ohr ihrem Gesicht näherte, konnte ich sie verstehen. Ihr Leisesprechen war aber keine Altersschwäche der Stimmbänder, sondern bare Ungezogenheit, ein Ausdruck ihres Ärgers darüber, daß ich ihr nicht völlig zur Verfügung stand. Was sie, die zurückgekehrte Emigrantin, zu berichten hatte, war aber keine Leidensgeschichte, es war ihr immer gutgegangen, ein Erzengel nach dem andern hatte sie, in der Verkleidung von Postboten, SA-Männern, kleinen Pfarrern, Fremdenpolizisten und armen Handwerkern geschützt. Die Häuser in Bayern und am Bodensee, in denen sie, von ihrem arischen Mann geschieden, gewohnt hatte, waren Traumhäuser mit Traumgärten gewesen, die Hauswirte tapfere Widerständler, überall hatte man sie mit Freundschaft und Liebe umgeben. Zwar war sie am Ende ausgewiesen worden und hatte vom Bodensee nach Holland fliehen, auch in einem Kölner Hotel das J in ihrem Paß mit dem Daumen zudecken müssen. Es war aber ihre Flucht die einer Königin gewesen, die Posten an der holländischen Grenze hatten das ominöse J für eine List und sie selbst für eine Angestellte des Secret Service gehalten, in Holland hatte sie sich melden müssen und der Beamte hatte ihre Meldung buchstäblich unter den Tisch gefegt. Was die alte Dame weiter erzählte, war widersprüchlich, Beziehungen, auch verwandtschaftliche zu den besten holländischen Familien, Erwerb der holländischen Staatsbürgerschaft, aber Hunger, Hunger, und dann wieder ein Erzengel in Gestalt eines armen Schusters, an den sie ein Unbekannter gewiesen hatte und der ihr im Hinterstübchen Geld gab, und nicht nur dieses eine Mal. Die Engel haben mich auf Händen getragen, – ich begriff, daß sie sich das selber zuschrieb, ihrer Schönheit, ihrem Mut. Ich erzähle Ihnen das alles, sagte sie am Ende, damit Sie nicht denken, daß ich eine verbitterte alte Frau bin, erst die Verbitterung hätte wahr gemacht, was sie nicht wahr haben wollte, nämlich, daß es ihr schlecht gegangen war und daß sie jetzt alt war und furchtbar allein. Beim Abschied kam die blitzschnelle Frage, hätten Sie mich erkannt? Und ich stellte aus Verlegenheit die Gegenfrage, hätten *Sie* mich denn erkannt, was sie verneinte, auch eine Photographie meiner Schwester legte sie mißbilligend beiseite, wir, die um Jahrzehnte jüngeren, waren gealtert, aber sie war dieselbe geblieben, tapfer und strahlend schön. Daß mein Vater jetzt hundert Jahre alt wäre, wußte sie, daß er an Darmkrebs gestorben war, wollte sie nicht zur Kenntnis nehmen. Er und sie gehörten zu der geheimen Brüderschaft der Schönen, denen die Erzengel dienen und die sie hinübernehmen im Schlaf.

WÄHREND DER ÜBERSCHWEMMUNG     *6. Dezember*
In einem alten Palast in Florenz war während der Überschwemmungsgefahr des vergangenen Herbstes die Contessa, eine ältere Frau mit ihrem alten Diener allein. Sie ließ, als das Unwetter sich verschlimmerte, den Diener die schweren Torflügel des Palastes schließen und verriegeln und setzte sich in einen Salon, der im ersten Stockwerk lag, der aber so hoch war, daß seine ausgemalte Kuppel das Dach des Hauses überragte. Während die beiden Ein-

geschlossenen draußen das Wasser des Arno rauschen, Menschen schreien und klagen und Hauswände einstürzen hörten, wollte der alte Diener der Contessa etwas zur Stärkung bringen. Da es aber in italienischen Häusern, auch den vornehmsten, nicht üblich ist Vorräte anzulegen, man vielmehr für jedes Viertelpfund Butter über die Straße springt, war nichts da außer dem Wein, der auf den Landgütern der Contessa wuchs, von diesem allerdings mehr als genug. Nachdem die erschrockene Dame und ihr nicht minder verstörter Diener ein paar Stunden in dem hohen Salon gesessen, auch von Fenster zu Fenster gewandert waren und zugesehen hatten, wie sich die Straße in einen Fluß verwandelte, ertönte plötzlich aus dem Erdgeschoß des Hauses ein fürchterliches Geräusch. Das Wasser hatte das Portal eingedrückt und verbreitete sich jetzt in den unteren Sälen, stieg auch, leise platschend, bereits die Marmortreppe hinauf. Nachdem die Contessa sich von dem Einbruch des Wassers überzeugt hatte, ging sie in den Salon zurück und setzte sich wieder vor den natürlich nicht brennenden Kamin. Es wäre interessant zu erfahren, was sie danach mit dem alten Diener geredet hat, ob sie vielleicht über die Familie gesprochen haben oder über die Stadt, in der sie aufgewachsen waren und die jetzt dort draußen eine unbegreifliche Vernichtung erfuhr. Ich habe aber davon nichts gehört. Man hat mir nur erzählt, daß einige Stunden nach dem Aufbrechen des Portals ein ähnlich starkes und erschreckendes Geräusch ertönte, das aber diesmal nicht von unten, sondern von oben, vom Dach her kam, und das sich nicht in einem einzigen Krachen und Bersten erschöpfte, sondern in eine Reihe, offenbar von menschlichen Werkzeugen hervorgerufenen kräftigen Schlägen überging. Unter diesen Schlägen prasselte ein Teil der Stuckdecke herunter. Nun auch das noch, rief die

Contessa entsetzt, erst von unten, nun auch noch von oben, und starrte an die Decke, aus der ein paar Männerbeine in gestreiften Hosen herabhingen. Die große Leiter, befahl sie gleich darauf mit ruhiger Stimme, und der Diener schleppte eine Leiter herbei, die zum Putzen der hohen Fenster und zum Entfernen der Spinnweben diente. Nachdem das Loch in der Decke erweitert worden war und noch mehr Stuck den Teppich bedeckte, kletterten nicht nur dieser eine Mann, sondern nach ihm noch zwanzig andere die Leiter herunter. Es waren, wie sich herausstellte, zwanzig Sträflinge aus den nahen carceri, denen der Wärter die Zellen aufgeschlossen hatte, und die, von ihm geführt, über die Dächer entkommen waren. Die Männer hatten Hunger, bekamen aber, weil nichts zu essen da war, nichts zu essen, tranken Wein, aber betranken sich nicht, mußten nur öfter austreten, wobei jeder der Männer von dem Wachmann auf den fürstlich altmodischen Lokus begleitet wurde – als der Wächter auch der Contessa dorthin das Geleit geben wollte, wehrte sie mit gespielter Entrüstung, aber lachend ab, schließlich sei sie keine Gefangene und es sei ihr Haus. So verbrachte sie mit dem kopfschüttelnden Diener und dem Wärter und den zwanzig recht manierlichen Kriminellen eine unterhaltende Nacht. Als es draußen dämmerte, sah man dicht unter den Fenstern, mit viel Treibgut auf seinem braunen Rücken, das Wasser hinströmen, und die Gefangenen erkundigten sich höflich, ob die Contessa ihnen wohl erlauben würde, die hölzernen Fensterläden auszuhängen und aus ihnen ein Floß zu bauen. Es entstand danach eine große Geschäftigkeit, der Wachmann, auch der alte Diener halfen mit, – am Ende sah die Contessa ihre seltsamen Gäste sich über die Fensterbrüstungen schwingen, sah ihnen auch winkend und glückwünschend noch nach, als sie auf ihren alten Fensterläden fortglitten, – da war es draußen schon hell und im Treppenhaus stieg das Wasser nicht mehr.

Regen seit Wochen, Regen, Dunkelheit, Tiefdruck, Bedrückung und eine Vorstellung von der Traurigkeit der griechischen Unterwelt, wo Schatten schattenhaft aneinander vorbeischleichen; so schleichen auch wir, sehen uns in die aufgeschwemmten bleichen Gesichter und wissen schon, der Weihnachtsstern wendet es nicht. Auf jede schüchterne Glückwunschkarte kommt ein Schwarzrandbrief, ein Sterben ist das, die Erde ein Siechenhaus, aus dem man unablässig Särge hinausträgt, ein Zug von Särgen, meine Straße hinunter, entschuldigt, ich kann nicht mehr weinen, weine nicht. Lehne nur das Gesicht an die Scheibe, da rinnen die Tropfen, geliehene Tränen, es kann auch zuviel werden, und zu trauern in der Zeit der Rosen ist schön. Auch die Katastrophen erregen wenig Mitgefühl, die großen untergehenden Schiffe, die großen abgestürzten Flugzeuge, Schatten zu Schatten, nun wohl.

In den Briefen der Freunde sind die Buchstaben ins Wanken geraten, die Telefonstimmen zittern, stell dir vor, was mir heute geschehen ist, ich habe geheult, geheult, ohne jeden Grund, stell dir vor, was mir heute geschehen ist, meine Beine haben mich nicht mehr getragen, ich habe mich in der Stadt auf eine fremde Treppenstufe setzen müssen, und hast du gehört, die langen Samstage, die verkaufsoffenen, es wird nicht zugegeben natürlich, aber keiner will kaufen, die Geschäfte sind leer. Erklär mir das einer, so schnell kann das Geld nicht versiegt sein, aber etwas anderes ist versiegt, die Kauffreude, die Schenk-

freude, und der Regen ist ärger als Kälte, als Hundstags-
hitze, als Sturm. Dabei haben wir uns nicht zu beklagen,
der Fluß ist nicht, oder doch nur ganz wenig über seine
Ufer getreten. Nur wir treten über unsere Ufer, über-
fluten die Quaimauern, wohin denn, ins Grenzenlostrübe,
lassen uns gehen, statt Päckchen zu packen, rechtzeitig, mit
Goldschnur und aufgeklebtem Weihnachtsmann, wie es die
Post befiehlt. Gehen in der Stadt umher, statt in die
Warenhäuser, in die schlammigen Schächte der Untergrundbahn, von der nur zwei Kilometer gebaut werden,
eine winzige Strecke vom Dornbusch bis ins Herz der
Stadt, das man zu diesem Zweck schon aufgerissen hat.
Ach die armen, hohläugigen Weihnachtsengel, im Flitter-
kleid, aber schmutzig und durch den Rundfunk die Aufforderung, am 24. abends jemanden einzuladen, einen Be-
satzungssoldaten, einen Fremdarbeiter, einen Altersheim-
ler, wieso denn, warum denn, fremde Leute unter dem
Weihnachtsbaum, die lassen etwas mitgehen, die schlagen
uns tot. Leise rieselt der Schnee im Fernsehen, das Lied
wird von berühmten Sängern gegen ein bedeutendes Ho-
norar gesungen, zwei Kinder spielen auf der C-Flöte, alles
vor dem brennenden Lichterbaum, eine beliebte Sendung
mit Scherzeinlagen, manchen steigen dabei die Tränen in
die Kehle, andere möchten erbrechen, die Sängerinnen
küssen die schlechtgelaunten Kinder, leise rieselt der künst-
liche Schnee. Schnee, denke ich, Schnee, und obwohl ich
die weiße Decke nicht leiden kann, meine ich doch, es
wäre gut eines Morgens von dem harten Kratzen der
Schaufeln aufgeweckt zu werden. Es läge dann etwas in
der Luft, eine Reinheit, eine Frische, ein Licht, noch vor
dem kürzesten Tag.

Mitten im Winter hat man Sommergesichte, hinter den geschlossenen Lidern tauchen sie auf, wieviel Raum da ist hinter den geschlossenen Lidern, Raum für ganze Landschaften, Täler, Kammwege, Meeresstrände, und was dabei noch alles sich herstellen kann, Gefühl von Sonne auf der Haut, Salzgeruch, Hafengeruch, Geruch von Piniennadeln, Lichtgefunkel in Schattenkronen, Spätsommernachtkühle am Ende eines glühenden Tags. Im Augenblick sehe ich die beiden Holzhäuser im Piniengehölz von Salto di Fondi, das kleine Elternhaus, das große Kinderhaus zwischen den grauen Stämmen, im rechten Winkel zueinander gestellt. Aus den Fenstern fällt Licht, so daß der Wald zwischen den beiden Häusern wie eine kleine Bühne erscheint. Die Schauspieler sind Kinder, die Requisiten Fahrrädchen, Dreirädchen, Puppen und Gummitiere, Blätter mit angefangenen phantastischen Zeichnungen liegen auf den braunen Nadeln herum. Die Mahlzeit am großen Steintisch ist beendet, sieben leere Teller, sieben Kinder, keine Erwachsenen, die natürlich damals auch dabei waren, und überhaupt lagen gewiß zwei von den Kindern an jenem Abend schon im Bett. Die Kinder zünden das Feuerchen an, haben die Steine herbeigetragen, die Holzkohle geschichtet, was ebenfalls der Wirklichkeit nicht entspricht. Das Feuer haben der junge Vater und ein Freund angezündet, die Mutter hat den Tisch abgeräumt, mindestens zwei der Kinder waren tatsächlich im Bett. Aber jetzt und hier, hinter meinen Lidern sind sie alle da und sie sind allein. Sie fahren auf ihren Rädchen durch die Lichtbahnen, sie klettern auf einer Leiter in die Pinienkronen und tragen mit wichtiger Miene Pakete aus und über ihren Köpfen laufen die Baumratten von Ast zu Ast. Das Meer liegt hinter der bewaldeten Düne, man sieht es nicht, hört es nicht einmal rauschen, kein Wind weht und von dem kleinen Feuer steigt der Rauch ruhig auf. In der brennenden Holzkohle werden Krabben gebraten, die Kinder tragen sie herbei mit spitzen Fingern, kauern um die kleine Hitze, rufen sich bei ihren wunderlichen Namen, Ariel, Simon, Balbine, Stephanie, Daniel, Knopf und Elena und sind dann plötzlich alle verschwunden, weil ich die Augen aufgemacht habe und in meine Augen der weiße Winternebel fällt. Da dreht sich einmal wieder das alte Flügelrad, auf den Flügeln sitzen die Kinder, werden bei jeder Umdrehung größer, einer, dann der nächste, bereits erwachsen, springt ab. Was wird sein in zehn Jahren, in zwanzig Jahren, wer wird dort wohnen, in Salto di Fondi, morgens über die Düne ans Meer gehen, am Abend um den Steintisch sitzen, wo werden die Kinder sein.

Ich habe einmal ein englisches oder amerikanisches Buch gelesen, da wurde in eine Kindergesellschaft die Zukunft eingeblendet, eine durchaus problematische Zukunft, am Ende aber war alles wieder beim alten, bei Schokolade und Kuchen und den kleinen Sorgen, nur daß so etwas eben in Wirklichkeit nicht vorkommt, da ist alles unaufhaltsam, und nur der Besucher einer Sommernacht behält, was damals war, unter den Augenlidern, einen ewigen Sommer, eine ewige Kindheit, zwei Kilometer von Terracina, wo der Süden beginnt.

*3. Januar*

Dieses Sommergesicht hatte ich in der Weihnachtszeit, die ich in B. verbrachte, bei Regen und Föhn wie immer, mit nur einer einzigen klaren Mondnacht, in der wir auf den Friedhof gingen, die Kerzen dort anzuzünden, Mondschein

lag auf den Wiesen, auf den Straßen und auf den Gräber-
reihen, und die Kinder sagten, die Gesichter gegen die
Toten gewendet, ihr Weihnachtsgedicht auf. Das Gedicht
hatten die Eltern in einer Motorsportzeitung entdeckt, es
war von Anouilh, bestand aus Rede und Gegenrede und
war nicht sehr lang. Das Jesuskind war aus der Wiege
verschwunden, nun fragten, als Maria und Joseph, die
Buben ängstlich nach seinem Verbleib und das kleine
Mädchen gab Antwort, ich wohne in den Herzen der ver-
gessenen Armen, – ich wohne in den Herzen der einsamen
Kranken, – ich wohne in den Herzen der Heiden, die
ohne Hoffnung sind. Die Kinder sprachen diese Verse ganz
anders als vor ein paar Tagen im Weihnachtszimmer, lei-
ser, ängstlicher, ich dachte an die Goethesche Zeile, um
Mitternacht ging ich, klein kleiner Knabe, und vergaß die
Regie dieser kleinen Vorstellung vor den Gestorbenen, bei
der auch noch das Lied, unsern Eingang segne Gott,
unsern Ausgang gleichermaßen, gesungen wurde.

Von Weihnachten bis Silvester hatte ich mir auf der
breiten Fensterbank meines Zimmers etwas aufgebaut, was
man in Frankfurt ein »Idyllsche« nennt, zwischen all den
bunten Glückwunschkarten Weihnachtssterne rot blühend,
am Fensterkreuz ein buntes bayrisches Blumenkränzchen,
goldene Kugeln, Kerzen – dahinter stand der Westhim-
mel, liefen die Eichhörnchen, die es hier früher nicht gegeben hat, über die Zweige der Trauerbirke und räuberten
im Vogelhäuschen, wurden am Abend die Wolken rot.

Mein kleines Buch, die »Beschreibung eines Dorfes«, hatte
mir die Ehrenbürgerschaft von B. eingetragen, am 1. Januar, dem 100. Geburtstag meines Vaters, wurde sie im
Rathaus, am Ende des vom Bürgermeister abgelegten Jah-
resrechenschaftsberichtes bekannt gegeben. Die Gemeinde-
räte saßen um einen langen Tisch, vor ihnen Gläser voll

Markgräfler Wein, ich kannte sie nicht alle und erkannte doch ihre Familienzugehörigkeit, das Model Mangold, das Model Tritschler, das Model Disch. Es wurden aus ihrem Kreis ein paar sachliche Fragen gestellt, ist die Kirche wirklich so jung, woher kommt der Name Matern, hatte ich an einen Herrn Mattern, mit zwei t gedacht, der vor sehr langer Zeit einmal im Unterdorf ansässig war, oder an wen. Ich sagte, von diesem Herrn Mattern hätte ich nichts gewußt, der von mir verwendete Name sei ein elsässischer Vorname, der kleine Sohn meines Neffen am Kaiserstuhl sei nach einem seiner mütterlichen Vorfahren so getauft. Das Urbild des »Hans im Schnakenloch« von Schickele, ein Zorn von Bulach, hatte Klaus geheißen, aber sein Bruder Matern. Der Name hätte mir gepaßt, nicht Heinz oder Kurt, sondern etwas fremdes, und daß ich meinen Bruder nicht unter seinem eigenen Namen hätte auftreten lassen wollen, sei doch zu verstehen. Die Männer nickten zu all dem ernst und ruhig. Daß in dem Tal niemand sich, etwa aus Erzählungen der Großväter an die alte Kirche erinnerte, gaben sie zu. Ein Loch in einem Balken im Gehöft Mangold, ein Loch, durch das einmal ein Glockenseil gezogen war, erinnerte nur an die Behelfsgottesdienste während des Kirchenbaus, was vorher war, sollte nun erforscht werden, das Interesse dafür war allgemein.

5. Januar

Im blauen Zimmer in B. habe ich heuer viel an meine zweite Schwester gedacht, die mich, kurz vor ihrer tödlichen Erkrankung und in eben diesem Zimmer einmal fragte, ob ich das kenne, die Vereisung, die Verödung, das nicht-mehr-arbeiten, keine Zeile mehr aufs Papier

bringen können. Damals hatte ich gelogen, ja gesagt, gesagt, ich kenne es, es geht vorüber, obwohl ich mich in
einem solchen Zustand nie befunden hatte, vielmehr immer voller Arbeitsvorhaben und Pläne gewesen war. In
diesem Winter konnte ich mir indessen vorstellen, wie das
wäre, wie man da herumliefe wie ein Tier im Käfig, nur
registrierte, was da ist, die Leier in der Stuhllehne,
Orpheus, die fünf Treppenstufen mit dem weißen, grau
abgesetzten Geländer, der blaue Gaslüster, die blaue Zimmerdecke, der niedere, in das Zimmer gar nicht passende
Tisch mit der schön gemaserten Steinplatte, die alten Pol-
stersesselchen, das Kommödchen mit dem Glassturz, die
Sächelchen unter dem Glas. Wie meine Schwester das alles
angesehen haben mag mit irren Augen, wir kommen nicht
nach Jerusalem, aber Jerusalem kommt zu uns. Wie ihre
Blicke an den Wänden entlanggestrichen sein mögen, von
einem der kolorierten Wiener Stiche zum anderen, Palais
Auersperg, Karlskirche, Schönbrunn, Lusthaus im Prater,
Hofbibliothek, Graben mit Pestsäule, Kohlmarkt, Burg,
was alles zu meinem Leben gehört hat, aber nicht zu
ihrem, das Katholische, das Kaiserliche, die alte fremde
Stadt. Anders die Dinge im Glassärgchen, die mögen ihre
dünnen zitternden Finger herausgeholt haben, eines nach
dem andern, die schwarze runde Dose mit dem goldenen
Eichenlaubkranz und der Rundschrift Carl Franz von
Holzing; die bemalte Dose, ein Reiter und zwei reiterlose
Pferde vor einer zarten Niederungslandschaft; die Dose
mit dem dicken lustigen Rokokoherrn mit Perücke, Jabot
und Ordensstern; die Elfenbeindose, übersponnen mit
einem dicken Geflecht aus Tempeln und Bäumen, Menschen und Gras. Die beiden Dosen mit den zierlichen
Mädchen, gemmenartig, weiß auf Blau. Alle diese altmodischen, uns seit der Kindheit vertrauten Dosen haben,

meine ich, die Finger meiner Schwester damals aufge-
schraubt, in allen hat sie etwas gesucht, einen Geruch, ein
verschrumpeltes Blättchen, einen Zettel, eine Botschaft,
was alles auch ich in dieser Weihnachtszeit in ihnen gesucht habe, müßig gehend in der Dämmerung, leer, leer.
So daß ich mir gut vorstellen konnte, wie meiner Schwester damals zumute war, nichts, das sie noch angesprochen
hätte, ihr etwas abverlangt hätte, alles leer, taub und
tot, wie das zu Zeiten ist, zu unseligen Stunden, nur daß
diese Stunden eben für sie nicht vorübergehen sollten,
keine Vergangenheit mehr, keine Zukunft und sie hat es
gewußt.

*10. Januar*

In der Silvesternacht war, wie in jeder Silvesternacht, der
Tod unter den Feiernden, aber sanft unentschieden, so
als ob er sich durch ein leises Händeklatschen noch vertreiben lassen könne. Noch ein Jahr für alle Anwesenden, ein
glückreiches, schmerzliches, angstvolles pralles Jahr. Aber
war er es nicht, der sich so zärtlich über die Schultern der
Kinder beugte, ihnen Punsch eingoß, heimlich, immer wieder, bis sie sich ausschütteten vor grundlosem Lachen, bis
der oft so gehemmte Vierzehnjährige hinter seiner Brille
glitzernde Freudentränen hervorbrachte – ich sag euch
etwas, ich schreibe einen Brief, einen Brief an Picasso – und
war es nicht der Tod, der es zustande brachte, daß die Erwachsenen über all ihre alten Hürden sprangen und sich
liebten bei kaltem Roastbeef und Remouladensauce, neben
den noch einmal angezündeten Kerzen am schon verrieseln-
den Baum? Der das Bleigießen in der Küche überwachte,
die törichten Sprüche auf den feinen Papierstreifen vorlas
und aus der großen Blechschüssel wieder einmal nichts an-

deres fischte als Vogelnester, Moosgewirr, Schwäne, im besten Fall eine Amphitrite, die dann von Hand zu Hand wanderte, was soll das bedeuten, was siehst du darin? Es waren da versammelt der Hausherr mit seiner jungen Frau und seinen drei Kindern, die Schwester des Hausherrn mit ihrer Tochter, die Tochter der verstorbenen Schwester des Hausherrn mit ihrem Mann, eine Freundin aus der Nachbarschaft, ein junger Italiener, ein junger Deutschamerikaner, der Philosophieprofessor aus dem Mansardenstock mit seiner Frau. Den alten Herrn aus dem Erdgeschoß hatte man aufgefordert, am Bleigießen teilzunehmen, hatte aber dann vergessen, ihn zu holen, was später einige Bestürzung hervorrief. Nach dem Bleigießen wurde ein bescheidenes Feuerwerk abgebrannt, und zwar im Untergarten, so daß die aus großer Höhe hinuntersinkenden Sterne die kahlen Kronen der Linden erfüllten. Verschiedentlich während des langen Abends wurde erwogen, ein Gedicht oder eine Geschichte vorzulesen, etwas Ernstes oder doch Allgemeines, wogegen sich aber die Kinder wehrten, es wurden also nur Späße getrieben, unter denen die von der verheirateten Nichte des Hausherrn präsentierte »Frau Schwitzgäbele« den größten Beifall erntete. Die Begabung, dem Volk aufs Maul zu schauen und bestimmte Typen in ihren alltäglichen Äußerungen in furchtbarer Breite endlos wiederzugeben, besitzen mehrere Nachkommen meines Vaters, der dafür wahrscheinlich nicht den geringsten Sinn gehabt hätte und der, bei sonst geselligem Wesen, jede Silvesternacht im Bett zu verbringen pflegte.

Übrigens ging auch diesmal in seinem Hause vor 12 Uhr alles auseinander, die jungen Leute fuhren nach heftigen Umarmungen und Gratulationen fort, um anderswo noch zu tanzen, während die Gastgeber die Geschirrwaschmaschine vollräumten, die Kinder zu Bett brachten und sich dann selbst schlafen legten. Auch ich war, als es läutete, bereits in meinem Zimmer. Ich hörte danach aus dem Dorf noch einige Böllerschüsse, dann war alles still. Ein Mitternachtsgottesdienst findet auf dem Land schon lange nicht mehr statt.

Happiness is no laughing matter, – Dolf Sternberger zitierte diesen Satz, mit dem er, ich weiß nicht in welchem Sinne, einen seiner Vorträge geschlossen hatte. Die Anwesenden meinten, daß der Ausspruch wohl vor allem auf die Vereinigten Staaten zuträfe, wo man sich in einer verbissenen und krampfhaften Weise bemühe, glücklich zu sein. Eine glückliche Familie vor dem offenen, reich besetzten Kühlschrank, um die Fernsehtruhe, um den neuen Rasenmäher geschart. Rosenrote Wangen, blitzende Zähne, lachende Gesichter, Fröhlichkeit, Gesundheit, geschäftlicher Erfolg. All dieses beständig zur Schau zu tragen, mag in der Tat anstrengend und no laughing matter, also auf deutsch nicht zum Totlachen sein. Ich hatte den Satz aber zunächst ganz anders verstanden, hatte an wirkliche Glücksmomente gedacht. Dieses Glück fällt nicht zusammen mit Geschrei und Gelächter, jedenfalls bei mir war es immer so gewesen, Silvester, Carneval, überhaupt alles betont lustige Feiern hatte mich immer in tiefe Schwermut versetzt. Die Augenblicke wirklichen Glückes waren ernst gewesen, dabei schwebend leicht, ein heller, nicht feierlicher Einklang mit dem Du der Schöpfung, zugleich leicht und ungeheuerlich, persönlich und überpersönlich zugleich. No laughing matter, aber doch nicht in dem Sinne von etwas verflucht schwer Herzustellendem oder Aufrechtzuerhaltendem, das einem die Laune verdirbt. Eine Art von Gnade vielmehr, die in uns in jedem beliebigen Augenblick geboren werden kann, die aber in einem schallenden Lachen nur selten ihren Ausdruck findet.

Das Wiedersehen mit einer Stadt nach zwanzig Jahren ruft die Bilder der Vergangenheit automatisch hervor. In meinem Fall – Bern, 1946 – Bern, 1967 – fand ich nicht das Geringste verändert, was natürlich nicht stimmte, die Stadt war ohne Zweifel gewachsen, es gab Industriebauten, neue Brücken, Hochhäuser, Gartenanlagen, die damals noch nicht da gewesen waren. Ich sah aber nur das Gleichgebliebene, die Laubenstraßen, Stadttürme und Brunnen, sah das alles diesmal mit lebhaftem Vergnügen, während mir damals die Heimeligkeit, Traulichkeit und Wohlhabenheit nicht nur phantastisch erschienen, sondern auch auf die Nerven gegangen waren. Ich kam aus dem trümmerhaften, bettelarmen, schmutzigen Deutschland und dachte die ganze Zeit darüber nach, was denn wohl das Wirkliche sei, das was ich gefunden oder das, was ich zurückgelassen hatte, der Hunger oder die Sattheit, das Chaos oder die wohlaufgeräumte bürgerliche Existenz. Auf dem Postamt in Basel hatte ich, in Erwartung einer langen mißgelaunten Menschenschlange beim Eingang eine Frau brutal überholt, ihr sogar die Tür vor der Nase zugeschlagen, drinnen war dann überhaupt niemand, und die Frau hatte, als sie mir nachgekommen war, nur fassungslos, wie unhöflich, gemurmelt. Ich hatte ihr nicht erklären können, wie das bei uns war, konnte es auch in Bern niemandem erklären, nicht das Negative und nicht das Positive, das es doch auch gab und das bewirkte, daß ich am Ende meiner kurzen Reise *gern* heimkehrte, gern durch die zerstörten Städte wanderte, gern und neidlos am Bahndamm stand und die hell erleuchteten Ausländerzüge vorübergleiten sah. Die gefüllten

Schaufenster, die bunten Blumenkästen in Bern waren nicht die Wirklichkeit, nicht was sich gehörte, obwohl sie doch gerade das Normale, Sichgehörende darzustellen schienen. Der Schweizer Professor, der gewiß sonst kaum je ein Geschäft betrat, der aber mit mir in die Stadt ging, um mir ein Farbband und ein Paar Strümpfe zu kaufen, schlug die Brücke, – ich erinnerte mich daran, als wir jetzt, nach meinem Vortrag, zusammen essen gingen, er war aus sich heraus getreten und mir dadurch nahe gekommen: wir hatten ja damals nichts, was uns, wie etwa die Berner Häuser ihre Berner Bürger, schützend umgab. Unser Dasein war zigeunerisch und bettelarm, aber weil der Mensch in rätselhafter Willfährigkeit gutheißt, was ihm zugeteilt ist, dünkten uns damals Armut und Hunger zwar nicht begehrenswert, aber uns angemessen, und dieses Gefühl stellte sich bei mir bereits nach ein paar Tagen des Sattessens ein. Jetzt stand ich, selbst satt und wohlhabend, am Fenster meines schönen Hotelzimmers, sah auf die schwarze Aare und die weißen Schneefelder, und dachte an die streunende Katze, der man einmal hier fette Milch vorgesetzt hatte, und die entsprungen war, mit einem Fauchen zurück in ihre Wildnis, ohne Dank.

*17. Januar*

Wir betraten den Saal rechtzeitig, ja frühzeitig und zwar von hinten, also mußten wir an der Seite des Publikums vorbeigehen, um auf das große, rechts und links in Bogen vorgezogene Podium zu gelangen. Auf dem von den Zuschauern links gelegenen Podiumsvorsprung stand ein mit einem grünen Tuch belegter Flügel, auf den ich mich beim Hinaufsteigen ein wenig stützen konnte, es fiel darum nicht auf, daß ich hohe Stufen oft schlecht überwinde. Auf dem

Lesetisch mit dem Mikrophon hatte der Assistent mein Manuskript bereits zurechtgelegt. Ich setzte mich hin, stand aber gleich wieder auf, um dem Publikum für seine Begrüßung zu danken. Dabei sah ich, wie hinten die Saaltüren geschlossen wurden und wie auf einer Tafel an der Rückwand des Saales in Leuchtbuchstaben das Wort RUHE erschien. Obwohl die Zuhörer dieses Wort nicht sehen konnten, wurde es sofort im ganzen Saale totenstill. Ich saß da, wartete, wußte, daß ich, ehe die einführenden Worte nicht gesprochen waren, nicht anfangen konnte. Also wandte ich nur manchmal den Kopf zur Seite und warf einen Blick auf den jungen Mann, der mit mir zusammen in den Saal gekommen war und der diese Worte sprechen sollte. Der junge Mann stand hinter einem kleinen Stehpult, er lehnte sich nicht an, trat nicht von einem Fuß auf den andern, stand vollkommen unbeweglich und sah auf das Leuchtschild RUHE, unter dem sich, wie ich jetzt bemerkte, noch ein zweites, aber dunkles Glasschild befand. Ich war zuerst in guter Stimmung, ich lächelte und blinzelte ein wenig dorthin, wo meine Berner Freunde saßen, die aber auf mein Lächeln und Blinzeln nicht reagierten, sich vielmehr verhielten wie alle anderen Zuhörer, ernst, starr und stumm. An der Wand zu meiner Rechten befand sich eine jener Uhren, deren Zeiger und Zahlenstriche unmittelbar auf der getünchten Fläche angebracht sind. Obwohl diese Uhren schwer zu lesen sind, konnte ich doch feststellen, daß die mir angegebene Anfangszeit bereits überschritten war. Die Situation wurde langsam gespenstisch, ein Redner, der nicht redet, ein Saal voll Zuhörer, die nichts hören, Redner und Zuhörer, die sich bewegungslos gegenübersitzen, eine tödliche Stille, in der sich totenstill ein Zeiger bewegt. Ich stellte mir vor, es verginge auf solche Weise eine ganze Stunde, eine Stunde wahnwitziger Bedrückung, negatives

Happening, aus dem am Ende vielleicht etwas ganz anderes hervorbrechen würde, krampfhafte Schreie, Veitstanz, Hysterie. Zugleich wußte ich aber auch, daß wir hier Eingeschlossenen, Eingemauerten uns gar nicht würden bewegen, gar nicht würden schreien können, daß wir vielmehr dazu bestimmt waren, einzufalten, einzutrocknen, Eidechsenhaut schon wuchs mir zwischen den Fingern, und aus schweren Eidechsenlidern sah ich die Zuhörer an. Dann plötzlich fing der junge Mann neben mir an zu reden, das Publikum rührte sich vorsichtig, das Schild mit der Schrift AUFNAHME leuchtete rot. Ich starrte erschrocken auf die ersten Sätze meines Manuskripts, dann auf die Uhr, man hatte, wie ich nach meinem Vortrag erfuhr, das Ende einer Live-Sendung abwarten müssen. Die Verspätung betrug fünf Minuten, nicht mehr.

*18. Januar*

Einige Landschaftsaufnahmen der M. L. S. betrachtend, habe ich mir überlegt, was diese Bilder von gewöhnlichen, etwa in Zeitschriften reproduzierten desselben oder eines ähnlichen Gegenstandes unterscheidet. Ich bin darauf gekommen, daß hier schon die Absicht eine völlig andere ist. Aufgenommen wurde nämlich dreimal der Fluß Aare, von einem Berner Hotelfenster aus gesehen. Es sind aber weder dieser ganz bestimmte Fluß, noch diese ganz bestimmte Stadt zu erkennen und sollen offensichtlich auch gar nicht zu erkennen sein. Irgendein Wasserlauf also mit irgendwelchen im Wasser sich spiegelnden kahlen Bäumen, allenfalls deutet die gußeiserne Volute eines Balkongitters auf ein altmodisches Gebäude hin. Ein von oben gesehenes Ziegeldach, eine Brüstung und einige schattenhafte, ebenfalls im Wasser sich spiegelnde Häuser zeigen, daß es sich um eine Stadtlandschaft, freilich um eine völlig menschenleere handelt. Eine besondere Stimmung, etwa Herbstmelancholie oder Winterfrische, ist nicht ausgedrückt. Eine Hauptrolle spielen die auf dem diesseitigen Ufer stehenden Bäume, wie auch die Bäume des jenseitigen Ufers, von denen man aber nur die Spiegelbilder sieht. Die Bäume sind, wie gesagt, kahl, es ist also ihre Struktur bis in die feinste Verästelung zu erkennen. Das Wasser des Flusses ist auf zwei Bildern blaß, fast weiß, auf dem dritten grau, undurchsichtig und schimmernd zugleich. Auf der Balkongitteraufnahme bildet die Volute das, was man früher einen Repoussoir nannte, in freiem Schwung eine gußeiserne Blüte hervortreibend, nimmt sie die ganze Bildfläche ein. Hinter ihr oder eigentlich unter ihr erscheint das Gewässer mit seinen magischen Spiegelbildern, aber auch noch ein Stück des Wiesenufers mit den Bäumen, welche diese Spiegelbilder hervorrufen, wobei es seltsamerweise viel mehr Spiegelbilder als wirkliche Bäume gibt. Charakteristisch für die drei Aufnahmen ist, daß man sie nicht gleich weglegt, nicht gleich mit ihnen fertig ist, wie das doch mit Photographien unserer Alletagewelt geschieht. Die Aare bei Bern, schön und gut, ich habe sie vor kurzem gesehen, da sah sie ebenso, ein bißchen anders, ganz anders aus. Auf solche Gedanken kommt man bei diesen Aufnahmen nicht. Sie verrücken die Wirklichkeit, nehmen ihr ihre topographische Eigenart, geben ihr dafür eine andere, die zugleich sehr allgemein und ganz persönlich ist. Sie sind die Frucht einer Vorliebe für das Filigran winterlicher Bäume, den matten Glanz winterlicher, aber eisfreier Flüsse und für Spiegelungen, und zeigen doch noch mehr: ein Stück menschenlose Stadtnatur, die eben durch ihre Menschenlosigkeit etwas seltsam Unterweltliches bekommt. Es hat in ihnen ein Mensch ausgedrückt, wie er die Stadt sieht, oder sehen möchte

oder zu sehen sich fürchtet, vielleicht auch von alle dem
etwas, und jedenfalls so einzigartig und persönlich wie
eine Zeichnung, eine Plastik, ein Musikstück oder ein Gedicht.

*23. Januar*

In dem in Leder gebundenen Poesie-Album der uralt vor
wenigen Jahren verstorbenen Verwandten las ich, was an
Gedichten und Prosatexten ihr während eines Lebens gefallen hatte, in schöner Schrift hatte sie es dort eingetragen,
als Mädchen, als die sehr junge Frau eines viel älteren Di-
plomaten, eines späteren badischen Staatsministers, als eine
warmherzige, zum Tränenvergießen neigende, kinderlose
Frau. Die am meisten geliebte Tante unserer Kindheit, auch
unserer späteren Jahre, warum, weil sie nicht hysterisch
war, nicht autoritär, wissen wollte, aber nichts herausfrag-
te, sich nicht jung machte, leise war, behutsam, ein gut ge-
stimmtes Instrument, das Wohlsein verbreitete, Harmonie.
Dabei war sie doch mit einem ihr fast Unbekannten verheiratet worden, hatte ihren Mann geachtet, aber nicht geliebt, war immer häßlich gewesen, hatte keine Liebhaber
gehabt, nur einmal ein romantisches Erlebnis mit einem
musikalischen jüdischen Herrn, der aber wahrscheinlich
kaum je gewagt hatte, ihre Hand zu küssen, geschweige
denn ihren Mund. Eine Beinahe-Klosterfrau also, wenigstens in unseren Augen, aber eine elegante, weltgewandte,
mit übrigens seltsam kleinbürgerlichen Neigungen, auch
Neigungen zu einer etwas platten Aufklärung, zugleich
also vernünftig und gefühlvoll, Schubertlieder, Brahmslie-
der und früher alle Jahre in Bayreuth. Das Poesiealbum
beginnt, 1890, mit Bibelsprüchen, sei getreu bis in den Tod.
Es folgt ein langes Zitat von Carmen Sylva, der Königin

von Rumänien, ein Gedicht von einer Gräfin von Königsmarck, lange englische Abschriften aus einem Buch von E. Ward, Gedichte von Fleming, der Fürstin Wrede, Geibel und Scheffel. Dann wieder Englisches, Ouida, Bulwer und anonyme Sentenzen, die von der Aufzeichnerin selber stammen könnten, aber wohl nicht stammen. Zwei Beispiele: Hast du einen edeln Menschen gekränkt und möchtest ihn versöhnen, so bitte ihn um eine Gefälligkeit. Und: Sage deinem Kinde weniger, wie sehr du es liebst, aber sage ihm wie sehr du deine Eltern geliebt hast. Gedichte von Heine, Goethes »Füllest wieder Busch und Tal«, Gedichte von Michelangelo, ein Abschnitt über das Trösten von Fritz Reuter in dem der Badnerin unvertrauten Platt. Nr. 4 der Kreisleriana von E. T. A. Hoffmann und eine Skizze über Kunst und Natur von Woermann. Ce n'est pas le tout de s'aimer, il faut pouvoir se le dire avec charme – das ist ein Ausspruch der Vittoria Colonna, ins Französische übersetzt. Es folgen Bemerkungen über Glück und Unglück von Otto Ludwig, drei Zitate aus Ibsens gereimter »Komödie der Liebe«, ein Brief der Gabriele von Bülow an Wilhelm von Humboldt. Und nun hebt es an: »Des teuren Kaisers Bildnis, das jedes Herz erfüllt«, 14 Strophen aus Anlaß der Enthüllung eines Denkmals für den vor hundert Jahren geborenen Kaiser Wilhelm I., aber wer dann in dem wahrscheinlich aus einer Zeitung abgeschriebenen Gedicht wirklich gefeiert wird, ist der fortgejagte Bismarck, dem »bleibt seines Volkes Seele in Ewigkeit vermählt«. Das war im Jahre 1897, da hatte der Mann der Abschreiberin, ein glühender Anhänger Bismarcks, den Hof in Berlin schon verlassen. Im selben Jahr notiert sie die Gedanken über den religiösen Affekt der Lou Andreas-Salomé, aber auch ein Gedicht von Wolzogen, in dem jede Strophe mit den Worten »Hoitü, ich pfeif auf die Welt« beginnt. Dann einen Brief von Bismarck an seine Schwester, das Gedicht »Du wirst nicht weinen, leise, leise, wirst du lächeln« von Dehmel und eines von Hebbel – Auf eine Unbekannte – da sind auch die Komponisten angegeben, es waren wohl Lieder, die die Abschreiberin mit ihrer angenehmen Altstimme gesungen hat. Carlyle über den Humor, Voltaire an Friedrich den Großen, endlich ein Tagebuchblatt Richard Wagners an Mathilde Wesendonk. So geht es weiter durch die Jahre, ein seltsames Durcheinander von Interessantem, ja Bedeutendem und Banalem, wir sind jetzt schon im neuen Jahrhundert und mit den Versen »seltsam im Nebel zu wandern« taucht, 1906, Hermann Hesse auf. Dann der Goethespruch auf der Brücke von Köndringen »Alles ist Übergang – zur Heimat hin.« Auf Goethes Lob eines Gärtchens, der Caroline Herder zugedichtet, folgt ein Gedicht des Bruders der Copistin, an die Mutter gerichtet, da spiegelt sich das große schmerzliche Familienereignis jener Jahre, Verschuldung und Selbstmord des anderen Bruders – die darauf folgenden Eintragungen, Jacob Burckhardt, Goethe an Zelter, Abeken, Schiller im Gespräch, sind entsprechend ernst, dabei doch zuversichtlich gefaßt. »Ein frohes und heiteres Gemüt ist die Quelle alles Edeln und Guten, kleine düstere Seelen, die nur vergangene Zeit betrauern, sind nicht fähig, die heiligsten Momente des Lebens zu erfassen.«

Im Jahre 1911 schreibt eine Nichte, Lonja von Holzing, ein eigenes, volksliedhaftes Gedicht in das Buch, auf Stellen aus Briefen der Rahel Varnhagen folgt ein langes Zitat aus Hofmannsthals Tor und Tod. Briefe von Segantini werden teilweise abgeschrieben, dann noch ein Spruch von Hölderlin, »was wir sind, ist nichts, was wir suchen, alles«. Nietzsches Gedichte stehen neben Waldemar Bonsels Biene Maja, Romain Rolland neben Wilhelm Busch. Ein Unikum ist gewiß die deutsche Übersetzung eines Gedichtes von Benito Mussolini »Lobt das Brot, das Herz des Hauses«, das 1940 eingetragen wird. Die künstlerische Qualität einer Prosa oder eines Gedichts war für die Abschreiberin offensichtlich nicht entscheidend, wer ihr gerade aus dem Herzen sprach, kam zu Worte, so Hölderlin mit den Worten »Lebe droben o Vaterland, und zähle nicht die Toten. Dir ist Liebes, nicht einer zuviel gefallen«, und 1943 ein Zeitungsschreiber, der in einem Goethegedicht eine moralische Hilfe beim Aufräumen nach Terrorangriffen sieht. In dem Jahrzehnt nach dem 2. Weltkrieg werden die Eintragungen kürzer, sind auch bunter gemischt. Goethe, immer wieder, aber auch Cicero, Felix Dahn, Werfel, Kerr, Fr. Th. Vischer, es findet sich da auch ein eingeklebter Zeitungsausschnitt, etwas über die menschliche Würde von Camus. 1957 noch einmal ein Schubertlied »Der Alte singt, du heilge Nacht«, darunter eine persönliche Bemerkung, dereinst eines meiner Lieblingslieder. 1958 dann »o komm Gewalt der Stille« von Bergengruen und Verse von Friedrich Schnack an seinen Sohn. Danach vom Grafen Stolberg »Ach wie wohl ist mir bei Dir, will dich lieben für und für, laß mich gehn auf deiner Spur, süße heilige Natur« – da wird noch einmal die große Naturliebe der Sammlerin zum Ausdruck gebracht. Am Ende steht, mit Bleistift, aber kräftig geschrieben, die Jahreszahl 1959, daneben das Alter, 90$^{1/2}$, mit zwei Ausrufungszeichen, darunter ein Satz von Moltke »Ein neues Frühjahr zu erleben, halte ich jedesmal für eine große Gnade Gottes.« Eine Gnade Gottes, da scheint sich der Bogen zu den ersten Eintragungen zu senken – es ist aber doch, bei den großen und kleinen Dichtern, in den Politikerbriefen und Kalenderweisheiten von Religion die

Rede nicht oft. Für eine Zeitspanne von 70 Jahren wurde auch nicht allzuviel aufgezeichnet, aber eben doch immer wieder, und an demselben Ort, das zeigt schon, daß es ein friedlich bewahrtes Leben, eines ohne Ausbombungen, Fluchten und Hausdurchsuchungen war, das dann 1963 zu Ende ging.

Kafka, Beckett, sogar noch Celan fallen in diese Lebenszeit, wurden aber nicht mehr wahrgenommen, oder, weil nicht geliebt, des Exzerpierens nicht für wert befunden. Eigentlich gehört, vielleicht von einer der Nichten beigesteuert, nur der Satz von Camus der Jetztzeit an. Alles andere ist Nachleben, Nacherleben des deutschen Idealismus, mehrsprachige Lektüre, aber vaterländische Gesinnung, vorübergehend auch eine Hinneigung zum Nationalsozialismus, wobei aber wohl mehr eine romantische Vorstellung der Volksgemeinschaft als das »heute gehört uns Deutschland und morgen die ganze Welt« bestimmend war. Die Sammlerin der Gedichte und Lebensweisheiten lebte zuletzt in einem Kurort, ging viel in den Wäldern spazieren, liebte und pflegte ihren kleinen Garten, stand nachts am Fenster und betrachtete die Sterne. Weder die vierzigjährige Witwenschaft noch das Altwerden brachten sie aus dem Gleichgewicht, wohl aber tat das der Tod. Während jeder annahm, die Vierundneunzigjährige würde eines Tages wie eine Kerze erlöschen, kämpfte der kleine dünne Körper einen entsetzlichen Todeskampf, verzog sich das stille Gesicht zu einer Teufelsfratze, brachen zehn Tage lang die fürchterlichsten Schreie aus der für solche Kraftanstrengung eigentlich schon viel zu schwachen Brust. Da waren die Schubertlieder, die Goetheverse weit, weit alles Edle, Schöne und Gute – ich kann in dem alten Poesiealbum nicht lesen, ohne mich an dieses angstvolle Sterben zu erinnern.

Meine Geschichte »Der Schriftsteller« kam aus dem Rundfunk, zufällig, unerwartet, uneingestellt, ein Teil von mir
und doch auch fremd, da ich mir diesen Schriftsteller, der,
auf der Höhe seines Ruhmes und seiner Erfindungskraft,
plötzlich den Beruf wechseln will, anders, weniger alt,
weniger bedrückt, überhaupt sympathischer vorgestellt
hatte. Es fiel mir darüber der Geburtstag Zuckmayers ein
und was über ihn in der Zeitung gestanden hatte, auch
ein Gespräch, das wir, ein Kreis von Freunden, kürzlich
über ihn führten. Zuckmayer muß an diesem Tage Journalisten gegenüber so etwas geäußert haben wie »das Beste
kommt noch« oder »das Beste werde ich erst noch schreiben«, und über diesen Ausspruch hatte sich eine meiner
Freundinnen sehr aufgeregt. Siebzig Jahre alt und das
Beste kommt noch, sie fand die Behauptung des Schriftstellers vermessen und geschmacklos, geschmacklos eben in
ihrer Vermessenheit, was anderes konnte noch kommen
als ein Abstieg, eine verzweifelte und kindische Anstrengung, der Zeit, die doch von einem Siebzigjährigen nichts
mehr haben will, noch Genüge zu tun. Er kann, sagte ich,
aber doch daran geglaubt haben, er kann etwas im Sinn
gehabt haben, das er immer hatte schreiben wollen und das
er sich noch nicht zugetraut hatte, etwas, das man nicht
mit dreißig und nicht mit fünfzig, sondern eben erst viel
später schreiben kann. Die Freundin wollte das nicht wahrhaben, sie beharrte darauf, den alten Schriftsteller eitel
und lächerlich zu finden. Es fing dann aber jemand anderes
in der kleinen Gesellschaft an, von Billy Rose, dem großen
Mann des New Yorker Show-Business zu erzählen. Dieser
Rose, sagte er, hat einmal eine junge Tänzerin, die vielleicht schon siebenundzwanzig Jahre alt und also nicht
mehr jung genug war und deren Waden oder Hüften

möglicherweise einen Zentimeter zu umfangreich waren, entlassen. Er hat ihr dabei noch Vorwürfe gemacht, daß sie nicht von selbst um ihre Entlassung eingekommen war. You have to know when to quit, hatte er sie angeschrien, und gerade über diesen Satz hatte er dann später nachgedacht, und es hatte ihm nicht nur leid getan, ihn geäußert zu haben, er hatte ihn auch ganz falsch gefunden. Im Show-business, hatte er gedacht, und dann auch wohl irgendwo niedergeschrieben, darf man nicht wissen, wann es Zeit ist, die Bühne zu verlassen. Die Leidenschaft für den Tanz, auch für das Sichzurschaustellen, muß so groß sein, daß man über die Grenze des Alters hinweggetragen wird. Auch in die Lächerlichkeit? Auch in die Lächerlichkeit, ja. Die Geschichte von dem großen Schaugeschäftsmann stimmt nachdenklich, sie auf alle Künste zu übertragen liegt nah. Der alte Mann, der noch immer auftreten will, der alte Schriftsteller, der, schon auf dem Abstieg, immer noch glaubt, eines Tages etwas ganz Außerordentliches zu schreiben: das nicht Aufhörenkönnen gehört, wie in meiner etwas ironischen Erzählung vom Schriftsteller, mit all seinen traurigen und peinlichen Folgen ganz offensichtlich dazu.

*1. Februar*

In einem Brief, in dem Byron seinem Verleger Murray über die Begräbnisstätte seiner im Alter von fünf Jahren in Italien gestorbenen unehelichen Tochter Allegra Näheres mitteilt, auch die Inschrift der Grabtafel entwirft, wendet er sich plötzlich ziemlich brüsk »anderen Themen« zu. Die anderen Themen sind eigentlich nur ein einziges, er selbst, sein Ruhm, die Hochschätzung, die man ihm auf den Schiffen eines vor Livorno liegenden amerikanischen

Geschwaders entgegenbrachte, die Rose, die eine Amerikanerin ihm abverlangte, der Wunsch einiger ihrer Landsleute, Byron möge sich für sie portraitieren lassen. Byron erwähnt hier auch die »bedeutenden literarischen Ehren«, die er in Deutschland genießt, und daß Goethe, wie man ihm erzählt hatte, den Don Juan besonders schätze und überhaupt sein erklärter Gönner und Beschützer sei. Byron nennt das alles eine Entschädigung für die englische Brutalität (nicht nur die seiner Frau), daß er es jetzt, gerade in diesem Augenblick äußert, zeigt, wie ihm nach dem Tode seines Kindes zumute war und daß er sich erhöhen mußte, um dem Trübsinn nicht ganz zu verfallen. In diesem so prahlerisch aufgeschlagenen Glückskartenblatt war Goethe der größte Trumpf. Obwohl Byron, von einigen Flüchen abgesehen, kein deutsches Wort verstand, nur wenige von Goethes Werken in Übersetzungen gelesen und sich nur einmal mündlich einige Szenen des Faust hatte übertragen lassen, war ihm an Goethes Urteil viel gelegen. Schon in Ravenna, im Jahre 1820 hatte er, in »deutschen Gazetten« blätternd, an einigen Bemerkungen Goethes über den Manfred herumgeraten und, ganz irrtümlicherweise, eine absprechende Kritik vermutet. »Ich wäre«, so schreibt er an Hoppner, »auf Goethes Anerkennung stolz gewesen, aber ich werde meine Meinung über ihn nicht ändern, auch wenn er grausam sein sollte.« Aber Goethe war nicht grausam und Byron hat, kaum ein Jahr nach seinem prahlerischen Brief von ihm ein Handschreiben und sogar ein ganz persönliches Gedicht bekommen. Und aus diesem Byron aus Anlaß seiner Abreise nach Griechenland gewidmeten Gedicht geht klar hervor, daß, während Byron von Goethe nur eine sehr nebelhafte Vorstellung hatte, dieser ihn wie kaum ein anderer verstand. Es ist da zunächst die Rede von dem Wunsch mit »gen Süden, zum

Edelsten« zu wandern, einem Wunsch, den sich der 73jäh-
rige versagen muß. Auf die Frage, was dem Scheidenden,
den Goethe, jedenfalls in Gedanken, lang begleitet hat, zu
wünschen sei, folgt dann dessen Charakterisierung »ihm,
der sich selbst im Innersten bestreitet, stark angewohnt,
das tiefste Weh zu tragen«. Und wenn auch in der letzten
Zeile der zweiten Strophe eine leise Ironie mitzuschwingen
scheint, so ist Byrons »Sich-selbst-Bestreiten« doch gewiß
ernst genommen, als eine Erfahrung, die auch Goethe gemacht und die er nicht vergessen hat.

In der nächsten Strophe freilich meldet sich dann der *alte*
Goethe, der zwar nicht gelegentliche Übellaune, aber doch
den Zweifel an sich selbst längst überwunden hat. Von
Byron, dem Edelsten hat er gesprochen, aber nun gibt er
doch recht olympisch dem zornigen jungen Mann einen
mahnenden Rat:

> »Wohl sey ihm doch, wenn er sich selbst empfindet!
> Er wage selbst, sich hochbeglückt zu nennen,
> Wenn Musenkraft die Schmerzen überwindet;
> Und wie ich ihn erkannt, mög er sich kennen.«

»Wohl sey ihm doch«, da spürt man den leisen Ärger des
in sich selbst und in seinem Werk Ruhenden, Ärger über
die jugendliche Selbstquälerei, den ständigen Hader mit
dem eigenen Wesen, dem eigenen Geschick. Es gehört Mut
dazu das Glück anzunehmen und zuzugeben, eben diesen
Mut soll Byron endlich aufbringen. Musenkraft, das ist
ein Begriff aus dem klassizistischen Wörterbuch, aber
Goethe gebraucht das Wort unbedenklich, auch dem viel
Jüngeren gegenüber, der sich doch lustig machen könnte,
und ebenso unbedenklich und souverän stellt er in der
Schlußzeile sein eigenes Urteil über Byron diesem als
maßgebend, als schlechthin unbezweifelbare Tröstung
hin.

Byrons Antwort auf dieses Gedicht ist, in der Unruhe des Aufbruchs verfaßt, ein wenig eilig, auch ein wenig konventionell. Er wagt es nicht »mit dem seit fünfzig Jahren unbestrittenen Herrscher der europäischen Literatur« Verse auszutauschen, kann sich aber kein günstigeres Omen denken als ein Wort Goethes von seiner Hand. Wenn er je zurückkommt, will er Weimar einen Besuch abstatten, um Goethe die aufrichtige Huldigung eines unter vielen Millionen seiner Bewunderer darzubringen – wie man weiß, kam er aus Griechenland nicht zurück. Er bekam in Kephalonia noch einen Gruß von Goethe durch George Finlay, das war Ende Februar 1824, am 21. April desselben Jahres ist er an einer Fieberkrankheit in Missolonghi gestorben. Es war nichts gewesen mit dem guten Omen, dem Reisesegen des Alten. Der aber hob, wie Cordula Gigon mitteilt, Byrons Dankesbrief und sogar die Siegel in seiner roten Schatulle auf, also an einem besonderen Orte, und vielleicht zur Erinnerung an die letzte bewundernde Anteilnahme, die er einem jungen Dichter entgegengebracht hat.


*5. Februar*

Der Briefkasten, in den ich täglich meine Briefe zu werfen pflege, ist verschwunden, abmontiert, ein anderer, nahe gelegener, ebenfalls was, obwohl ich dann einen der Briefkästen in nicht allzu großer Entfernung von meiner Wohnung wiedergefunden habe, bei mir eine Art von Panik hervorgerufen hat. Vergeblich habe ich versucht, mir die Verlegung, etwa mit Parkschwierigkeiten für das Abholauto, zu erklären. Ich sehe in dieser Maßnahme der Post einen Akt reiner Willkür, dem bereits andere, wie etwa das sinnlose Verlegen von Haltestellen der Elektrischen oder die plötzliche Entfernung von Telefonkabinen vorausgegangen sind, und dem vielleicht noch weitere einschneidendere Maßnahmen folgen werden. Die dumpfe Bürgerreaktion, mit uns können sie es ja machen, ist doch nur ein Zeichen, daß hinter den kleinen Schikanen der Post oder der Verkehrsbetriebe etwas geahnt wird, eine geheime Absicht, uns vom Altgewohnten zu lösen und Neugewohntes gar nicht erst richtig Boden fassen zu lassen. Tatsächlich bleibt nur weniges um uns so lange unverändert, daß es zur Gewohnheit und gar zur lieben Gewohnheit werden könnte. Die auf der Rundfunkskala angegebenen Sender sind schon längst nicht mehr an der alten Stelle, sind alle paar Monate wieder woanders zu finden, der Supermarkt wird beständig umgebaut und umarrangiert, selbst auf einen einfachen Zebrastreifen ist kein Verlaß mehr, von den immer wieder in entgegengesetzter Richtung zu befahrenden Einbahnstraßen ganz zu schweigen. Es ist, als sollten wir in einem künstlichen Labyrinth die Orientierung verlieren, dann, eines Tages auch nicht mehr nachhause finden – es ist schon lange mein Verdacht, daß sich in den kleinen Spreizfüßen der neuen Häuser Gangwerke verbergen, so daß diese Häuser ihren Standort beliebig, d. h. nach dem Belieben der Behörden, ändern können. Es ist wahrscheinlich, daß wir, nach langem Umherirren erschöpft, auch unsere Namen nicht mehr anzugeben wüßten. Wir würden dann wohl in ein Asyl gebracht, in dem sich noch viele andere Verirrte und Namenlose befänden. Eine große Nummer auf dem Rücken unserer Kleidung tragend, würden wir, mit einfachen Arbeiten beschäftigt, die uns verbleibende Lebenszeit verbringen.

Das Dornröschen unserer Tage ist über siebzig Jahre alt
und ein Mann. Statt hinter einer Rosenhecke ruht er in
einem Eisblock und zwar durchaus freiwilligerweise, ein
krebskranker Professor, der sich wenige Minuten vor seinem klinischen Tod hat einfrieren lassen, um in diesem
Zustand den Kuß des Bräutigams Leben zu erwarten. Man
kann sich vorstellen, wie die Kollegen, um sein Bett versammelt, von ihm Abschied genommen haben, wie der
beinahe-Tote ihnen noch zugelächelt hat. Daß er gerade
diese Kollegen und Freunde bei seinem Erwachen wiedersehen würde, war allerdings nicht gewiß. Die dem Eisblock beigegebene Vorschrift nannte als Termin des Auf-
tauens einen höchst unbestimmten Tag. Es mußte inzwischen etwas geschehen, nämlich ein wirksames Mittel
gegen die Krebskrankheit des Professors gefunden worden
sein. Daß man dieses Mittel noch zu Lebzeiten der Anwesenden entdecken würde, war mehr als zweifelhaft. Der
lebendige Tote konnte also, ähnlich manchen Sagengestal-
ten, in eine Welt zurückkehren, mit der er nicht das Geringste mehr zu tun hätte und in der er nicht anderes
bedeuten würde als ein medizinisches Experiment. Seine
Krankheit würde geheilt, nicht seine Einsamkeit, sein Leiden unter dem Ekel und dem Mißtrauen, das seine Er-
wecker dem Auferstandenen wahrscheinlich entgegenbräch-
ten. Die Presse würde ihn ausfragen, und es könnte sein,
daß er nichts mehr zu erzählen wüßte oder daß seine Art
und Weise sich auszudrücken wie eine fremde Sprache
klänge. Der Tod wäre möglicherweise indessen schon ein
historisches Phänomen geworden und mit Trauer und
Sehnsucht würde er, im Kreise der Unsterblichen, sich
daran erinnern, was für eine große Rolle früher das Sterben gespielt und wie es das Leben erst eigentlich beflügelt

hatte. Richten Sie sich, sagte ich heute, nur halb im Scherz, zu einer jungen Frau, darauf ein, ewig zu leben. Sie begriff sofort, daß ich darauf anspielte, daß, wenn sie einmal alt sein würde, jede Krankheit geheilt und der natürliche (für uns noch natürliche) Abbauprozeß ad infinitum aufgehalten werden könne. Aber sie wurde bei diesem Gedanken so blaß, als hätte ich gerade das Gegenteil, nämlich ein Todesurteil über sie gefällt. Das wäre entsetzlich, sagte sie, und selbst meine Versicherung, daß sie dann nicht in einer Gesellschaft von schwachsinnigen Versorgungshäuslern, sondern unter körperlich und geistig regen Menschen, und selbst körperlich und geistig rege, leben würde, tröstete sie nicht.

Ein Sechzigjähriger, mit dem ich am nächsten Tag ebenfalls über die erhöhte, vielleicht unbegrenzte Lebenserwartung unserer Enkel sprach, reagierte auf ganz andere Weise. Der Mensch, sagte er, ist dazu geschaffen, unsterblich zu sein. Es ist nichts als ein Irrtum, daß er, mit all seinen Gedanken, Erkenntnissen und Gefühlen, am Ende wie eine Katze verrecken muß. Um diesen ungeheuren Irrtum zu korrigieren, erfindet er sich die Auferstehung des Fleisches, das ewige Leben. Denn das gerade will er, vielleicht nicht in der Jugend, aber später, wenn er die Möglichkeiten seines Körpers und seines Geistes erkannt hat, ewig, ewig leben.

Interessanter eigentlich als das übliche Fragen nach den Vorbildern eines Schreibenden ist die Frage nach dem, was einer gern geschrieben haben würde, wobei dann Merkwürdiges herauskommt – aber das kann Ihnen doch gar nicht liegen, der und der Schriftsteller ist doch ganz anders, schreibt doch ganz anders als Sie selbst; daß der Genannte auch auf einer viel höheren Rangstufe steht, mag bei solchem Sichwundern höflich verschwiegen werden. Das ist aber gerade das Wesentliche, das Mehrsein, Mehrhören, Mehrsehen, die eigene Zeit besser erfassen können als man selbst. Für mich ist der, dessen Romane, Theaterstücke und Hörspiele ich geschrieben haben möchte, Samuel Beckett, ungefähr ein Altersgenosse, aber einer, der sich zu mir verhält wie ein Riese zu einem Zwerge. Zu wem man aufschaut, auch ohne den geringsten Versuch zu machen, ihn nachzuahmen, mag aber wie gesagt, nicht unwichtig sein. Freilich muß Beckett jedem Lyriker ohnehin gefallen, da seine Gewohnheit, die Menschen in einige wenige oder gar nur in einen zusammenzuziehen, ein eigentlich lyrisches Verhalten darstellt, ein kurzsichtiges, bei dem charakteristische Einzelzüge nicht unterschieden werden. So abstrahiert, so ohne Eigenschaften, außer der einzigen des Menschseins sind eigentlich nur das Ich, das Du und das Wir des Lyrikers, darum erscheint es mir außerordentlich, daß Beckett, der im täglichen Leben von hunderten von Spielarten umgeben, scharf sehen muß und auch scharf sieht, in seinen Theaterstücken und in seiner Prosa solche Urbilder herzustellen vermag. Kein Einzelschicksal und überhaupt kein Schicksal außer dem der Einschränkung, Verlust der Beweglichkeit, der Männlichkeit, des Gehörs, des Augenlichtes, am Ende auch der Sehnsucht nach dem Verlorenen. Der Altersprozeß, ins Ungeheure, fast Mythische gesteigert, und von einem, der, als er seine ersten Bücher schrieb, noch jung war, der also nicht sich selbst im Sinne hatte, sondern die Welt. Die Hoffnungslosigkeit des heutigen Menschen und zugleich auch seine ewige, unausrottbare Hoffnung – nicht nur die Gestalt des in der Schlammwüste verlorenen Kindes drückt diese Hoffnung aus. Auch der reduzierte, namenlose, uralte Mensch ist alles andere als stumpfsinnig, er verfügt über die ganze pochende grübelnde fragende Intensität seines Geistes, er unterliegt der Macht seiner Gewohnheiten, er hat einen unbesiegbaren Lebenswillen, über den sich Beckett gelegentlich (in »Happy Days«) sogar lustig macht. Da ist, zum einzigen Mal, eine Frau die Heldin, und sofort verliert das leidenschaftliche Festhalten des reduzierten Lebens seine tragische Größe, wird rührend und lächerlich, erinnert an das mümmelnde Kosen und Zwiebäckchenreichen der beiden Alten in den Mülltonnen – die süße Gewohnheit des Lebens, von der keiner lassen will, aber einen Rest des alten verzweifelten Mutes trägt auch die Dame im Sandhaufen zur Schau.

20. Februar

Ich las von den biologischen Waffen, die möglicherweise in einem kommenden Krieg eingesetzt werden sollen. Charakterverändernde, die Kampfkraft oder den Verteidigungswillen lähmende Stoffe, mit denen man eine Stadt, ein Land übersprüht oder das Trinkwasser durchsetzt, Übelbefinden, Lethargie, Schlafsucht breiten sich aus, die Stadt, das Land leisten keinen Widerstand mehr. Wenn so etwas für möglich gehalten, ja als Realität bereits ins Auge gefaßt wird, warum sollte dann nicht auch jede andere Wesensveränderung mit biologischen Mitteln möglich sein? Eine Geburt des friedlichen Menschen durch Unterdrückung seiner Agressionslust, schon wären dem Wolf die Zähne ausgebrochen, er wäre der Wolf seines Nebenmenschen nicht mehr. Ein paradiesischer Zustand, ein Himmel auf Erden, hergestellt durch Gase, durch Pillen, durch Trinkwasserzusätze, und statt Mißgunst und Haß breiteten

Liebe und Opfersinn sich überall aus. Zu schön um wahr zu sein, und doch auch wieder nicht schön, warum nicht, hängen wir im Grunde an unserer Wolfsnatur, an den jederzeit möglichen Katastrophen, auch an der Freiwilligkeit unseres kleinen Gutseins, mit dem auf Schritt und Tritt ein wenig von der übermächtigen Kälte und Angriffslust unseres Wesens überwunden wird. Hängen wir an den Leiden, die wir andern zufügen und die uns von andern zugefügt werden, so wie wir an unseren, in Zukunft vielleicht auch vermeidbaren Schmerzen hängen? Durch die erwähnten Maßnahmen würde um uns und in uns das ausgetilgt, was man einmal den Teufel nannte und wir selbst würden die Rolle eines milden immer verzeihenden Gottes übernehmen. Die Veränderung wäre viel größer als die durch das kopernikanische Weltbild herbeigeführte, und mit unendlichem Staunen läsen die Kinder später die grausamen Märchen vergangener Jahrhunderte, die Erwachsenen Dantes Göttliche Komödie, in deren Jenseits Schuld und Haß ohne Ende weitergetragen werden. Ein winziges Versehen in einem Laboratorium könnte freilich alles wieder in sein Gegenteil verkehren. Da stünden dann die Teufel wieder auf oder die Wölfe und stürzten sich auf die friedlich grasenden Lämmer und mit eins wäre alles wieder da, die Ichsucht, die Quälsucht und die utopische Hoffnung auf den Frieden auf Erden. Die bloße Möglichkeit einer solchen rein zufälligen Rückveränderung macht den ganzen Weltverbesserungsplan suspekt, brandmarkt ihn als etwas rein Äußerliches, das den Kern des menschlichen Wesens nicht erfaßt. Ohne jede eigene Anstrengung würde das Gutsein auf chemische Weise hergestellt, ähnlich dem Gutsein, das heißt Ruhehalten der Geisteskranken, die man durch die neuen chemischen Mittel auch nicht heilen, sondern nur dämpfen kann. Es mag aber sein, daß mit dem Anwachsen der Vernichtungsmöglichkeiten eine Dämpfung auch der scheinbar Gesunden kein interessantes Experiment, sondern eine Frage von Leben oder Sterben der Menschheit ist, und daß man dabei sowohl die Herabminderung unseres alten prometheischen Wesens wie auch etwaige katastrophale Verfahrensirrtümer schließlich in Kauf nehmen muß.

DIE ÜBERLEBENDE                              *21. Februar*

In einem Mietshaus in Berlin-Schöneberg war 1945, als die Russen gewisse Teile der Stadt Berlin schon besetzt hatten und Gerüchte von ihrem Verhalten auch nach Schöneberg gedrungen waren, eine Panik ausgebrochen. Keine Familie, die nicht beschlossen hätte, sich umzubringen und dadurch der Ermordung oder Vergewaltigung zu entgehen. Das Wie und Wann solchen freiwilligen Todes muß von Wohnung zu Wohnung da noch hastig besprochen, das etwa vorhandene oder rasch beschaffte Gift geteilt und Abschiedsgrüße ausgetauscht worden sein. Ein Ehepaar, das ich selbst gekannt habe, setzte sich, mit dem Bild des gefallenen Sohnes vor sich auf dem Tisch, nebeneinander aufs Sofa und starb dort augenscheinlich ohne Qualen, auch die andern Hausbewohner wurden am Morgen tot, aber nicht fürchterlich verzerrt oder entstellt gefunden. Von wem gefunden, da doch alle gestorben waren oder doch wenigstens hatten sterben wollen? Ich fragte das später einmal und erfuhr, daß doch einer der Hausgenossen, eine ältere Frau, übrig geblieben war. Diese Frau, eine Witwe, hatte mit ihrer noch ganz jungen Tochter zusammen gelebt und hatte sich auch, in derselben fast freudigen Entschlossenheit wie die andern Hausbewohner und an demselben Abend das Leben nehmen wollen. Sie ist aber übrig geblieben und hat, die einzig noch Lebendige, das zuerst verlassene, dann von neuen Mietern bezogene Haus durchstreift. Sie hat jedem Menschen, den sie traf, erzählt, wie es in jener Nacht zugegangen war, wie sie, während ihr Kind die Gifttabletten schluckte, noch einen Augenblick zögerte, um zu sehen, ob die Tochter leiden müsse, dann noch einen Augenblick, um sie in ihren Armen aufzufangen und auf die Couch zu betten. Dann war ihr der Gedanke gekommen, was mit dem schönen leblosen Körper wohl geschehen würde, wer ihn womöglich grob anfassen und sich über die Schulter werfen und welches Massengrab ihn am Ende aufnehmen würde. Sie hatte beschlossen, ihrerseits so lang am Leben zu bleiben, bis sie der Tochter im Garten ein Grab geschaufelt und sie dort hineingelegt hatte, und das hatte sie am nächsten Morgen, noch ehe die Russen kamen, noch getan. Danach hatte sie das Gift nicht mehr genommen, hatte vielleicht gehofft, von den fremden Soldaten erschlagen zu werden, die erschlugen aber niemanden, vergewaltigten auch niemanden, wenigstens in dieser Straße nicht. So mußte die Frau noch erfahren, daß alle Leute im Haus und auch ihre schöne junge Tochter ganz unnötigerweise in den Tod gegangen waren und sich Vorwürfe machen, daß sie nicht zum Guten geredet hatte, zum Leben, zum Abwarten, was ihr besonders später, als die ruhigeren Zeiten kamen, ganz unbegreiflich erschien. Mehr noch als die Unnotwendigkeit der im Haus verübten Selbstmorde bedrückte sie aber der Gedanke, daß vielleicht sie selbst hatte leben, überleben wollen, und daß ihr der Wunsch, die Tochter nicht unbegraben zu lassen, dafür nur ein Vorwand gewesen sei. Wenn sie, nicht allzu gern gesehen, die neuen Mieter in ihren Wohnungen besuchte, sah sie dort die Toten noch sitzen oder liegen und beschrieb sie diesen ihr ganz fremden Leuten genau, fügte auch hinzu, ich konnte doch nicht, Sie werden das begreifen, meine Tochter war neunzehn Jahre alt, und man hat damals viel von Leichenschändungen gehört. Die Leute waren zuerst mitleidig, dann ungeduldig, am Ende öffneten sie, nach einem Blick durch das Guckloch, ihre Türen nicht mehr. Sie hörten aber die Frau im Treppenhaus noch lange weinen und klagen, und es mag sein, daß sie auch jetzt, wo sie wahrscheinlich längst gestorben ist, noch durch das alte Haus wandert und sich, weinend und klagend, zu rechtfertigen sucht.

*22. Februar*

Der Mangel an Schamgefühl wird Schriftstellern oft vorgeworfen, und ich selbst werfe ihn mir zuweilen vor. Aus meinen großen Schmerzen mach ich die kleinen Lieder, das mag noch hingehen, Heiteres, Leichtes, erzeugt von Trübem, Schwerem, Verwandlung bis zur völligen Unkenntlichkeit, eine Verwandlung, die nur den wenigsten gelingt. Aus den kleinen Schmerzen große zu machen, Mögliches zu steigern, im Keim Vorhandenes zu übertreiben scheint mir auch angängig, weil ja alle Wahrscheinlichkeit die Wahrheit in sich trägt. Schriftlich zu äußern, was man selbst und in seiner ganzen Tragweite erlebt hat, ist das eigentlich Fatale, auch ins Allgemeingültige erhoben (oder heruntergezogen) behält es etwas von Entblößung, auch von Phantasielosigkeit – kennt dieser Autor denn nichts anderes als seine Autobiographie, er mag sich verkleiden, die Maske des Herrn X, der Frau Ypsilon anlegen, wir erkennen ihn doch. Das Autobiographische ist vielen Schriftstellern nachgewiesen worden. Wer die Form des Tagebuchs, der Briefe, der Aufzeichnungen wählt, ist doppelt verdächtig, nicht einmal zur Verfremdung hat er sich die Mühe gegeben,

bietet dem Leser nur an, was Byron »das Erbrochene seiner Erinnerungen« nennt. Was uns auf den Nägeln brennt,
muß aber aus der Feder, was die Feder (oder die Schreibmaschine) aufgezeichnet hat, in den Satz und damit erst
eigentlich unter die Leute, das ist ein anderes Gesetz, ähnlich dem der Schwerkraft, eine Notwendigkeit, der sowohl
die mit Phantasie begabten wie die immer wieder das
eigene Ich Anbietenden, die fatalen Ich-Ich-Ich-sager
unterliegen. Der Drang zur Bloßstellung wird mit der
ersten Zeile eines Schriftstellers geboren, nicht etwa erst
durch den Erfolg angeregt. Hört mich, einen Menschen,
nicht unähnlich Euch selbst, empfindend was ihr empfindet, erleidend, was ihr erleidet, vielleicht nicht einmal
maßloser, nicht einmal heftiger als ihr, aber fähig auszusprechen, was ihr gerne aussprechen würdet, aber nicht
auszusprechen wagt. Was euch, wie die Franzosen sagen,
auf der Spitze der Zunge liegt, da aber liegen bleibt, aus
Zurückhaltung, aus Takt, aus Sprechunfähigkeit oder eben
aus jenem Schamgefühl, das dem Schriftsteller abzugehen
scheint. Das vielleicht auch in ihm vorhanden ist, ihm
Unbehagen bereitet, ihn aber nie verhindert, sein Manuskript an einen Verleger zu schicken, Korrekturen zu lesen,
den Umbruch, da ist, was er durchgemacht hat, schon in
Seiten abgeteilt, könnte trotzdem noch zurückgezogen werden, wird aber nicht zurückgezogen und zwar vor allem
wohl deswegen, weil es eben doch kein Erbrochenes, sondern die Frucht einer Arbeit ist. Zahllose Arbeitsstunden,
Bemühung um die Form, Worte abgehorcht, Sätze gedreht,
gewendet, Morgenstunden, Nachtstunden, schon selbst ein
Stück Leben, da hat sich inzwischen alles verändert, ist
dem Persönlichen entwachsen, und das Wort Schamgefühl
hat seinen Ort hier nicht mehr.

Eichendorffgedichte soll ich herausgeben, ich habe mir, unter vielen, diesen Dichter selbst herausgesucht und schrecke nun zurück, die Jugendliebe scheint dem kritischen Blick des Alters nicht standzuhalten, zudem läßt sich eine Auswahl in dem gewünschten Umfang nicht vertreten, einhundertdreißig, einhundertfünfzig gute Gedichte, bei welchem Lyriker fände man sie überhaupt? Außerdem würde es gewiß schwer sein, Eichendorff, den besessenen Wanderer, den gläubigen Katholiken, den Patrioten der heutigen Jugend nahezubringen, was doch der Sinn einer solchen Auswahl sein muß. »Ihr« Dichter heißt es in dem Brief des Verlegers, aber *mein* Eichendorff, das sind, bei Licht betrachtet, 30 oder 40 Gedichte, für die kann ich einstehen, die kann ich verteidigen, weil sie persönlich sind, Eichendorffs Wesen und Schicksal, alles andere folgt dem Zeitgeschmack, ist romantische Manier, religiöse Konvention. Eine Gliederung nach Sachgebieten, Natur, studentisches Leben, Kirche, Krieg, Vaterland würde vieles aufnehmen können, was man als unbedingt gelungen nicht bezeichnen will, wäre aber langweilig und konventionell. *Mein* Eichendorff, das ist der, dem der Boden unter den Füßen wankt, der Gespensterseher und Stimmenhörer, also nicht unbedingt nur der strahlende Florens der Studentenzeit, aber doch auch nicht der in Beruf und Ehe sicher verankerte Mann. Nicht der Humorvolle des »Schreckenbergers« und der »Glücksritter«, nicht der Patriot der Freiheitskriege, aber doch der Soldat, der die himmlische Zitadelle stürmen will. Der Heimwehkranke vor allem, bei dem die irdische Heimat Lubowitz für sich selbst steht, aber doch noch für einiges andere, die Jugend mit den Freunden, das Dichter- und Studentenleben, nach dem Eichendorff sich in der wachsenden Freudlosigkeit seiner späteren Beamtenlaufbahn immer mehr zurückgesehnt hat. Er wurde alt dabei, und ein alter Romantiker ist wie ein alter Wandervogel, ein alter Gammler, ein Unding, auch die Brüderlichkeit der ersten Jugend ist später nicht mehr herzustellen, so richtig nicht einmal in den Freiheitskriegen, während denen Eichendorff zudem keine Zitadellen stürmte, sondern in der Etappe organisierte und schrieb. Danach gab es nur noch den einen, den leiblichen Bruder, der alles wußte, bei allem dabei gewesen war. Zeitgemäß, unserer Zeit gemäß ist weder die Trauer um das Verlorene noch der Trost im Glauben und schon gar nicht Eichendorffs oft überschwängliche Liebe zur Natur. Seine gereimten Verse klingen dem heutigen Leser ungewohnt, wirken gestelzt oder spielerisch, werden kaum noch akzeptiert. Wer Eichendorff oder auch nur eine Seite Eichendorffs dem heutigen Leser vorstellen will, darf diese Bedenken nicht übersehen. Er muß sich klar machen, daß er es mit einem hoch Verdächtigen zu tun hat – mit einem der Naturduselei, des Nationalismus und der Liebjesulein-Frömmigkeit Verdächtigen, der trotzdem außerordentlich schöne Verse geschrieben hat, und der aus der deutschen Dichtung nicht wegzudenken ist. Der Hinweis auf das Phänomen der deutschen Romantik genügte da nicht. Es müßte das für meinen Begriff einzig Eichendorffsche, die Verlassenheit in der Brüderschaft, die Un-heimlichkeit der so viel gepriesenen Wälder, die Welt- und Todesangst in der religiösen Geborgenheit vorgestellt werden. Damit vielleicht ließe sich eine Brücke schlagen zu einer Generation, die nicht weniger jugendbewußt, nicht weniger unbürgerlich, nicht weniger unruhig als die Eichendorffs, die nur eben die eines technischen Zeitalters ist.

Ich erzählte einem Besucher aus Israel, einem mir ganz fremden Manne, von einem Traum, den ich vor einiger Zeit gehabt, den ich, wie man sagt, verdrängt habe und der mir erst in diesem Augenblick wieder eingefallen ist. An die Einzelheiten dieses Traumes konnte ich mich nicht erinnern, ich wußte nur, daß ich in einer ähnlichen Lage gewesen war wie vor etwa fünfundzwanzig Jahren. Ich sah, im Traum, mit an, wie Juden mißhandelt wurden, ich hätte einschreiten, zum mindesten protestieren können, und tat keines von beiden, obwohl ich mir vollkommen bewußt war, daß sich die Szene jetzt abspielte, jetzt, heute, nach so vielen Vorsätzen, so etwas geschieht mir nicht noch einmal, so feige werde ich nie wieder sein. Das Entsetzen, das ich beim Aufwachen empfand, kann ich schwer beschreiben, ich konnte es auch meinem Besucher nicht deutlich machen, da es noch halb in der Traumwelt angesiedelt und darum von irrationaler Dringlichkeit war. Ich erwachte in Tränen, auch das habe ich, merkwürdig schamlos, meinem Besucher erzählt. Ich wollte ihm aber klar machen, daß das Traumvergehen hundertmal schwerer wog als all unsere damaligen Feigheiten, erst die Wiederholung, bei voller Kenntnis des vor einem Dritteljahrhundert Geschehenen zeigte die eigene Minderwertigkeit im vollen Licht. Der Besucher kritzelte in sein Notizbuch, er war gekommen, um verschiedene Leute auszufragen, nicht um Zeitungsartikel zu verfassen, sondern im Hinblick auf einen Roman, den er zum Teil schon geschrieben hatte und in dem nur die letzten Kapitel, die Rückkehr eines jungen, mit fünfzehn Jahren nach Israel geflohenen Juden fehlten. Seine Frage, ob die Beziehungen zwischen Juden und Deutschen je wieder normal werden könnten, konnte ich für meine (die schuldige) Generation nicht bejahen, vielleicht für die heute Jungen – er selbst machte den Unterschied zwischen Vergeben und Vergessen, Vergessen sei unter Umständen möglich, Vergeben nicht.

Die Erfahrungen, die er auf dieser Reise machte, wollte er seine Gestalt, einen um zehn Jahre jüngeren Menschen, im Roman machen lassen. Es waren das vor allem Besuche auf Ämtern, die etwas mit der Wiedergutmachung zu tun hatten, um Zahlenmaterial ging es, wieviel D-Mark und D-Pfennig für ein Paar toter Eltern, die, am Leben geblieben, noch so und soviel hätten verdienen können, wieviel Mark und Pfennige für jeden Tag der Freiheitsberaubung und dergleichen mehr. Die ganze Rechnerei erschien ihm absurd, zudem demütigend, er hätte es vorgezogen, wenn die Juden in Israel eine Wiedergutmachung abgelehnt hätten, oder wenn ein internationaler Gerichtshof die Deutschen zur Zahlung einer bestimmten Summe verurteilt hätte. Gerade die von vielen Deutschen als Zwang empfundene Freiwilligkeit der Aktion schien ihm vom Übel, da sie, wie er meinte, die Juden moralisch verpflichtete, für die toten Eltern war bezahlt worden, also hatte man Ruhe zu halten, die Gefühle des Hasses und der Empörung zum Schweigen zu bringen. Wer in Israel die Wiedergutmachung, seine persönliche, abgelehnt hatte, konnte verzeihen oder nicht verzeihen, vergessen oder nicht vergessen, war frei. Für die Unzufriedenheit im Wohlleben hatte mein Besucher viel Verständnis, auch dafür, daß junge Menschen sich angesichts einer Forderung eher als in der Verwöhnung wohl fühlen, er erinnerte sich da wohl an die ersten Jahrzehnte seines jungen Staates, in denen den Kolonisten viel abverlangt worden war. Es war ihm aus dieser Sicht auch das Anwachsen der Nationaldemokratischen Partei, besonders auch ihr Zufluß aus dem Bauernstand, durchaus verständlich. Er war aber empört darüber, daß so viele Deutsche ihm auf die Frage, was sie bei einer eventuellen legalen Übermacht der N.P.D. zu tun gedächten, geantwortet hatten, daß sie dann auswandern würden und sofort. Das machen wir nicht noch einmal mit, warum eigentlich nicht, weil wir nicht noch einmal lügen, nicht noch einmal feige sein, nicht noch einmal unsere Selbstachtung verlieren wollen. Von Dableiben und Kämpfen sprach nicht einer, und auch ich habe ihm diese Antwort nicht gegeben.

<br>

*26. Februar*

Sie hat es nicht leicht, sagte eine Freundin von D., nicht leicht in der Ehe, meine ich, es wächst ihr ein Baum im Zimmer. Mit dem Baum war der Mann gemeint, der Maler, der so sehr eine Natur, so sehr »ein Auge« war, daß sich mit ihm über Menschliches kaum sprechen ließ, jedenfalls nicht in der Art, wie Frauen das zuweilen nötig haben – was denkst du von dem und jenem, ist dir nicht dies oder das aufgefallen, aber es war ihm nichts aufgefallen, er lebte in einer anderen Welt. Das alles ist fünfunddreißig Jahre her, wir hatten D. gern, aber ihren Mann lieber als sie, sie hatte oft etwas Bitteres und Strenges, während er arglos war wie ein Kind. In unserem Freundeskreis hieß sie die Kratzbürste, was aber eine spaßhafte Bezeichnung war, so als wüßten wir alle, daß die rauhe Unverbindlichkeit nicht eigentlich zu ihrem Wesen gehörte. Die sanften, zarten Töne konnte man auch vernehmen, aber eigentlich nur aus dem Hinterhalt, die kamen, wenn sie mit ihren Kindern, mit Kindern überhaupt allein war, manchmal auch ohne alle Kinder, auf einer Landpartie, da ließ sie sich necken, erzog nicht, kritisierte nicht, warf sich wie ein schlankes noch ein wenig ungelenkes junges Mädchen ins Gras. Als ich ihr, der um viele Jahre älteren auf dem Weg in eine Gymnastikstunde das Du anbot, war sie außer sich vor Freude, sprach auf dem Rückweg lebhaft, glücklich, mit einer ganz veränderten weichen Stimme. Nicht genug Liebe, dachten wir manchmal, sahen in ihrer Sprödigkeit eine Art von Mangelkrankheit, und konnten uns auch das nicht erklären, wenn nicht mit der Eigenart ihres Mannes, den sie liebte und der sie liebte, aber eben auf seine unverstehende und unverständliche Art. Das war die junge D., von ihren mittleren Jahren weiß ich nicht viel, nur daß ihr Sohn sehr jung im zweiten Weltkrieg fiel und daß ihr Mann im Kleinen Darß, einem Sumpf und Urwald an der Ostsee zur Zeit der russischen Besatzung rätselhaft und spurlos verschwand. Im Alter war sie anders geworden, nicht mehr kampflustig, nicht mehr kratzbürstig, eine Großmutter, die im Haus einer Tochter und bei vier Enkeln lebte, froh war, gebraucht zu werden und sich manchmal danach sehnte, ihr eigener Herr und ganz allein zu sein. Ihr Sterben dauerte viele Monate, als ich sie im Krankenhaus besuchte, war sie zugleich uralt und ganz jung, ihre Augen lagen in tiefen Höhlen, hatten aber den strahlenden Glanz. Wie eine Braut, das fiel mir ein, obwohl Bräute heutzutage nicht mehr strahlen, auch meistens alles schon hinter sich haben und vor sich nur die lästige Familienfeier und das gemeinsame Leben, das es auf irgendeine Weise zu bestehen gilt. Eine Braut Christi? – ich wußte von ihren religiösen Überzeugungen nichts. Ich war nur erschüttert durch die Mädchenhaftigkeit ihrer Erscheinung, den liebevollen Klang ihrer Stimme, auch durch das, was sie, lebhaft und interessiert, erzählte: von einer Zweiteilung ihres Wesens während der langen Operationsnarkosen und wie sie da mit sich selbst gesprochen hatte, nein, nicht mit sich selbst, mit einer Frau, mit einem Mann, der aber keineswegs ihr verschwundener, und vielleicht auch sie selbst gewesen sei. O die Höflichkeit der Sterbenden, die so tun, als glaubten sie ans Gesundwerden, so lange, bis man es selber glaubt, noch einen Brief schreibt, ein Buch schickt, dann nichts mehr, und eines Tages liegt der Schwarzrandbogen auf dem Tisch.

26. Februar

Vergiß nicht, rede ich mir zu, du hast das Goldene Horn gesehen. Deine Freunde haben geheimnisvolle Leiden, deine Freunde sterben, sie sterben an deinem Alter, an nichts anderem, wer hätte sich das einmal vorstellen können, diesen Umgang mit Todeskandidaten und wer weiß, auch dich betrachten sie als einen solchen, in den Schubladen der Redaktionen liegt dein Nachruf bereit. Es ist nicht alles gekommen, wie du es dir geträumt hast, weggestorben ist dir der Liebste und du nicht mit ihm, auch nicht gleich danach, nicht einmal bald danach, deine furchtbare Lebenskraft hat dich aufrecht erhalten, wenn auch nicht gesund, du schläfst schlecht, dein Puls rast und springt, deinen Knochen fehlt dieses und jenes, so daß sie nicht mehr federn, dich nicht mehr wie sie sollten tragen. Es gibt Erfahrungen, die du wohl nie machen wirst, zum Beispiel, wie das ist, Enkelkinder haben, ob man die liebt oder ob sie einem vollständig gleichgültig sind, gleichgültiger als irgend ein Kind, das auf der Straße rennt und seinen kleinen Stock an einem Gartengitter tanzen läßt, o die vertraute Musik. So viele Dinge, die ausgeklammert werden, obwohl man mit ihnen gerechnet hat, zum Beispiel damit, einmal etwas zu schreiben, bei dem man, wenn man es gedruckt sieht, *keine* schlechten Gefühle hat, das man *nicht* minderwertig findet, nicht von minderem Wert als die Gedichte, Geschichten, die *zählen*, einmal nicht. Dies und das also, Gründe genug, sich zu beklagen, ebensoviele und mehr zu frohlocken, die aber hier nicht aufgezählt werden sollen, nur das Eine – wir sind um die Mauern von Stambul gegangen, wir haben das Goldene Horn gesehen.

*Ende Februar*

Wer die Pariser Gesamtausstellung von Picasso nicht gesehen hat, dem ist doch vielleicht, leihweise oder als Geschenk, der Katalog ins Haus gekommen, er hat darin geblättert, lustlos zuerst, viele Abbildungen, aber wenige in Farben, und kommt es eigentlich auf die Farben an, was hat man von den genauen Angaben, Höhe und Breite, Entstehungsjahr, Name des Besitzers, Wortlaut der Signatur. Dann bemerkt man, dann habe ich plötzlich bemerkt, daß der Katalog chronologisch angeordnet ist, daß ich also, seinen Seiten langsam folgend, ein ganzes Leben und ein ganzes Lebenswerk in mich aufnehmen kann. Mit fünfzehn Jahren gemalt: l'homme a la casquette und die Filette aux pieds nus, mit dreißig die kubistischen Portraits, mit einundvierzig die dicken Frauen am Brunnen, mit fünfzig den teigflüssigen Akrobaten, mit neunundfünfzig die dämonische Katze, mit siebzig die Courbet-Variation der Fräuleins am Seineufer, mit achtzig das Frühstück im Freien, mit fünfundachtzig die unheimlich grinsenden kleinen Melonenesser mit dem Hahn.

Daß solche Betrachtung in Jahrzehnten wenig Aufschluß gibt, merkt man bald, Jahr um Jahr, beinahe Monat um Monat sind zu verfolgen, wenn man der genialen Mallust auf die Sprünge kommen, ihr Geheimnis ergründen will. Zuerst naturalistisch-humanistisch, dann verzerrt, dann kubistisch, dann monströs, aber diese Reihenfolge gilt nicht, und es gibt keine, die eine folgerichtige Entwicklung andeuten könnte. Zwischen dem trotzig lieblichen Knaben mit der Pfeife und den Demoiselles d'Avignon liegen nur zwei Jahre, das ungeheuerliche Langustenkind ist nur ein Jahr nach der hübschen Bühnenszenerie Café à Royan gemalt. Klassizistisches, bitte, barocke Satyren, Nymphen, Meeresrösser, traditionelle weiße Frauenakte, alles nicht wie es Euch, aber wie es mir gefällt. Plötzliche, unwillkürliche Einbrüche lassen sich trotzdem feststellen, wenn auch nicht erklären, jedenfalls nicht ohne eine minutiöse Kenntnis der Biographie. Was zum Beispiel ist da geschehen, im Jahre 1907, als Picasso das Bild »Les demoiselles d'Avignon« malte, vor dem es dann im Publikum zu Manifestationen des Abscheus und des Entsetzens kam. Da waren vorausgegangen: die Seiltänzerfamilie, rührend und traurig, die drei einfältigen Holländerinnen, der Knabe mit der Pfeife und dem Rosenkranz, das Mädchen mit dem Fächer, der schönen Handbewegung und dem blassen klaren Profil, auch das Portrait der Gertrude Stein, fast in Altmeistermanier gemalt. Die Mädchen von Avignon, in meinem Katalog farbig wiedergegeben, brechen nackt, nur von weißen Schleiern umhüllt, aus roten und blauen Vorhängen, und sind doch keine Balletteusen, gehören auch der von Picasso so oft dargestellten Welt der Seiltänzer und Zirkusleute nicht mehr an. Was sich in ihnen und auf dem Bild selbst vollzieht, ist die Verwandlung von menschlichen Geschöpfen in Dämonen, die Verzerrung des sogenannten Normalen findet hier gewissermaßen vor unseren Augen statt. Die drei Mädchen auf der linken Seite des Bildes sind wohl ein wenig unheimlich durch ihre Riesenaugen und starren Blicke, aber mehr als ein wenig unheimlich doch nicht. Aber auch sie werden, das spürt man, nicht so bleiben wie sie sind. Das schreckliche Gasmaskenrüsselgesicht, die hakenohrige, metallnasige Fratze der beiden Mädchen am rechten Bildrand zeigen nur an, wohin der Weg führt und nicht nur der Weg der drei Mädchen zur Linken allein. Ich überlege, was da über den Maler gekommen ist, drei passabel menschliche Frauenakte und dann das Schreckliche, der Schrecken an sich. Oder dreimal das schöne Außen und dann plötzlich das Innen, die Verderbtheit, die Hoffnungslosigkeit, die Aggression. Was alles in späteren Epochen Picasso noch viel entsetzlicher zum Ausdruck gebracht hat, monströser, nicht mehr zu entwirren, nicht mehr in Ordnung zu bringen durch das Auge des Beschauers, das so lüstern ist auf die Entdeckung einer kleinen formalen Harmonie. Noch schlimmer also später, schonungsloser, da habt Ihr eure Welt, wie sie wirklich ist, euch selbst, wie ihr wirklich seid – aber auf dem Bild »Les demoiselles d'Avignon« war, daß er es uns zeigte, eben das erste Mal.

TRÄUME 3, 4                                              *1. März*

Träume. Ich sehe ein Seil, wahrscheinlich ein Drahtseil, das zwischen zwei Stäben ausgespannt ist und auf dem sich eine rote Kugel, ähnlich den Kugeln unserer ersten Rechenschieber, aber eben nur eine, langsam und nur in der Mitte des Drahtseils, ein wenig nach rechts und nach links verschiebt. Während ich der Kugel mit den Augen folge, wird der Himmel oder eher die Luft hinter dem Drahtseil zuerst gelb, dann kräftig orangerot. Starkes Glücksgefühl.

Ich gebe einem Bekannten die Hand und erschrecke, weil ich da, in der Handfläche, etwas spüre, etwas schleimig

Klebriges, so daß ich fester zugreifen und mit dem Finger nachfühlen muß. Was ist das, eine Wunde, die aber nicht weh zu tun scheint, vielleicht von meinem Bekannten noch nicht einmal bemerkt worden ist. Keine Wunde, sondern eine Fäulnis, ich stecke, während wir uns zulächeln und freundliche Worte wechseln, den Finger immer tiefer in die glitschige Grube, müßte längst auf den Handknochen gestoßen sein, stoße aber auf nichts, wühle nur, und mit Entsetzen, in dem unbegreiflichen Sumpf. Eine Auflösung bei lebendigem Leibe, die vielleicht auch schon die Fußflächen, die Achselhöhlen der betreffenden Person ergriffen hat. Endlich ziehe ich meine Finger zurück und betrachte sie unauffällig: sie sind trocken und vollkommen rein.

*1. März*

Der Sturm schüttelt die Bäume, reißt ihnen Äste ab und schleudert die Äste auf den Gehsteig, kommt vom Atlantik, ist aber noch unverbraucht rüstig, durchaus imstande Dächer abzudecken, Mauern einzustürzen, Kraftwagen von der Straße zu fegen. Nichts von städtischer Gesinnung und Gesittung, und wilde Regenböen schiebt er vor sich her. Fest geschlossene Fenster öffnen sich, Türen schlagen, das Zimmer ist voll von beschriebenen Blättern, kleinen Drachen, die zappeln und fliegen, und während ich nach ihnen greife, höre ich zum wievielten Male an diesem Tag die Unfallsirene, neunzig Einsätze, hundert Einsätze, man wird morgen in der Zeitung davon lesen. Der Sturm tobt nicht nur hier, auch in der Schweiz, am Bodensee, auch im Hexental, das fehlte noch, daß er die Linden im Hof umstürzte oder eine von ihnen, woraufhin mein Bruder die sieben andern gewiß fällen ließe, es ist etwas in ihm, etwas Radikales, eine weg, alle weg. Ich könnte anrufen,

aber ich wage es nicht. Dabei kann ich nicht leugnen, daß
mir das Wehen gefällt, auch das Zausen und Klappern
und Klirren, dreh dich nicht um, der Plumpsack geht
herum, Westsüdwest, Windstärke 11 mit hundert Stunden-
kilometern vom Atlantik her, und was war der Turm der
Winde in Athen für ein hübsches zierliches Gebäude, acht-
eckig, soviel ich mich erinnere, aber da wohnen die Winde
nicht, wohnen überhaupt nirgends, entstehen, vergehen.
Haben, seit sie die Windmühlen nicht mehr treiben, den
Dreimastern nicht mehr in die Segel blasen, mit den Menschen nur wenig zu tun; nur eben an Tagen wie heute, da
gehen wir zu ihnen über mit fliegenden Gardinenfahnen,
sind nicht mehr stolz auf das bedrohte Menschenwerk,
vielmehr stolz auf die alte wilde Natur, die noch dieses
und jenes ins Wanken bringen kann. Dabei doch kein
Wohlbefinden, vielmehr eine furchtbare innere Unruhe,
so als sei das kein Zufall, diese im Zimmer umherfliegen-
den beschriebenen Blätter, als sei es vielmehr sehr zweifelhaft, ob man nicht nur diese, sondern auch seine Gedanken
je wieder in Ordnung zu bringen vermöchte. Auch die
schrillen Quarten der Unfallsirene könnten andauern, noch
häufiger werden, ineinander übergehen, nicht endendes
Angstgeheul einer gequälten Menschheit, deren Widersacher freilich nicht mehr die elementare Natur, sondern
ihre eigene blinde Zerstörungslust ist.


*2. März*

Leben wir, sagte C. am Telefon, nicht eigentlich durch die
Bilder, die andere Menschen sich von uns machen, und ist
die Leblosigkeit mancher alter Menschen nicht dadurch zu
erklären, daß es nur mehr wenige Personen gibt, die ein
Bild von ihnen in Gedanken immer wieder herstellen

können? Über diese Frage dachte ich nach, als wir unser Ferngespräch, das erste nach zehn Jahren antipodischer Entfernung, beendet hatten. Daß die Toten erst wirklich sterben, wenn die letzten, die sie noch gekannt haben, nicht mehr am Leben sind, war mir längst klar gewesen, auch die furchtbare Härte, mit welcher zu diesem Zeitpunkt, also erst vielleicht fünfzig Jahre nach ihrem Tode, dann aber unwiederbringlich ihre Stimmen, Blicke, Bewegungen ausgelöscht werden. Bei diesem sozusagen sekundären Tod läuten keine Glocken, werden keine Salven geschossen, keine Blumen ins Grab geworfen, niemand wird wissen, wann er eintritt und welche Person dazu ausersehen ist, ihn, zusammen mit dem eigenen Sterben, zu vollziehen. Über diese Binsenwahrheit gingen C.'s Gedanken weit hinaus. Wir, noch am Leben, sollten nur in der Vorstellung anderer eigentlich existent sein und, selbst noch atmend, essend und trinkend, mit dieser Vorstellung zugrunde gehen. Es wäre dann die Zeit unseres stärksten intensivsten Da-seins die, in welcher wir imstande sind, leidenschaftliche Gefühle und heftige Reaktionen zu erwecken, entscheidend, lauter farbige, konturenreiche Bilder, die auf uns zurückstrahlten und uns mit Kraft versähen. Diese hier und dort aufblühenden Spiegelbilder würden zwar von uns nicht wahrgenommen, es ginge aber mit ihrem Erlöschen viel und schließlich alles verloren. Weißt Du, schrieb Bismarck im Jahre 1851 an seine Braut – daß der Mann noch lebt? – Er meinte den Dichter Eichendorff, dessen Lieder überall gesungen wurden, der noch aß und trank und sogar noch arbeitete – es waren aber die Herzen seiner Jugendfreunde bereits zu Staub zerfallen und mit ihnen das Bild seines Wesens, seiner lebendigen unverwechselbaren Person.

Auf meinem Tisch liegt ein Zeitungsblatt, links oben eine
alte Photographie, Bildnis des Ehepaares Johannes und
Marie Hesse, die auf einer Bank oder einem Sofa nebeneinander sitzen, während der Sohn Hermann sehr groß,
sehr breitschulterig, mit hohem steifen Kragen und stu-
dienrätlich bleichem Zwickergesicht hinter ihnen steht. Da
hab ich sie nun endlich vor mir, die beiden, über die ich
mich beim Lesen der »Kindheit vor 1900«, einer Sammlung
von Briefen und Lebenszeugnissen der Familie Hesse so
über alle Gebühr aufgeregt habe. Diese Mutter, die ihrer
Tochter lauter zärtliche Briefe schrieb, Herzenskind, Sjö-
delbarn, Schäfle, die aber für den Sohn Hermann kaum je
ein warmes Wort hatte und die als Zeichen ihrer äußersten
Zufriedenheit über ihn nur schrieb, daß er »traktabel« sei.
Diesen Vater, der bei all den gefährlichen Pubertätsschwie-
rigkeiten des Sohnes nichts anderes zu raten wußte als das
Gebet, der seinem Hermann scheinheilig nicht verzeihen,
sondern sich von ihm verzeihen lassen wollte. Diese Eltern,
die den Sohn zuhause nicht ertragen konnten, ihn von
Pflegeheim zu Pflegeheim schickten, immer zu Pfarrern, die
den Knaben mit überströmender Milde und Hilfsbereit-
schaft aufnahmen und sich seiner entledigten, sobald sie
sich als Christen und als Erzieher hätten bewähren müssen. Diese Eltern, die ihr Kind, wären nicht die Psychiater vernünftiger gewesen, im Alter von fünfzehn Jahren
ohne weiteres in eine Irrenanstalt gesteckt hätten. Diese
nicht durchaus unmusischen, auch nicht provinzlerischen
Leute, die als Missionsehepaar in Indien gewesen waren
und sich mit fernöstlichen Sprachen und fernöstlicher Religion beschäftigten, und die doch nicht verstanden, daß die
Gedichte, die Hermann zu ihrem Mißfallen schrieb, seine
Rettung hätten sein können, wie sie es ja später tatsächlich

geworden sind. Diese Eltern, die der Sohn von einem Tag zum andern mit dem längst nicht mehr gebräuchlichen SIE anredete, die er aufforderte, ihn zu töten, denen er schrieb: »Ich sehe und bewundere Eure Opfer, aber eigentlich Liebe? Nein!« Und hinter diesen Eltern der Sohn, da hat er sie schon überwachsen, da sind die Zeiten seiner furchtbaren Leiden vorbei. Da sitzen sie, ganz anders, als ich sie mir vorgestellt hatte, zwar die Mutter fast noch härter, mit großem schmal zusammengekniffenem Mund und tiefliegenden glühend strengen Augen, aber der Vater keineswegs der starre Gotteseiferer, der verständnislos strenge Alte, vielmehr ein zarter Mensch mit gütigen Augen und einem Lächeln im Bartgestrüpp. Worüber mir einfällt, daß er (wie der Sohn, wie noch mehrere Mitglieder der Familie) fast beständig Kopfschmerzen hatte, da versteht man, daß er vielleicht wirklich das Beste wollte und nur »zu nervös«, nur seinem Schicksal Hermann nicht gewachsen war. Wie so viele Eltern hatten auch die Eltern Hesse mehr Glück als Verstand, mehr Glück als wirkliche Güte – der Ausreißer und Ausbrecher Hermann zog sich am Ende ohne ihre Hilfe und sozusagen an seinem eigenen Zopf, an seinen Gedichten, aus dem Sumpf.

Während die von der so überaus ordentlichen Familie Hesse gesammelten Briefe, diese furchtbaren Zeugnisse von Unverständnis und pietistischer Frömmelei, in einem Schrank vergilbten, verzieh Hermann Hesse seinen Eltern. Schon im Jahre 1907, also keineswegs als abgeklärter Greis, sondern dreißig Jahre alt, hat er einer tiefen Dankbarkeit und Verehrung für Vater und Mutter Ausdruck gegeben.

Ein Ballett, bei dem Buchstaben tanzen. Die Buchstaben
haben verschiedene Farben oder werden mit verschiedenen
Farben angestrahlt. Sie ordnen sich zueinander, wobei zuerst sinnlose Kombinationen, später kleine Wörter entstehen. Etwa: ein mein dein kein. Der Scheinwerfer trifft
auf solche Wörter, wandert dann weiter, um am dunkeln
Hintergrund andere zum Aufleuchten zu bringen. Ausgedrückt werden soll das Ringen um Sprache, das mit der
Zeit einen immer dramatischeren Charakter annimmt. Die
Buchstabentänzer stehen nicht alle auf einer Ebene, sondern etwa auf einer breitstufigen Treppe, so daß nach und
nach der ganze Bühnenraum sich mit Wörtern füllen kann.
Besondere Akzente bekommen Worte wie Ich Du Wir
Gott Tod. Der Zuschauer muß das Gefühl haben, daß die
Worte sich aus einem Zwang heraus und unter Umständen
gegen ihren (und seinen) Willen bilden. So etwa das Wort
Treblinka, das mit der harmlosen Silbe REB anfängt, oder
das Wort GRAB, das zuerst RAB, dann TRAB, dann
GRABEN, dann GRAB lautet. Die Buchstaben T, E und N
erscheinen gewissermaßen versuchsweise und verschwinden
dann wieder. Ein vollendetes, das heißt endgültiges Wort
wird von einem Musikakzent begleitet. Nach den einzelnen Worten können ganze Sätze versucht werden, auch
Slogans oder Werbetexte, die Sätze können einander
wie in einer Art von Kampf auszulöschen versuchen.
Es können sich auch grammatikalische Schemata, wie in
einem Schulbuch zusammenfinden, ich habe, du hast, er
hat, wir haben, ihr habt, sie haben, dann in großen Buchstaben der Infinitiv. Auch ein Spiel mit Assoziationen
könnte stattfinden, zu dem Wort Meer träten dann andere
Worte aus der Meereswelt, wie Brandung, Welle, Flut,
Sturm, Schiff, Fisch, Fischzug, wunderbarer Fischzug. Zu

dem Wort Krieg die Worte Sirene, Verdunkelung, Geschwader, Christbäume, Trümmer, Splitter, Phosphor, Feuer, Flucht. Das alles am Ende wieder ausgelöscht und gebildet die Worte Leib, Leiden, Leben, Liebe, Lob, welch letzteres Wort schließlich allein in der Mitte stehen bleibt, während außen ein Wirbel von Buchstaben tanzend erlischt.

*10. März*

Es wäre interessant, welche Rolle die Natur im Bewußtsein junger Menschen von heute spielt, und ob sie überhaupt noch imstande ist, das Lebensgefühl des Einzelnen zu erhöhen. Ich selbst erinnere mich ungezählter Glücksmomente, die durch nichts als durch das Alleinsein oder Zuzweitsein in der Natur hervorgerufen worden sind. Ich nehme aber an, daß solche Empfindungen sich in den folgenden Generationen abgeschwächt haben oder ganz und gar verschwunden sind. Am Meeresstrand in der Sonne zu braten oder eine kurvenreiche Bergstraße in möglichst schnellem Tempo zu überwinden, ist schon etwas ganz anderes, das erste ein künstlich herbeigeführtes Vegetieren, das zweite ein Spiel mit Motor und Lenkrad, bei dem die Natur sich mit der Rolle einer rasch vorbeigezogenen Kulisse begnügen muß. Die langsamere Bewegung des Zufußgehens ist unbeliebt, vielleicht weil man nicht zur Besinnung kommen will, zu der man ja auch bei dem dumpfen Dösen des Indersonneliegens nicht kommt – zur Besinnung gehört Wachheit, aber nicht die zweckbedingte und gespannte des Rennfahrers, vielmehr eine helle, leichte, die auf nichts aus ist, keine sportliche Leistung, keine Überwindung der Trägheit, kein Ziel. Selbsterkenntnis freilich war durch unsere früheren Waldgänge und

Bergwanderungen auch nicht zu gewinnen, man war vielmehr ganz auf das Außen gerichtet, war ganz Auge, ganz Ohr und in solcher Anspannung des Entdeckens auch wieder völlig entspannt. Die Stille spielte in meiner Jugend eine große Rolle, auch die Entfernung aus der Menschenwelt, der die Natur als etwas noch Unberührtes und gleichsam Unschuldiges gegenüberstand. Die in ihr keineswegs seltenen und auch von den Spaziergängern nicht zu übersehenden grausamen Vorgänge, das so augenfällig zur Schau tretende Recht des Stärkeren (Absterben der schwächeren Bäume in einer Tannenschonung, Tiere, die andere Tiere verfolgen und verschlingen) beobachtete man, ohne sie eigentlich zur Kenntnis zu nehmen, jedenfalls ohne sich von ihnen stören zu lassen. Das Rauschen im Wald war Musik, der Sturm elementare Erhebung, der Blick auf einen reißenden Fluß erzeugte ein Wohlgefühl, das sich mit nichts anderem vergleichen ließ. Die Welt, unwillkürlich mit der Stadt gleichgesetzt, wurde von uns mit eins verlassen und verraten, schon hinter der ersten Biegung des Feldweges waren wir der menschlichen Gesellschaft entronnen, auch der Verantwortung, was mir heute schon ganz unglaubwürdig erscheint. Schon seit einiger Zeit nämlich sehe ich den Mangel an sogenanntem Naturgefühl bei den Jungen nicht als etwas durchaus Negatives, unser damaliges Aufgehobensein in der Natur nicht als unbedingt positiv an. Das soziale Gewissen, die Teilnahme an dem, was um uns geschieht, ist auf den friedlichsten Waldgängen nicht mehr zum Schweigen zu bringen. Auf den Gedanken, daß in der Natur alles heil sei und daß die Natur alles heile, käme ohnehin niemand mehr; es ist auch die innere Unruhe zu groß, als daß der Anblick eines goldgelben Steinbruchs oder einer besonders geformten Wolke sie beschwichtigen könnte. In uns selbst, den altgewordenen

Naturschwärmern, hat die Überzeugungskraft des Außermenschlichen nachgelassen. Nicht nur der Malerei, sondern auch der Lyrik läßt sich ablesen, daß neben der reinen, sinnentleerten Form die menschliche Erfahrung an die Stelle der alten Naturschilderung, Naturempfindung getreten ist. Die Erfahrung *des* Menschen, nicht eines einzelnen, des Menschen Unruhe, Unliebe, Angst.

*12. März*

Früher gaben die Eisenbahnen noch Stoff her für wirkliche Dichtung, wurden auch noch dämonisiert, waren zugleich technisches Wunderwerk und Höllenmaschine, Zolas Roman »La bête humaine« ist das beste Beispiel dafür. Die Flugzeuge, die doch noch als ein viel größeres Wunder hätten gelten müssen, waren trotzdem unergiebiger, nur in St. Exupérys »Nachtflug« war das Verhältnis Mensch-Maschine-Natur noch ein spannungsreiches, das von jedem Leser dieser Flugbeschreibung nachempfunden wurde.

Aus den Fenstern großer Düsenmaschinen hat wohl der eine oder andere Fluggast seltsame Lichterscheinungen beobachtet und von ihnen erzählt. Auch Weltraumpiloten haben ihre Eindrücke wiedergegeben, es ist das alles aber merkwürdig blaß und kahl geblieben, so als hafte gerade den erstaunlichsten und erschreckendsten Veränderungen unseres Weltbildes eine kalte Selbstverständlichkeit an.

Daß der durchschnittlich Gebildete weder Computer noch Raketentriebwerke auch nur hinlänglich zu erklären vermag, macht diese technischen Gebilde noch nicht zu dämonischen Wesen, mit denen Dichtung es von jeher zu tun gehabt hat, weswegen denn auch Versuche, sie in den Bereich der Lyrik oder der dichterischen Prosa zu ziehen, in einer Art von gehobener Science-fiction kläglich enden müssen. Die Angst vor der globalen Vernichtung ist als literarisches Thema nicht allzu verschieden von den Ängsten etwa des dreißigjährigen Krieges, die in der Barockdichtung ihren Ausdruck gefunden haben, auch nicht von der großen Weltangst des magischen Surrealismus, der die Zertrümmerung, Zerstückelung und Verrückung aller Dinge bereits vor dem ersten Weltkrieg ahnungsvoll vorweggenommen hat. Die Instrumente der Vernichtung können nicht besungen werden, offenbar auch dann nicht, wenn sie das Janusgesicht des Schreckens *und* der Weltbeglückung, des Untergangs *und* der Dreitage-Arbeitswoche zeigen.

Die Lokomotive stellte, rauchend, fauchend und Funken sprühend ihre Kräfte noch zur Schau, der Benzinmotor wirkt schon weniger spektakulär und hat in die Literatur denn auch nur mittelbar, als Rausch der schnellen Bewegung, Eingang gefunden. Die Gehäuse der Kernreaktoren sind glatt, fugenlos abweisend, geräuschlos und geruchlos entwickeln sich in ihnen die gigantischen Kräfte, deren Gesetze nur die Eingeweihten kennen. Das Forschergefängnis, von elektrisch geladenem Stacheldraht umgeben, ist ebenso unzugänglich wie unentrinnbar, aber steril, Höllenmaschinen ohne Höllengestank, weswegen sie als Fakten registriert, aber nicht mythologisiert werden können. Der Flug zum Mond, phantastischer als jedes Märchen, läßt uns, und nicht nur wegen der kahlen Dürre des angesteuerten Objekts, merkwürdig kalt, die Begegnung zweier, ihren Kapseln im Weltraum entstiegener Piloten hatte noch etwas Ansprechendes, jeder an seinem Fädchen hängend und an ihm in sein Gehäuse zurückgeholt, die Manöverbezeichnung »Rendezvous« war dabei rührend altmodisch, so wie der Titel »Seigneur«, den Werfels Menschen des elften Sternzeitalters ihrem Gast aus dem zwanzigsten

Jahrhundert geben. Was dem überwältigenden Eindruck und demzufolge auch der Mythenbildung entgegenarbeitet, ist die wenn auch oberflächliche, so doch allgemeine Übersehbarkeit der technischen Entwicklung – ein Geraune wie noch von der Wunderwaffe kann nicht mehr entstehen. Keiner kann keinem etwas erzählen, was dieser nicht auf seinem Bildschirm schon wahrgenommen, in seiner Zeitung bereits gelesen hätte – die noch verbleibenden Geheimnisse sind strategischer Art und werden als solche, nicht etwa als dunkle Manifestationen eines göttlichen Willens hingenommen. Wie denn Gott als Super-H-Bombenerzeuger auch nicht gilt und ihm, dem ohnmächtig Gewordenen die mögliche globale Vernichtung nicht in die Schuhe geschoben wird. Die furchtbare zwangsweise Entwicklung der Wissenschaft könnte uns die Kehle zuschnüren, tut das aber nicht oder doch nicht so, daß uns der Appetit am Leben verdorben würde, es kommt nicht einmal zu einer Weltuntergangsstimmung, in der jeder über sich selbst hinauswachsen könnte. Und nicht ernstlicher fassen wir das Abscheiden der Menschheit ins Auge als unseren eigenen, ebenso unausweichlichen wie unwahrscheinlichen Tod.

*15. März*

Es kommt vor, daß man eine Form verbraucht hat, einen Widerwillen gegen sie empfindet, sich ihrer nicht mehr bedienen will. Etwas Neues, wie bei mir nach dem letzten Band Erzählungen die »Beschreibung eines Dorfes« erweist sich unter Umständen als ein Unikum, die Form war nur für diesen einen Stoff verwendbar, mit diesem einmaligen Einfall verkoppelt, also keinesfalls ein Weg, der in eine neue schriftstellerische Zukunft führt. Auf solche Weise auf dem Trockenen dieser Tagebuchaufzeichnungen sitzend, horche ich doch ununterbrochen in mich hinein, gierig nach dem eigentlich Schöpferischen, dem Thema, das seine Form schon huckepack trägt und das eben um dieser Form willen mit keinem andern verwechselt werden kann. Gedulden, Gedulden, Gedulden, die von Rilke übertragene Valéry-Zeile fällt mir ein, ist aber für unseren heutigen Zustand nicht mehr verwendbar, ist zu pathetisch, klingt besonders durch die ihr nachfolgenden Worte »unter dem Blau« zu sehr nach Engelsflügeln, auf deren Rauschen gehorcht, nach deren Lichterscheinung ausgespäht wird. Wir im Zustande des Wartens sind noch ebenso zwiegespalten wie Valéry, aber nüchterner, einer der dem andern auflauert, aber in einer Art von kalter Spannung, wird er, dieser andere, etwas wesentlich Neues noch zu sagen haben, oder wird er, aus reiner Geschwätzigkeit, auf den alten Themen noch herumreiten, wobei man ihn dann zum Schweigen bringen müßte, alter Freund, so nicht wieder, so nicht. Es kann auch sein, daß einem etwas von einem Zeitgenossen geschriebenes außerordentlich gefällt, mir zum Beispiel Robert Pingets »Inquisitoire«, das hätte einem einfallen sollen, dieses bohrende Herausbekommenwollen, dieser aus barschen Fragen und unwilligen Antworten langsam sich herausschälende kleine Kosmos, Landhaus, Kleinstadt, Nachbargüter, Stadt. Dinge, Dinge, Dinge, die dann erst die Menschen in ihren verwickelten Beziehungen zur Erscheinung bringen. Es ist mir aber nicht eingefallen und ist natürlich auch nicht nachahmbar, solche Einheit von Form und Inhalt, nicht einmal von dem Verfasser selbst, dem auch nichts anderes übrig bleibt, als neu aufzubrechen, wie ja übrigens auch Goethe immer wieder, im Werther, in Wilhelm Meister, in den Wahlverwandtschaften neu aufgebrochen ist. In dem Wort Aufbruch liegt etwas von dem Aufbrechen einer Eierschale, ein vorher

Gefangengewesensein, was uns gefangennimmt, festhält, ist eben die alte, kürzer oder länger geübte Form – der Akt der Befreiung wird herbeigesehnt, kann aber nicht willkürlich herbeigeführt werden. Eine Anregung zu Gedichten kann von Worten ausgehen, eingefallenen oder aufgefallenen, die passen dann in ein innerlich bereits vorhandenes rhythmisches Schema, würden auch nicht einfallen oder auffallen, wenn sie nicht dem entsprächen, was einem gerade als sagenswert, nennenswert erscheint. Alle meine Geschichten waren Schicksale oder Bruchstücke von Schicksalen, dessen kann man schon überdrüssig werden, ohne den Menschen überzubekommen, der eben doch auch etwas anderes als ein Schicksalsträger ist. Nur daß eben das andere, das nicht schicksalhafte, in der konventionellen Erzählung nicht mehr ausgedrückt werden kann; weswegen es für mich gilt, zu warten und mich zu gedulden, wenn auch nicht mehr unter dem Blau vergangener Zeiten, sondern auf der kleinen lauten Verkehrsinsel, auf der wir eine imaginäre Hütte bauen.

ROM 5                                    *24. März*

Warum wir uns eigentlich so anstellten wegen der möglichen atomaren Vernichtung, was wir denn verteidigen zu müssen glaubten, fragte bei einer römischen Abendgesellschaft einer der Gäste, ein, wie ich später hörte, sonst ruhiger und schweigsamer Mensch, der sich aber bei diesem Gespräch sehr aufregte, gestikulierte und mit lauter Stimme sprach. Ob es nicht wichtiger sei, sagte er, sich zu fragen, wofür wir, der Mensch, die Menschheit, überhaupt noch lebten, von der Vergangenheit wolle keiner mehr etwas wissen und trotz aller erdenklicher Lebensannehmlichkeiten freue sich niemand mehr auf die Zukunft, wozu also den Menschen retten anstatt in ihm etwas zu retten, das des Überlebens würdig sei. Und nun reckte der Sprecher die Arme zu der edeln Kassettendecke und schrie, niemand und nichts ist des Überlebens würdig, also herbei mit der Bombe, herbei. Man lachte verlegen, widersprach, behauptete, daß die eigene Haut verteidigt werden müsse, weil es ohne sie keinen Geist, also auch keinen in Zukunft besseren geben könne. Der Mann blieb aber dabei, daß er für seine Person es gar nicht abwarten könne, er, ein Familienvater, sei das zu glauben, ja das sei zu glauben und tatsächlich, wir glaubten es ihm, wenn auch mit einem gewissen Entsetzen, das vielleicht weniger seinen Worten als unserer schwächlichen, wenig überzeugenden Widerrede galt.

ROM 6                                                  *25. März*

Mit einem Osterlamm fing es an, was, meine unwahrscheinliche, wiewohl lange geplante Reise auf den durch Erzählungen der Freunde, durch Bücher und Zeitungen sattsam bekannten Kontinent. Die Reise, die ich, wenn auch nicht fortlaufend und der Reihe nach, in Gedanken noch einmal machen will, wobei ich es dann gemütlicher habe, nicht gleich von allem wieder fortgerissen werde, auch bei Dingen verweilen kann, die, objektiv gesehen, nicht interessant, aber für mich wichtig waren.

In Rom, auf der Durchreise, also nicht der österliche Petersplatz, der berühmte Segen, da war ich gar nicht, hörte die Osterglocken in der Via Vittoria, spielte mit dem dicken Marzipanlamm, das trug ein Strahlenkränzchen aus Goldblech hinter dem Kopf. Halte es auch jetzt, wenn auch nur in Gedanken, zwischen den Fingern, mein Zeigefinger fährt an dem geschulterten Fahnenstängchen hinauf.

Rotes Fähnchen, viereckig, unten gezackt, mit Goldblechscheibchen in der Mitte, auch das Fahnenstängchen ist rot. Das Lamm, das dicke Schaf eigentlich, ist gelblichweiß, hat auf der Stirn wie auf der Brust ein braunes Flöckchen, hält die Beine untergeschlagen, auf dem Hinterteil sitzt ihm eine Schleife, ebenfalls mit einem Goldpunkt in der Mitte und ebenfalls rot. Das Schafsgesicht ist weiß, die Augen darin sind verschieden; in dem einen sitzt als Pupille ein schwarzer Punkt, in dem anderen ein schwarzes Kreuzchen, braune Brauen darüber und darunter zwei rosa Nasenlöcher und ein roter Kindermund. Lamm Gottes, Osterlamm, zum Verschenken bestimmt, aber erst einmal genau angesehen, und jetzt noch einmal, nur daß es jetzt aufsteht und sich auf den Weg macht auf seinen zittrigen Beinen und läuft die Zigeunerstraße hinunter, zur Seite der alten römischen Wasserleitung, und die Zigeunerkinder, aus Zeltplanen, Wellblechhütten, Mauerspalten quellend, laufen ihm nach. Lauf mein Lamm, rette dich mein Lamm, dort wo die Schuppentüre offen steht, ein großer Raum ist da, backofenwarm und sonntäglich still. Eine Gießerei mit fertigen Tier- und Menschenfiguren und mit Gebilden, die nichts darstellen wollen als sich selbst, fertige auf Podesten, in nasse Tücher geschlagene, lange Röhren mit Lehmgruben, formlose Pakete, zum Brennen bestimmt. Das Lamm ist verschwunden, auch aus meinem Leben, statt dessen höre ich jetzt wie einer den Bronzeguß erklärt, wie oft habe ich das schon gehört und nie verstanden. Statt dessen sehe ich etwas an, etwas glänzend Schwarzes, in Wölbungen kräftig aufstrebend, gut anzufassen, hart, glatt. Und nun fahren wir schon, fahren durch Campanien in einen Sonnenuntergang ohnegleichen, alle Hauswände glühend, alle Bäume Brandfackeln, alle Rebzeilen feuriges Kupfer, schön aber beängstigend, Feuer

hinter allen Fenstern und eine rote Wolke darüber ge-
bauscht. In Neapel funkelnder Platzregen und das Schiff
noch nicht gekommen, Inferno der rush hour und meine
lebensalte Angst vor den bösen Geistern dieser Stadt.

*28. März*

Reisebilder kommen, das sagte ich schon, nicht der Reihe
nach, vielmehr durcheinander, wie Photographien, die
niemand eingeklebt hat, die man jetzt aus der Schachtel
zieht, und beschriftet hat sie auch keiner, die alte Schlamperei. Hier die Festung Gibraltar, der düstere Klotz,
Möwenschwärme steigend und fallend, hier die dicken
Taue während des Sturmes durch die Innenräume des
Schiffes gespannt. Hier die bunten Luftballons, die im
Tanzsaal verteilt wurden, und nach denen die Tanzenden
schlugen, rosa weg, blau weg, grün weg, eklige kleine
Wursthäute, die vom Parkett gefegt werden, da tritt schon
die Tänzerin auf oder das Schiffspersonal in neapolitani-
scher Verkleidung, Kellner, Küchenmädchen, funiculi,
funicula. Die Offiziere schämen sich, aber die gutmütigen,
auch kindischen Amerikaner klatschen, stopfen sich aus
Höflichkeit die Pizza Napolitana in die übersättigten
Mägen, versuchen die allnächtlich geschenkte Stunde tot-
zuschlagen, was mit Hilfe harter Getränke auch gelingt.
Jetzt hüpft der Achtzigjährige auf die Tanzfläche, tanzt,
küßt die Mikrophonsängerin, la nostra Stella, die in allen
Klassen auftritt, währenddessen fährt das Schiff immer
weiter, den Azoren entgegen, an den Azoren vorüber, auf
Canada zu. Das Wetter wird rauh, die Fahrgäste schlucken
Seekrankheitsmittel, die Mannschaft trinkt Bier. Der Ozean
draußen ist der Ozean, überschüttet die Promenadendecks
mit verächtlichen Sturzseen, in der Turistica werden die

Vulkanfiberkoffer zugezwängt, die Türken und Griechen klagen und übergeben sich, wo sie gehen und stehen. Bei einer bestimmten Art von Wellenbewegung liegt die Schraube frei, was ein furchtbares Geräusch hervorruft, ein Rattern und Schüttern von unten her, wie ein Schleifen über riesige Felsen, die Bullaugen werden zugeschraubt, nichts mehr von Bläue und fliegenden Fischen, auch draußen nur Schwarzhimmel und grüner Gischt. Die Sandbänke von Terranova, Salmonidengewässer, aber nicht zu sehen und nachts das gespenstische Klirren und Scheppern, als reisten wir mit Lanzen und Morgensternen statt mit normalem Gepäck. Als der Sturm vorüber ist, taucht im Speisesaal auch die venezianische Gräfin wieder auf, dick aber nicht unförmig, nicht mehr jung, aber bella donna, jeden Abend in anderer Toilette und mit anderem Schmuck an den Ohren, an den Fingern, auf der Brust. Zu Beginn der Reise hat sie sich mit Klagerufen, mio povero marito, als Witwe deklariert, jetzt erfahren wir von ihren zwei Leben, einem in der Ehe, einem nachher, die funkelnden Steinkohlenaugen lassen keinen Zweifel aufkommen, welches das bessere war. Nach dem Sturm werden alle Leute redselig, jetzt erfahren wir auch, daß die Schiffahrtsgesellschaft ihre Sorgen hat und was für Sorgen das sind. Das Schiff, zugleich unzeitgemäßer Vergnügungspalast und Transportmittel für Auswanderer, ist in seinen oberen Regionen halb leer, dazu das traditionelle Gala d'addio alle paar Tage, eine Umstellung wird schon erwogen, Einheitsklasse und Essen à la carte, neue große Passagierdampfer werden bereits nicht mehr gebaut. Die letzten Segelschiffe, die letzten Passagierdampfer, archaische Beförderungsmittel, man denke nur das umständliche An- und Ablegen, den River Kwai-Marsch bei der Ausfahrt, das Winken und Weinen auf den Landungs-

brücken und an Bord. Wer käme auf den Gedanken so
etwas auf dem Flugplatz spielen zu lassen, oder Ciaò
bambina oder Arrivederci Roma, das geht in den Magen,
Abschiede noch ernst genommen, alle Abschiede eines
Lebens präsent. Etwas den Urenkeln zu erzählen, ich bin
noch auf einem Dampfer über den Ozean gefahren, wie
war das, langweilig? Nein wieso langweilig, langweilig
nicht.

AMERIKA I                                    *1. Mai*

Noch jetzt schrecke ich manchmal aus dem Schlafe, weil
ich mir einbilde, sie wieder zu hören, die Weltuntergangs-
geräusche, die Trompeten von Jericho, die mich in den
Nächten von Manhattan so sehr erschreckten. Anders als
Luftschutzsirenen, greller, hektischer, aus immer veränder-
ter Richtung, aufschwellend, abschwellend, schon abgelöst
durch das Geheul neuer durch die schmalen Straßen-
schluchten rasender Löschzüge, fünfmal, zehnmal in einer
Nacht. Die eigentliche Stimme Manhattans und eine
fürchterliche, so als bestünde der ganze Stadtteil nur aus
Brandherden, als könne auf die Dauer keiner dem Ersticken, Verdorren, brennend aus dem Fenster springen
entgehen. Die eisernen Feuertreppen, oft an der Vorderseite der Gebäude angebracht, sind schon erschreckend,
man meint sie schüttern und dröhnen zu hören unter den
hastigen Tritten fliehender Füße, schmale Eisenstufen,
zwanzig dreißig Stockwerke hinunter und die letzten Flie-
henden stolpern, reißen in die Tiefe, wer sich schon in
Sicherheit gewähnt. Mag sein, daß meine Gehbehinderung
mich besonders furchtsam gemacht hat, aber wer wäre hier
nicht furchtsam, fürchtete nicht eingeschlossen, abgeschlossen
zu werden, die überall angebrachten riesigen Aufschriften

Exit, das Offenstehen aller Zimmertüren sind bezeichnend für solche Klaustrophobie. Ausgang, Ausweg aus der steinernen Umklammerung, und überall Hydranten; daß das altmodische Wasser noch eine Rettung bedeutet, erstaunt. Dabei ist, was sich anhört wie Weltuntergang wohl meist nur ein Zimmerbrand, durch brennende Zigaretten ins Schwelen versetzte Betten, nie habe ich Flammen aus Fenstern schlagen oder Rauchwolken über die Dächer hintreiben sehen. Der Schrecken blieb aber immer derselbe, Weltbrand, Weltangst und keiner, der sich rettet, keiner der entkommt.

AMERIKA 2                                        3. Mai

Unvergeßlich die Nachtangst, unvergeßlich auch die Nachtschönheit, Augenweide ohne alles Blühende, Grünende, das doch bei uns zu einer echten Augenweide gehört. Schönheit gemacht aus nichts als Fensterreihen, hinter denen das Licht die ganze Nacht nicht ausgeht, Rechtecke, Würfel, Türme aus Licht. Die Nachtstraßen durch die verschiedene Höhe und Breite der Gebäude nicht eintönig, Schattenkuben und Lichtkuben, darüber der Himmel, zurückstrahlend rot. Die Parkavenue, erst nach dem letzten Kriege entstanden, eindrucksvoller als der reklameglitzernde Broadway, nichts als Banken und Geschäftshäuser, Wolkenkratzer einander übersteigend, erleuchtet und totenstill.

Unvergeßlich das Ankommen unter einem reinen Nachmittagshimmel, langsam, sehr langsam, das kann man immer wieder herbeiziehen, das erste Aufleuchten der weißen Strände von Long Island, den zarten Umriß der Hängebrücke, der langsam näherkommt oder dem wir näherkommen. Die Brücke ist zu niedrig, der hohe Schornstein der Cristoforo Colombo wird sie einreißen, sie ist nicht zu niedrig, er reißt sie nicht ein. Über die Brücke, das Wunderwerk, sind, als die Fahrbahn durch Brüstungen noch nicht geschützt war, einmal Studenten gelaufen, man stelle sie sich vor, rennend, rennend, einen Meeresarm überquerend, geduckt unter dem heftigen Wind. In Staten Island hat sie die Polizei in Empfang genommen, natürlich, Polizei, Polizeiboot, Hafenbehörde, Uniformierte, die jetzt auch bei uns an Bord kommen, bewirtet werden, gut bewirtet, sonst gibt es Schwierigkeiten, danach kommen die Skyscrapers von Downtown in Sicht. Natürlich hat man Photographien gesehen, zahllose, aber es ist dann doch alles anders, der Hudson breiter, die Freiheitsstatue schäbiger, die alten Wallstreetwolkenkratzer festungsähnlicher, bollwerksartiger, als vermutet, Manhattan, das sein Geld verteidigte, man würde sich nicht wundern, Geschützrohre ragen zu sehen. Hudsonaufwärts wird alles leichter, eleganter, auch weniger kräftig, noch mehr Stockwerke, dafür keine Rundungen, auch keine Türmchen der letzten Plattform aufgesetzt. Downtown – uptown, ein Weg durch ein halbes Jahrhundert, mächtiger Aufschwung jeweils nach den Kriegen, und vor den alten und neueren Häusern die von der Eingangstür zum Bordstein gespannten Leinendächer, blau-rot, hübsch mit Lambrequins, pariserisch altmodisch, und so, als sollte in dieser rücksichtslosesten aller Städte auf niemanden ein Tropfen Regen fallen. Pariserisch auch manches andere, besonders uptown, auf den schmalen Straßen zum Eastriver hin, Antiquitätengeschäfte, Obst- und Gemüsestände, aber nirgends ein Draußensitzen, kein Espresso, kein Nichtstun, keine Blechstühlchen, kein Schwatz. Hektisches Arbeitsleben ohne Zuschauer, ohne Zaungäste, ohne Müßiggänger beiderlei Geschlechts.

Erinnerung an die Fahrt durch den weißgekachelten sanft
gebogenen Hollandtunnel unter dem Hudson nach New
Jersey, im Rückspiegel die phantastische Himmelslinie von
Manhattan und das altmodisch-liebliche Princeton noch
fern. Überraschende Unterweltslandschaft, halb Errichtetes,
halb Verfallenes, heruntergekommene Fabrikgebäude,
Schutthaufen, Dreckhaufen, Schrotthaufen, grelle Rekla-
me, Schwefelgeruch, Aasgeruch, rote Wasserlachen, verbrannte Grasflächen, ein Schock für jeden, der sich von
der alten Nachkriegsvorstellung eines überall perfekten,
überall funkelnagelneuen Amerika nicht frei machen kann.
Der Arbeitsplatz als Hölle gleichgültig hingenommen, was
man uns damit erklärte, daß nur die eigene Familie, das
eigene Zuhause wichtig sei. Eine schmucke Fabrik mit
Rasenflächen, Oleanderhecken, Rosenbeeten müßte letzten
Endes von den Arbeitnehmern bezahlt werden, die aber
dergleichen nicht vermissen, also auch für die Schönheit
der Arbeit kein Opfer bringen wollen. Das Eigenheim in
der Vorstadtsiedlung ist dann so hübsch es eben für wenig
Geld sein kann, jedenfalls viel hübscher als bei uns, weil
man sich auf billige Experimente gar nicht einläßt, vielmehr im alten Colonialstil weiterbaut, weiße Holzhäus-
chen mit weißen Holzsäulen, feuergefährlich aber freundlich und meist nicht in Reih und Glied stehend, sondern
ohne Hecken und Zäune, wie eine Herde weißer Spiel-
zeuglämmer über die Hügel gestreut. Irgendwo zwischen
Industrielandschaft und Feierabendgelände dann die gigantische Glühbirne, Monument und Museum, Edison-Licht
in jede Hütte, Edison, altes Wunder, viele Jahrzehnte alt
und längst selbstverständlich geworden, mir aber nicht,
ich habe noch unter dem sogenannten »Strumpf« der Gaslampe meine Schularbeiten gemacht und dieser Gaslampe

gelegentlich Stöße versetzt; der Strumpf, das zarte Gebilde, ging dann sofort in die Brüche, die Erwachsenen
tappten zornig durchs Dunkel, könnt ihr denn nicht auf-
passen, angenehme Unterbrechung des öden Nachmittags,
später zogen wir in eine andere Wohnung, daß das dort
vorhandene elektrische Licht eine besondere Sensation
gewesen wäre, erinnere ich mich nicht. – Riesige Glühbirne
auf einem Hügel, aber es ist Tag, sie leuchtet nicht, Vor-
schulklassen, kleine Knaben treten aus dem Tor, während
wir schon weiter fahren, auf Princeton zu. Während wir
fahren und halten, »Onkel Rudis« Landhaus, Onkel Rudis
langes Leben, abzulesen zahllosen Photographien, auch
Aquarellen, lauter Angehörige der in all ihren Gliedern
lebenstüchtigen Gruberfamilie, lebenstüchtige Kinder und
Kindeskinder, Neffen, Nichten, Großneffen, Großnichten,
eine Heerschar freundlich bedachter Verwandtschaft, und
immer wieder die vor bald sechzig Jahren verlassene Heimat, Haus und Park und die mächtigen alten Kastanien
über der Ufermauer bei Lindau am See. Plan eines deutschen Familientages, ausgeheckt in Colonia, New Jersey,
von einem alten Witwer, und die schöne irische Frau schon
viele Jahre tot.


AMERIKA 4                                              7. Mai
Ich habe Staaten gesammelt, Staaten in denen ich gewesen
oder durch die ich gefahren bin, auf sieben Staaten bin ich
gekommen, Staat New York, Staat New Jersey, Staat
Pennsylvenia, Staat Virginia, Staat Maryland, Staat Con-
necticut, Staat Massachusetts, auf der Landkarte ist das
alles gar nichts, nur der schmale Randstreifen eines riesigen Kontinents, zerrissene Küste, vorgelagerte Inseln,
Schärengeröll in den Buchten, das Wasser hellblau, das

Land in verschiedenen kräftigen Farben, Orange, Erbse, Zitrone, Eierfrucht, Linde, Schlamm. Viele indianische Namen, Taughannoc, Mohawk, Delaware, Erinnerungen an den Lederstrumpf, man hat sich angesichts der immer halb nackten Indianer unserer Kinderbücher das Klima anders vorgestellt, jedenfalls keine Schneestürme, keine geschlossene Schneedecke Ende April. Die Indianer sind kein Gesprächsthema oder ein heikles, das mit niedergeschlagenen Augen geführt wird, ja, ja, in den Reservaten, sie werden besichtigt, brauchen nicht zu arbeiten, haben es gut. Daß sie es neuerdings noch besser haben, erfuhr ich erst nach meiner Rückkehr durch eine Notiz in der Zeitung, wie es scheint, hat man bei den Indianern eine erstaunliche Begabung für modernste technische Dinge festgestellt, siedelt in der Nähe der Reservate Industrie an, bildet die angeblich so stumpfe und fast schon ausgestorbene Urbevölkerung zur Arbeit mit der Kernenergie, den Computern, der Elektronik aus. Der alte vertrocknete Sitting Bull am Schalthebel des Fortschritts und die Zeiten der frommen und skrupellosen Pilgerväter sind weit. Mohawk, kleines schwarzweißes Flugzeug, mit Turboprop hinaufgeschossen, dann aber in verhältnismäßig geringer Höhe hintrudelnd, über dürftige, aber endlose Wälder, ertrunkene Wälder, unter denen das Wasser funkelt, über breite schön geschwungene Straßen, Flüsse und Seen; wieviele Zwischenlandungen, wie oft der ängstliche Blick aus dem Kabinenfenster auf das Fahrgestell, ob auch das Füßchen herauskommt zur rechten Zeit. Wieviele Flugplätze, die aus nichts anderem als aus einem weißen Holzhaus, einem weißen Holzzaun, einer altmodischen Glocke bestehen. Mohawk, Taughannoc, Truman State Park, tiefe Schluchten in Schiefer und Kalkstein geschnitten, mächtige Wasserfälle, Treppenpfade, still, ohne Cocacola-Reklamen; Studenten und Schüler, junge Männer und Mädchen laufen die endlosen Treppen hinunter Hand in Hand. Das war nicht weit vom längsten der Fünffingerseen, nicht weit auch von Buffalo, dieser Kindererinnerung, die Schwalbe fliegt über den Eriesee, noch zwanzig Minuten bis Buffalo, noch zehn Minuten bis Buffalo, noch fünf Minuten bis Buffalo, und die Schwalbe ist ein Schiff, für das der Lotse sich opfert. John Maynard in der Ballade von Fontane, und auch Fontane war nie in Buffalo, hat das Gedicht nach einer Zeitungsnotiz geschrieben, der alte Berliner, aber so lebendig, als hätte er selbst auf dem Deck der Schwalbe gestanden, mit der Uhr in der Hand.

FISCHLADEN                                              9. Mai

Duplizität der Fälle zieht den dritten, eingebildeten Fall herbei. Als ich heute das Fischgeschäft betrat, hatte die junge Verkäuferin ein normales Auge, hellbraun, hübsch geschnitten, das mich fragend ansah, und ein Fischauge, riesig, blauweiß überschwappend, ohne Blick. Über dieses Auge erschrak ich sehr. Was ist mit Ihrem Auge, wollte ich fragen, fragte aber dann nicht, es mußte sich um eine schwere Krankheit handeln, die der Verkäuferin eine Qual und zudem peinlich war. Also fragte ich nicht, verlangte mein Fischfilet mit gesenkter Stirn, wollte es schon nicht mehr haben, nahm es aber entgegen von einem kopflosen Wesen, einen Rumpf mit Armen und Händen, höher hinaus wagte sich mein Blick nicht wieder, erfaßte nur hinter der Glasscheibe der Theke die silbrigen, von einem Zahnstocher durchbohrten Rollmöpse, die eingelegten Heringe mit ihrer elefantengrauen faltigen Haut. Schließlich legte ich das Geld in die über die Theke gestreckte Hand und verließ, ohne mich noch einmal umzusehen, das Geschäft. Ich ging nicht weit, nur um die Ecke, wollte dort in einem Selbstbedienungsladen Papierservietten kaufen, nahm das Paket Servietten vom Regal und trat an die Kasse, die Kassiererin sah mir entgegen, auch ihre Augen waren ungleich, das eine hellblau und normal, das andere tiefliegend und verschleiert, wie in äußerster Müdigkeit zurückgesunken, wodurch der Eindruck eines furchtbaren Schielens entstand. Auch hier entfloh ich, ohne noch einmal hinzusehen, war aber danach völlig aus dem Gleichgewicht, so als sei, was uns aufrechterhält, das schöne Paarweise und unser einziger Halt die Symmetrie. Zuhause dann prüfte ich mein Bild im Spiegel, fand auch meine eigenen Augen verändert, nicht in der Gestalt aber in der Farbe, das Blau des einen ins Schwärzliche spielend, das andere grünlich mit einer Pupille, die klein war und stach. Ich lief gleich wieder aus dem Haus, ging zu Freunden, fragte nicht, was ist mit meinen Augen, erwartete aber, daß sie mir die Hand reichen würden mit niedergeschlagenem Blick. Aber sie sahen mich voll an, sie lachten, sie bemerkten nichts.

10. Mai

Hier und dort und vor allem weit weg gewesen zu sein, bedeutet eine Ausweitung des Bewußtseins, eine Art von zweitem, durchsichtigem Leib, der aber fähig ist, sich auszudehnen und der bei mir mit der Zeit eine merkwürdige Gestalt angenommen hat, mit Molluskenarmen, in diese und jene Richtung gestreckt. Die äußersten Punkte dieses Bewußtseinskörpers sind für mich Riga, Belgrad, Stambul, Bogaskoi, Kairouan, Lissabon, ein Dorf an der brasilianisch-uruguayischen Grenze, Ithaca in Staate New York, eine Kathedrale im Norden von London, Aarhus in Dänemark, alles was dazwischen liegt, ist ebenso lebendig vorhanden und kann jederzeit wieder gefühlt, abgetastet werden, die Geisterfinger sind nicht weniger zuverlässig wie die Finger meiner wirklichen Hand. Dem Drang in die Ferne liegt wohl dieses Bedürfnis zugrunde, mehr sein durch mehr haben, mehr Erinnerungsbilder, mehr Erfahrungen fremden Lebens, was zum Beispiel Goethe gar nicht nötig hatte, auch nicht gewollt hätte, was in ihm vorging war reichhaltig, auch dramatisch genug. Uns ist die Wesenserweiterung unentbehrlich, wir empfinden sie als beglückend, gelegentlich auch als qualvoll, jedes neu betretene Land ist eine Provinz voll materia prima, jedes auch ein neues Stück Unfrieden, ein neues Hungergebiet, ein neuer Krisenherd, die vorgefundenen Naturschönheiten und Kunstschätze kommen dagegen nicht auf. Was uns durch das Fernsehen ins Haus kommt, führt auch zur Ich-Erweiterung, es fehlt aber da das Wesentlichste, das Gefühl der Hitze oder der Kälte auf den Wangen, die Gerüche, die sekundären Geräusche, was alles erstaunlich haften bleibt. Es fehlt die Verbindung von Person und Umwelt, das Ich so und so gestimmt, in der und der körperlichen Verfassung, mit diesen und jenen Erinnerungen und Hoffnungen, und wie es auf die fremde Umgebung anspricht, mit Entzücken, mit Neugierde, mit Unlust, mit Angst. Tastsinn, Geruchsinn, Körpergefühl spielen eine fast größere Rolle als die Augen, die Innenfläche der Hand auf einer Hafenmauer, der Weg aus der grellen Sonne in eine Schattenmulde, Aasgeruch, Zitrusblütengeruch, ein Hundegebell, ein Schrei. Man sage nicht, daß man das alles zuhause auch haben könnte, die Entfernung spielt eine Rolle, das Ausgesetztsein, die hunderttausende von Kilometern, das kindliche Staunen, ich in Halifax, ich am Bosporus, ich auf dem Wege über den Großen Belt. Wozu noch zu bemerken ist, daß ich eigentlich ungern und nie zum Vergnügen reise und daß für mich jedes weit weg von Zuhause sein eine unverhältnismäßig große Mutprobe ist.

So habe ich also damals geschrieben, damals, wann, vor fünfundzwanzig Jahren, mitten im Krieg. Ich schrieb ein Buch über einen französischen Maler, konnte natürlich nichts Neues bringen, weder neu aufgefundene Bilder, noch Briefe oder Dokumente, konnte auch nicht hinfahren, um Courbets Heimat, sein Dorf, seine Loue-Quelle zu sehen. Vorausgegangen war, wenige Wochen vor dem Ausbruch des Krieges der Besuch einer Gesamtausstellung von Courbets Bildern in Paris. Wir wohnten beim Pantheon, im Hotel des Grands Hommes, das ein bißchen schäbig und sehr reizvoll war, in der Mairie an der Ecke wurden Gasmasken ausgegeben, in den Auslagen der Buchhandlungen lagen pazifistische Bücher, welche Freiheit für unsere Begriffe, welche Stärke, wenn man uns deutsch sprechen hörte, fragte man, ob es Krieg geben würde und wir sagten töricht, nein. Die Ausstellung gefiel mir sehr, ein Leben in Bildern, voller Widersprüche, später als der Krieg schon ausgebrochen war, ging ich den Daten dieses Lebens nach, machte einige erste Aufzeichnungen zu einer Biographie.

Während der vorangegangenen ostpreußischen Jahre, gerade in dem kargen Land, war ich von der Natur bis zur Besessenheit angerührt worden, diese Besessenheit hatte mich auch zu Courbet hingeführt, aber sie war vorüber, auch die Zeit der Naturgedichte, ich schrieb während des Krieges noch eine lange Ode, Lob der hessischen Wälder, dann Visionen der uns nicht mehr zugänglichen südlichen

Landschaften, dann keine Naturgedichte mehr. Die Politik als Schicksal, der Mensch im Räderwerk historischer Ereignisse, der Mensch überhaupt – die Courbetbiographie bildet einen Wendepunkt in meiner künstlerischen und menschlichen Entwicklung, da konnte ich noch beides darstellen, Natur und Politik. Zum rechten Arbeiten kam ich erst, als wir, vom Jahre 1941 an, in Frankfurt wohnten, ich brauchte Bücher, zum mindesten Abbildungen, ging jeden Tag in die Bibliothek des Städelmuseums, las und schrieb im Magazin. Währenddem wurden die Luftangriffe immer bedrohlicher, Voralarm und Hauptalarm erfolgten fast gleichzeitig, atemlos, mit starkem Herzklopfen rannte ich über die Brücke und das Platanenufer hinunter, da setzte das Abwehrfeuer schon ein. Der Fluß, von unserer Wohnung weit abgelegen, gehörte damals zu meinem täglichen Brot, war, wie jede Wasserfläche, alle Tage, alle Stunden anders, zog blau und stetig, ließ kleine braune Wellen hüpfen, schlich bleiern und unlustig, zuerst mit Häusern, dann mit Ruinen zu beiden Seiten, dahin. Meine letzte schon nicht mehr ungetrübte Freude am schönen Elementaren, diese Hin- und Rückwege, und dazwischen der brennende Eifer aufzuspüren, wie das gewesen war, 1819 bis 1877, was sich da im öffentlichen Leben abgespielt hatte und wie mein peintre-bête zugleich verstrickt und frei durch diese Jahre hindurchgegangen war. Als ich das Buch, das dann bis 1950 liegen blieb, beendet hatte, interessierte mich die Natur nicht mehr. Ein Gedicht aus jener Zeit fängt an: »Was kümmert dich Natur / der Menschen Los / du hegst und achtest nur die Frucht im Schoß«, das war keine Anbetung, keine stille Verehrung mehr, es war Zorn.

Eine überraschende Erfahrung in den Vereinigten Staaten: wie hart, wie unbequem das tägliche Leben ist. Die Verwöhnung durch Haushaltmaschinen wird aufgewogen durch den Mangel an Dienstleistungen, wer auf einem Gebiet schwer arbeitet, kann sich die Freiheit auf einem anderen damit nicht erkaufen, kann aber zuhause auch nicht in ein bequemes Elend sinken, sondern muß das aufrecht erhalten, was man einen Lebensstandard nennt. Man lebt unter den Augen des Nachbarn, der sich über jede Nachlässigkeit ereifert, jede kleine Extravaganz kritisiert. »Ich dachte es mir schon«, sagte eine Nachbarin meiner Gastgeberin in M., als diese von ihrer Besucherin aus Europa erzählte. »In Ihrem Fremdenzimmer hat zweimal nachts das Fenster offen gestanden« – eine solche Wahnsinnstat konnte in einem mit Thermostaten versehenen Haus nur eine Europäerin begehen. Die Nachbarn sehen alles, wissen alles, betreten das Haus durch die allzeit offenstehende Eingangstür, um sich, ohne zu fragen, eine Zeitung oder den Rasierapparat des Hausherrn auszuleihen, die Kinder der Nachbarn pflücken in aller Unbefangenheit die eben aufgeblühten Tulpen vom Beet. Auch wer keine Lust hat, Gleiches mit Gleichem zu vergelten, schweigt, weil Nachbarschaft noch etwas anderes bedeutet als Neugierde und lästiges Eindringen, nämlich Hilfe und Beistand und oft den einzigen Schutz. Man ist auf einander angewiesen, vielleicht nicht im städtischen, aber doch im vorstädtischen Bereich, mehr noch im locker besiedelten Hinterland. Die Wege zum nächsten Einkaufszentrum, zur nächsten Polizeistation sind weit, und es ist kein Mangel an Naturkatastrophen, zumindest an Ausnahmezuständen, Wolkenbrüchen, Sturzbächen, Feuersbrünsten und Schneefällen, bei denen die Straßen nicht mehr passierbar sind und das

Telefon versagt. Etwas vom alten Siedlerdasein ist noch übrig geblieben, auch etwas von der Feindseligkeit der Natur, gegen die es sich zusammenzuschließen gilt. Trotz vieler gräßlicher Bluttaten hat man mehr Angst davor, sich abzuschließen und am Ende allein zu bleiben, als vor Dieben und Mördern, deren Auftauchen doch unwahrscheinlich ist, während Hilfsbedürftigkeit jeden Tag eintreten kann. Die Schläge, zu welchen die Elemente, in einem Land höchster Zivilisation, noch immer gelegentlich ausholen, formen die Wesensart des amerikanischen Bürgers – ich habe freundlichere hilfsbereitere Menschen in keinem andern Lande gesehen. Die Freundlichkeit – oder die Vorsicht – geht so weit, daß niemand schlecht über einen anderen spricht, wahrscheinlich sogar so weit, daß man sich schlechte, das heißt kritische Gedanken verbietet, der liebenswürdige, ja zärtliche Umgangston mag ein Teil jenes Apotropäischen sein, mit dem man drohender Katastrophen Herr zu werden versucht. Auf die Frage, wie geht es Ihnen, etwas anderes zu antworten als »fine« verstößt gegen die guten Sitten, niemand will niemanden belasten und nur was ausgesprochen wird, ist wahr. Kossygin hatte den Boden der Vereinigten Staaten noch nicht betreten, als man ihn schon Kossy nannte, wie ein Schoßhündchen, mit dem es sich freundlich spielen läßt.

*27. Mai*

Keine Äußerung der Berliner Studenten hat soviel Ärger, so viel echte Empörung hervorgerufen wie die mißverstandene Aufforderung einer kleinen Gruppe, Warenhäuser in Flammen aufgehen zu lassen. Der Warenhausbrand von Brüssel war noch zu deutlich in Erinnerung, das blitzschnelle Überspringen der Flammen, die lebendigen Fak-

keln hinter den Scheiben, die Fenstersprınger, dıe auf dem
Pflaster zerschellten. Wer geht ins Warenhaus einzukaufen,
der kleine Mann, nicht der Generaldirektor, nicht der Minister, was also solls, wem gilt die Aufhetzung, der Warenhausbesitzer ist versichert, der Arbeiter, der für seine
Familie einkauft, die Hausfrau, gerade die sparsame, gehen zugrunde. Kein Wunder, daß das anarchische Prinzip
einer gewaltsamen Änderung der Gesellschaftsordnung
gar nicht verstanden wird, daß man in solchen Vorhaben
nichts anderes sieht als eine grausame Teufelei. Daß gerade Warenhäuser ins Auge gefaßt werden, nicht etwa
Bahnhöfe, Kinos oder Theater, wo doch auch viele Menschen beisammen sind, scheint mir nicht zufällig, Warenhäuser haben für mich etwas Unwirkliches, auch Unheil-
trächtiges immer gehabt, auch das alte Wertheim meiner
Berliner Kindheit, auch die riesigen Kaufpaläste der New
Yorker Fünften Avenue. Die Überfülle der von Menschen hergestellten und Menschen zum Kauf angepriesenen
Dinge, das verwirrende Nebeneinander verschiedenartig-
ster Gegenstände, das Ineinander vieler Gerüche mag bei
dem einen wohl Kauflust, bei dem andern aber Widerwillen und Überdruß erregen, auch asketische Gefühle,
ich will nichts, will nie mehr im Leben etwas, nur Luft.
Erinnerung an Kinderübelkeiten mag bei mir da mitspielen, ich fing, von meiner Mutter durchs Warenhaus gezerrt,
regelmäßig an zu weinen, wollte im Erfrischungsraum
keine Torte, in der Spielwarenabteilung kein Geschenk-
chen, wußte nichts von Warenhausbränden, war aber von
Angst verzehrt. Viel später einmal beschäftigte mich als
möglicher Stoff ein Spiel, nachts im Warenhaus, die Klei-
derpuppen, lebendig geworden, reißen sich das Zeug vom
Leib, fegen Lebensmittel und Parfümerien von den Rega-
len, Anzüge von den Stangen, besonders die geschlechts-

losen Kinder, die eben noch niedlich im künstlichen Sand hockten oder zierlich auf Schaukelbrettern saßen, beschäftigen sich zerstörerisch, spielen Kegel mit Konservendosen, spritzen Wasser überallhin. An das geplante Spiel habe ich seitdem mehrmals gedacht, auch noch vor kurzem in einem Warenhaus in Manhattan, wo mir die Verkäuferinnen zu den Klängen von Lautsprechermusik und mit tröstenden Zurufen, darling, honey, Kleider überzogen, in denen ich entsetzlich aussah, monströs dick trotz meiner 62 Kilo, und da war auch, obwohl gar keine Lebensmittel verkauft wurden, wieder die Übelkeit, die Angst. In einem anderen Geschäft, einem reinen Kleiderkaufhaus, ging es lustiger zu, man konnte jedes Kleid selbst vom Bügel nehmen oder aus einem großen Haufen hervorziehen, eine einzige Dame stand in der Mitte der sich spiegelnden Kundinnen, klatschte in die Hände, rief, over the head, girls, over the head, und die girls, von denen viele die sechzig überschritten hatten, zogen folgsam die Kleider über den Kopf. Auf der Straße von der Stange kaufen konnte man in Manhattan auch, aber in einem andern, traurigen und ärmlichen Stadtteil, von alten Männern, deren Hände zitterten, vor Geschäften, die düsteren Höhlen glichen. Was aber nicht hierher gehört, nicht in das kleine Kapitel Warenhaus und Anarchie.


AMERIKA 6                                          3. Juni

United Nations Headquarters am Eastriver, mit 4500 Fenstern im Sekretariatsgebäude allein. Im Konferenzsaal hat vor sieben Jahren Chruschtschow seinen Schuh ausgezogen, um mit ihm auf den Tisch zu trommeln, das waren noch Zeiten, ist man versucht zu sagen, da es heute anders, ruhiger, kälter, gefährlicher zuzugehen scheint. In diesem

Gebäude tagt heute der Weltsicherheitsrat, während auf der Halbinsel Sinai israelische Panzer auf ägyptische und jordanische Panzer schießen, während die ägyptische Luftflotte bereits am Boden zerstört ist, während die Welt den Atem anhält im Gedanken an eine Ausweitung des Konflikts, eine, wie es heißt, Eskalation. Der Weltsicherheitsrat tagt und ich renne aus dem Garten zum Rundfunkapparat und vom Rundfunkapparat in den Garten, zu Juni, Heu und Rosen, merkwürdig zu denken, daß ich vor kurzem dort am Eastriver gewesen bin, daß ich zwischen kleinasiatischen Schulmädchen, indischen Studentinnen, irischen Nonnen zu dem großen Pendel hinaufgeschaut habe, dieser ewigen Lampe einer neuen Epoche, Gott ist tot, aber das Pendel schwingt. Schwingt für den Frieden der Welt und auf den Gesichtern liegt etwas von Weihe, von Vertrauen auf Vernunft und Weisheit, United Nations, fast schon ONE WORLD und in diesem Glaspalast alle künftigen Kriege im Keime erstickt. Vor ein paar Wochen war das und heute schon wieder die Frage, wenn aber dies, wenn aber das, schon der Zweifel, schon die leise Verachtung der Vernunft und des guten Willens und nicht nur bei den Kriegführenden allein. Im Garten am Fluß blühten noch nicht, aber standen in Knospen die Rosen aus allen Teilen der Erde, glitzerte das Wasser im Brunnen, dem Geschenk der amerikanischen Kinder, zum Unogebäude zogen, als ich dort war, die sechshunderttausend jungen Leute, um gegen den Vietnamkrieg zu protestieren. Zogen friedlich, sangen ein bißchen, riefen ein bißchen, bildeten ein Verkehrshindernis, über das die Taxichauffeure in helle Wut gerieten, waren bunt und lustig angezogen, führten Gitarren und Kinderwagen mit. Heute auf dem Fernsehschirm rissen junge Araber desselben Alters zu fanatischem Geschrei die Münder auf, stießen die geballten Fäuste in die Luft. Diese wie jene sind halbe Kinder, haben einen Krieg nie erlebt. Nur daß für die Araber der Krieg ein heiliger und die Uno kein Wallfahrtsziel, sondern ein Verein kapitalistischer alter Tanten ist, und daß sie nicht nach Versöhnung verlangen, sondern nach Blut.

*8. Juni*

Die Israeli haben den alten deutschen Traum vom gelungenen Blitzkrieg erfüllt. Infolgedessen werden sie plötzlich geachtet, ja bewundert, sie sind vorgegangen »wie Blücher«, wie »die Preußen«, sie erregen, was kein aus dem KZ-Tor wankendes Skelett jemals zustande gebracht hat, Sympathie. »Unsere Juden«, fast haben die Ausrufe des frohen Stolzes diesen Beiklang, was den Sinn haben könnte, die Juden, die wir aufgefüttert haben, aber auch den anderen verzwickteren, die Juden, die wir tot geschlagen haben, die auferstanden sind und denen gegenüber ein schlechtes Gewissen nicht mehr am Platze ist. Die alte Vorstellung von den Juden als Geschäftemachern und Wucherern hätte längst verschwunden sein können, da man inzwischen genug gehört hat von schlechten Finanzen aber harter Arbeit, Urbarmachung des steinigen Bodens, auch genug Photographien von großen kräftigen und sogar blonden Siedlern gesehen hat. Was aber alles nicht zur Kenntnis genommen wurde oder doch nicht wirklich, nicht so wie jetzt der Israeli auf dem Panzer, im Bombenflugzeug, mit der Maschinenpistole vor dem Bauch. So als hätte nur der ein Lebensrecht, der es, angreifend, zu verteidigen weiß, ist jetzt von den Rechten Israels, auch dem auf die alte Klagemauer viel die Rede, das Mandelbaumtor ist in aller Munde, obwohl kaum jemand weiß, daß es sich dabei nicht um ein hübsches altes von Mandelbäumen flankiertes Tor handelt, sondern um eine Lücke zwischen zwei Häusern, von denen eines einem Herrn Mandelbaum einmal gehört hat oder noch gehört. Daß die Soldaten, feldmarschmäßig ausgerüstet, an der Klagemauer beten, wirkt fremdartig, wird aber hingenommen, schließlich hat es ja auch bei der Wehrmacht Feldgottesdienste gegeben. Unsere prächtigen Jungen, und natürlich dürfen sie ihre vorgeschobenen Stellungen nicht aufgeben, das wäre ja noch schöner, sollen auch nicht der Ächtung der Welt anheimfallen, gerade jetzt, wo sie uns geheuer geworden sind. Diese Stimmung hält sich, zumindest im Volk, während die bürgerlichen Zeitungen schon anfangen, dem Einäugigen auf die Schulter zu klopfen, geh zurück, sei friedlich, bedrohe den Weltfrieden nicht. Die ganz jungen Leute, die den alten Ahasver nicht mehr gekannt und über die Vernichtungslager nur den Kopf geschüttelt haben, wollen den Juden helfen, ihre Ernte einzubringen, die verzwickten Gefühle der Tötergeneration sind ihnen ebenso fremd wie die Kabbala, die Geheimnisse der uralten Religion.

*10. Juni*

Berufskleidung ist beinahe so ehrfurchtgebietend, so Untertanengefühle-erweckend wie eine Uniform. Zu einem Haus, das seine Hinterfront unserem langen Rasenhof zukehrt, gehört eine Art von stabilem Schuppen, der jetzt aus unerfindlichen Gründen unterkellert werden soll. Das jedenfalls rief mir unser Hausmeister zum Balkon herauf, ich kann es mißverstanden haben, weil da schon der Preßluftbohrer arbeitete und zwar nicht am Schuppen, sondern an der Mauer und von unserer Seite aus. Mehrere fremde

Arbeiter standen da, und während einer den Bohrer an verschiedenen Stellen in den Mörtel stieß, fuhr ein anderer mit einem schweren Hammer dazwischen, in großen Stükken fiel polternd die Mauer ein. Vorher schon waren achtlos, ohne ihre Erdballen zu schonen, viele schöne Sträucher und Rosenbüsche ausgerissen und aufs Gras geschleudert worden, eben diese Sträucher und Rosenbüsche, die, zusammen mit ein paar neu gepflanzten Bäumen unserem Hof seit ein paar Jahren ein neues freundliches Gesicht gegeben haben. Abmachung zwischen zwei Hausbesitzern – versprochener Schadenersatz – mag sein. Die Brutalität des Vorgangs war aber erschütternd, schon sah ich voraus, wie der fremde Bautrupp auch die jungen Bäume fällen und den von unserem Hausmeister so liebevoll gepflegten Rasen unter Schutt und Dreck ersticken würde. Der Hausmeister, ein stiller Mann, ging ab und zu, rettete in seinem Eimer ein wenig Erde von den zerstörten Beeten, ging plötzlich vorsichtig wie ein alter Mann. Auf einigen der sechzig Balkone unseres großen Miethauses erschienen währenddem erschrockene Gesichter, beugten sich über die Balkonblumen, aber nur ein paar Minuten lang, niemand fragte, niemand ereiferte sich. Angsttraum an einem schwülen Nachmittag, und ich allein war beunruhigt, ich allein dachte, was ist das nächste, was kommt jetzt. Es kann doch sein, daß ich den Hausmeister falsch verstanden habe. Vielleicht soll der Schuppen nicht unterkellert, sondern abgerissen werden, und nicht nur der Schuppen, sondern das ganze solide gebaute Haus. Vielleicht soll an seiner Stelle ein Hochhaus gebaut werden, eines jener Pilzhäuser, von denen ich im Anfang meiner Aufzeichnungen sprach.

Heute noch einmal, in Gedanken, auf dem Friedhof von
Ithaca N.Y., auf dem es keine Grabbeete, also auch keine
Grabpflege mit Schäufelchen, Eimerchen, Gießkännchen
gibt. Die Blumen sind aus Wachs, Tulpen und Rosen, stehen in niedlichen Cellophankästchen hier und dort vor
den Grabsteinen, Fähnchen, star-springled banner, sind auf
den Gräbern der Veteranen in die Erde gesteckt. Das
hügelige Gelände ist von schönen Bäumen bestanden, lautlos geht man über Moos und Gras. Der Witwer sieht nur
weniges durch überdicke Gläser, fährt aber Auto und fuhr
mich den Hügel hinauf, im Auto besucht man hier seine
Lieben, ob man dazu aussteigt, konnte ich nicht feststellen,
wir waren der einzige Wagen, die einzigen Menschen weit
und breit. Wir stiegen aus und gingen über das Gras zu
dem Grabmal der Malerin, einer kleinen ovalen Tontafel,
die sie selbst entworfen hatte, das dünne Mädchen mit den
herrlichen Haaren, Mädchen mit Mann und Kindern, das
ich gekannt und nicht gekannt, eigentlich erst hier in
Ithaca kennen gelernt hatte, wenigstens sein unsterbliches
Teil. Blatt um Blatt hatte der Witwer am Vormittag vor
mich hingelegt, fünfzig Blätter, hundert Blätter, ich hätte
am Ende schreien können, weil es zu viel war, aber vielleicht auch weil diese abstrakten Aquarelle so peinigend
waren, voller Angst und Disharmonie. Das Emigranten-
schicksal war dafür nicht verantwortlich, war nur eine
Triebkraft für etwas das die Malerin in sich trug und das
sie so spröde und abweisend gemacht hatte, lang ehe ihr
das Nichtmehrgenehmsein ein Recht dazu gab. Die Blätter
waren erst nach ihrem Tode ausgestellt worden, weil zu
dem Hassenswerten in der Welt für sie auch der Kunst-
betrieb gehörte, vielleicht hatte sie von der Kritik auch
nicht gelobt werden wollen, was sie dann wurde, als sie

bereits auf dem schönen Friedhof lag. Eines der wenigen gegenständlichen Bilder hatte der Mann rahmen lassen, die Kinder, aber ohne Ähnlichkeitsabsicht, zwei Kinder mit leeren Gesichtern, von denen das ältere, das Mädchen, den kleinen Bruder in einer beeindruckenden Schutzhaltung umfängt. Die Kinder sind inzwischen groß, haben selbst große Familien, amerikanische prosperity in jeder Beziehung, die Mutter, die auch recht böse Karikaturen, etwa klatschende Hausfrauen, naturalistisch zeichnen, und aus Stroh seltsame Königsfamilien herstellen konnte, war ein Fremdling gewesen und der Witwer hatte diesen Fremdling geliebt. Er hat sich nach ihrem Tode dennoch eingerichtet, arbeitet noch, reist nach Europa, wo er die umbrische Landschaft, den Blick vom Gianicolo mehr ahnt als wahrnimmt, fängt an, seine Erinnerungen aufzuschreiben, nichts von Vitaminforschung, rein musikalische Erinnerungen, alle Konzerte, die er zeit seines Lebens gehört hat, alle Musiker, mit denen er umgegangen ist. Er erzählte mir davon auf dem Friedhof, als wir das Grab seiner Frau längst verlassen hatten. Die anderen Grabsteine, die da im Gras hockten, waren meist zu Familien zusammengeschlossen, ein schwärzlicher Granitblock mit nichts als dem Familiennamen in der Mitte, andere fast backsteinkleine Klötze wie eine Herde um den großen, auf denen stand Father Mother Pussy Mary Jon. Der schwärzliche Familiennamensstein lag manchmal auf der Spitze eines Hügels, den Vater Mutter Kinder dann klein und bescheiden eingrenzten. Herrlich gewachsene Maples voll roter Früchte, dicke Weißtannen, Frühlingssonne und diese einmal weiß gewesene gußeiserne Bank, sofaähnlich und blumig verschnörkelt, schief am Abhang stehend, sozusagen nirgendwo. Vielleicht hatte jemand sie wegräumen wollen, aber sie war zu schwer gewesen, ein Stück Ver-

gangenheit, zentnerschwer. Kein Ort für Tränen, Eichhörnchen, viele, sprangen um uns herum, und leise angenehm, glitt der schwere Wagen den Hügel hinab.

Sollen sie doch, sagte der Maler Chagall von den Ku-
bisten, an ihren dreieckigen Tischen ihre viereckigen Zitro-
nen essen, ihm war das gleichgültig, ihn ging das nichts an.
Ein seelenloses Formprinzip, Kunst ohne Seele, der er
nichts abgewinnen und die er niemals selbst hätte herstellen können. Seine Seele war russisch und jüdisch, Familien-
sinn, Heimatliebe, Mitleid mit den Armen, Entzücken über
die Musik seines Volkes, Freude an Spiel und Traum. Er
malte sich selbst hinter dem Grabstein seines Vaters ausgestreckt, zur Geliebten fliegt er, ein allezeit von der
Schwerkraft Befreiter, sucht ihren Mund auf eine im
wahren Sinne des Wortes verdrehte Art. Eine derart
seelenvolle Kunst ist heute unmöglich, nicht nur im Sinne
eines Werturteils, sondern unmöglich zu produzieren,
jedenfalls wenn man mit Heute die eben jetzt jungen
Schriftsteller und Maler meint. Ein alter trauriger Vater
ist kein Liebesobjekt mehr, arme Leute in der Art der
Witebsker Juden gibt es natürlich noch, aber nicht im Um-
kreis der jetzt und hier Malenden und Schreibenden, wer
etwa in der Art der Käthe Kollwitz menschliches Elend
darstellte, geriete in den Verdacht der Sentimentalität. Oft
kann man von jungen Leuten die Ansicht hören, die Beziehungen zwischen den Menschen würden langsam ab-
gebaut – der unerbittliche Beckett hat schon vor Jahrzehnten die Reduktion jedes Einzelnen in diesem Sinne
verstanden. Also kein Miteinander mehr, nur ein Nebeneinander, mit jähen, manchmal brutalen Zu- und Abwen-

dungen, sex statt Liebe, natürlich auch keine Tragik mehr, bei der Bindungen erstrebt oder abgebrochen werden, wozu es ja nötig ist, daß sie bestehen. Eine traurige Jugend gewiß in den Augen Chagalls, der sich vor seinen alten und neuen Traumspielen soeben hat photographieren lassen, kein Mann aus Witebsk mehr, ein reicher Jude international. Es ist aber alles auch anders, die seelenlose pop-art auch Beschwörung einer saubereren Dingwelt, die Gefühlskargheit, Angst vor der Enttäuschung, die Diskriminierung des Schmachtfetzens Seele der deutliche Ausdruck einer Ahnung, daß dieses seltsame Zwischending zwischen Leibhaftigem und Geistigem noch existiert. Fragwürdig ja, also würdig erfragt zu werden, was denn auch geschieht, zum Beispiel beim letzten Kirchentag, wo sich unter die Im-Glauben-fest-Christen viel fahrendes Volk mischte, junge, auch langmähnige Menschen, die im Christlichen nicht unbedingt seßhaft werden, aber doch wissen wollen, hören, miteinander sprechen, auch dieser Anlaß, den sie wohl früher wie die Pest gemieden hätten, war ihnen dazu recht.

AMERIKA 8 *16. Juni*

Ich stelle mir vor, wie das war, als das Haus abbrannte, das Studentenwohnheim, irgendwo in den Vereinigten Staaten, der Name der Universität tut nichts zur Sache, es hätte auch wo anders sein können, eigentlich überall. Das Haus brannte in der Nacht und mit fürchterlicher Schnelligkeit nieder, von den Studenten, die bereits schliefen, konnte der größte Teil sich retten, aber acht von ihnen kamen in den Flammen um, erstickten oder stürzten zu Tode. Das Haus stand wahrscheinlich frei, weit von der Stadt, sonst wäre es kaum möglich gewesen, daß es bereits heruntergebrannt war, ehe Hilfe kam. Außerdem befanden sich die aus dem Schlaf gerissenen Studenten gewiß im Zustand höchster Verwirrung, was die Überlebenden, von der Polizei ausgefragt, auch bekannten, es war ihnen, diesen Überlebenden, furchtbar, daß so viele ihrer Hausgenossen umgekommen waren, und sie haben sich selbst deswegen große Vorwürfe gemacht. Das Schlimmste war gewiß, daß die Polizei Brandstiftung vermutete und daß es bald hieß, nur einer der Studenten selbst könne der Brandstifter gewesen sein. Nach dem möglichen Beweggrund einer solchen Brandstiftung wurde geforscht, und es wurden zu den Untersuchungen auch Psychiater hinzugezogen. Dem Feuerleger konnte nach ihrer Ansicht so etwas wie ein erweiterter Selbstmord, aber auch ein ganz allgemein anarchischer Akt vorgeschwebt haben. Die jungen Leute wurden sofort getrennt und in verschiedenen Häusern, Wohnheimen oder in Professorenfamilien untergebracht. Sie waren alle, wo immer sie sich auch befanden, sehr unglücklich und hatten nur den einen Wunsch, wieder beieinander zu sein. Gegen diesen Wunsch aber sträubten sich nicht nur die Professoren, die für die jungen Leute verantwortlich waren, sondern auch die Eltern der Studenten und zwar weil man nicht wußte, ob der Brandstifter nicht etwa verschont geblieben und also noch einer der Überlebenden war: ein verkappter Wahnsinniger, der nur darauf sinnen mochte, wie und wann er seinen Versuch wiederholen könne. Die Untersuchungen zogen sich lange hin, und die jungen Leute ließen nicht ab, ihre Professoren mit immer demselben Anliegen zu behelligen, wir wollen wieder zusammenziehen, egal wohin, aber zusammen, und es darf von denen, die die Brandnacht miterlebt und überstanden haben, nicht einer fehlen. Eine Schicksalsgemeinschaft, könnte man annehmen, wenn nicht vielleicht doch etwas anderes dahintergesteckt hatte, nämlich die Überzeugung, daß der Übeltäter nicht tot, sondern noch unter ihnen sei und daß man ihn durch solches Vertrauen zu schützen hätte vor seinen gefährlichen Anlagen, vor sich selbst. Von den Professoren wurde der Fall mit dem allergrößten Ernst behandelt. Ihr Verhalten war für mich, die ich von dem allen nur vom Hörensagen weiß, nicht weniger beeindruckend als das Verhalten der Studenten selbst. Es schien mir, als würden »drüben« die jungen Leute auf eine ganz andere Art wichtig genommen als bei uns, jeder einzelne von ihnen, was sich mit der erstaunlichen Tatsache, ein Lehrer auf zwölf Schüler, doch nicht hinreichend erklären läßt. Lauter eigene Kinder, und der Nachteil, Verwöhnung, ständige Beobachtung, brennende, nicht zu verbergende Sorgen, liegt auch auf der Hand.

TAG FÜR TAG                                          *Im Juni*

Zur selben Zeit, in der Hildesheimer in seiner Poetik-Vorlesung das Absurde preist, die absurde Verzweiflung, Kafka, Beckett, Grass, eine Prosa, die, im höchsten Maße verdichtet, alle Eigenschaften einer lyrischen Ausdrucksweise besitzt – zur selben Zeit also, als der Eichsche Satz von der unbedingten Vorherrschaft der Lyrik zum Thema einer ganzen Vortragsstunde gemacht wurde, war etwas ganz anderes schon auf dem Wege, auf sozusagen leisen Sohlen, flüsterleise, etwas völlig vordergründig Unverzweifeltes, Alltagssprache ohne den kritischen Schabernack etwa der »Kahlen Sängerin«, naturalistische Dialoge, wirklichkeitsgetreues Bühnenbild, auf der Szene gebratene Spiegeleier, Wespen, nach denen man schlägt. Was alles nicht aus Rußland kommt, nicht einmal aus der DDR, sondern aus England, ein Theaterstück von Wesker, mit eingelegten, zur Guitarre gesungenen Flüsterliedern, heiteren und zärtlichen, ein bißchen sentimentalen Songs. Tag für Tag, und nichts Verschlüsseltes, nichts Abgründiges, kein schwarzer Humor. Nur ein paar Tage aus dem Leben einer englischen Landarbeiterfamilie, ein Stück Leben, wie es nicht sein sollte, aber nun einmal ist. Im Hintergrund und gar nicht auftretend, der großstädtische Intellektuelle, der der Tochter den Kopf verdreht hat, einen recht simpeln und sogar sturen Kopf, nicht unähnlich dem der Mutter, die auch voll Widerspruchsgeist steckt, voll Lachlust und Vitalität. Das Mädchen ist von dem Intellektuellen, den es liebt, erzogen worden und gibt die Erziehung zuhause weiter, kämpft gegen das schlampige Armeleutewohlleben, die Schlagerplatten, die comic-strips-Lektüre, die Gleichgültigkeit angesichts des Versagens der Gewerkschaft, die Gleichgültigkeit sogar angesichts des atomaren Todes. Solange das Mädchen die Familie nur ändern will, damit sie vor den Augen des angeblich heiratswilligen Londoners bestehen kann, wirkt es rührend und ein bißchen komisch, es ist aus dem gleichen Holz wie die Familie, fällt auch hier und da in die Sünden der schwer beweglichen Masse zurück. Dann, während das Verlobungsessen in Töpfen und Pfannen, aber hinter der Bühne, schon brodelt und man sich, in Sonntagskleidern den Gast erwartend, zu einem ungemütlichen Tee niedergelassen hat, kommt der Absagebrief. Und nun flüchtet das Mädchen nicht in die Arme der Familie, die übrigens auch gar nicht ausgebreitet werden, da jeder nur froh ist, daß man endlich zu Tisch gehen kann. Es wächst vielmehr in diesen Minuten der Einsamkeit die energische junge Person nicht nur über die Familie und über den von der Sache der Jugend abgefallenen Freund, sondern auch über sich selbst hinaus. Allein wird sie den Kampf gegen die Trägheit, die Schlamperei und die bescheidene Genußsucht der Armen weiterführen, auch den Kampf gegen die furchtbare Lethargie, welche die Atombombe für unvermeidlich hält. Unpathetische, klassische Platten spielende, zur Guitarre singende Jugend und seit der sozialen Anklage des Fuhrmann Henschel und des Hannele ist mehr als ein halbes Jahrhundert vergangen. Im Westen Europas, also ohne jeden Parteizwang entsteht etwas, das man antiformalistisch nennen könnte oder auch Propaganda, wie die Stücke der moralischen Aufrüstung, über die man nachsichtig gelächelt hat. Hier gibt es nichts zu lächeln, am Werke ist das Prinzip Hoffnung, und von dem kitschigen Schlager, »Marmor, Stein und Eisen bricht« bis zu einem heiteren klassischen Allegro ist nach der Auffassung Weskers nur ein kleiner Schritt.

*20. Juni*

Eine Freundin unterhält sich mit dem Pirol in ihrem Garten, hat ihn aber nie gesehen, mein Bruder hat in dem seinen zwei Pirole und kennt sie persönlich, aber immer, wenn ich ihn bitte, sie mir zu zeigen, sind sie gerade nicht da. Ich habe keinen Garten und keine Pirole, meine Vogelliebhaberei ist, weil ich kurzsichtig bin, ohnehin eine platonische, da schwingt sich etwas durch den Himmel, ob es eine Lerche ist oder eine Schwalbe, kann ich ohne Brille nicht erkennen, also ist es immer der Vogel an sich. Welcher Notstand auf diesem Gebiet, welche Armut, da erst das Benennenkönnen, das Unterscheidenkönnen die Welt in Ordnung bringt. Welche Freiheit andererseits, welcher Reichtum, in jedem zappelnden flügelschlagenden Wesen die ganze Gattung, und ich mit hinaufgezogen, fortgerissen, ohne Zwang zur kleinlichen Etikettierung, nur hinauf und fort. O, ihr Vogelzüge über der Pregelniederung, Fernweh, große Freiheit, obwohl doch jeder weiß, daß es bei diesen Reisen nur ums Brutgeschäft oder um einen erträglichen Winter geht. Der Dichter Eichendorff war nicht kurzsichtig, er verstand zu unterscheiden, in einem seiner Gedichte handelt es sich um eine Lerche, in einem anderen um einen Adler, in einem dritten um eine gefangene Nachtigall. Aber worauf es ihm ankam, war doch das ganze rätselhafte Vogeldasein, diese luftige Existenz, in die er sich, wie oft, hineinversetzte, ich Vogel, ich frei, ich vogelfrei, ungebunden, auch ungeschützt. Auf ostpreußischen Grabmälern saß das Steinvögelchen, das Abbild der Seele, die den Körper verlassen hat, eine angenehme Vorstellung, aus all dem Verwesenden ein Ganzes, Heiles, das sich hinaufschwingt in eine andere Welt. Daß man auch am genau Bestimmbaren seine Freude haben kann, erlebte ich kürzlich in Ithaca, wo es eine Vogelbeobachtungsstation, ein sogenanntes Birdswatching gibt. Durch die großen Fensterscheiben eines ebenerdigen Raumes sieht man in eine gar nicht einmal besonders hergerichtete Landschaft, in einen jener ertrunkenen Wälder nämlich, in denen die Bäume mehr als einen Meter hoch im Wasser stehen. Wald, Waldrand, glitzernde Wasserfläche, aus der einzelne Stämme und kleine Inseln ragen, und was da einfiel und mit heftigem Flügelschlagen wieder auftauchte an Sumpfvögeln, Wasservögeln, Strandläufern, was auf dem Sand herumpickte und sich niederließ auf den silbergrauen noch kahlen Zweigen: nichts Anonymes, jede Vogelart drinnen auf großen Bunttafeln zu erkennen, ihre Eigenart nachzulesen in Büchern, und Kinder, Studenten und alte Frauen saßen dort hinter den Ferngläsern, die noch das Weiteste heranholten zu klarer Sicht. Ein

malerisches Bild, der Wasserwald, das Waldwasser draußen, die hunderterlei schönen Enten und lustigen Taucher,
deren Namen ich jetzt anführen könnte, aber nicht an-
führe, und innen die aufmerksamen Gesichter, über die
Einaugen, die Zweiaugen gebeugt. Wer dort, in den USA
etwas erfahren will, will Genaues erfahren, nichts Unge-
fähres, geht nachhause und ist mehr geworden, trägt sein
Wissen wie einen Klumpen Gold. Im Museum kann man
dasselbe beobachten, Lernfreude einer noch jungen Gesellschaft, und recht rührend oft die noch kleinen Kinder, die
im Kreis auf dem Fußboden sitzen und sich »melden« –
mit wedelnden Armen und schnalzenden Fingern teilen sie
ihrer Lehrerin ihre Eindrücke über Rembrandts Alters-
portraits mit.

AMERIKA 9                                        *25. Juni*

Da kommt sie mir wieder entgegen, kommt über den Fluß
zur Anlegestelle, die alte Fähre, aber nicht wie alle Tage,
sondern festlich bewimpelt, mit einer Musikkapelle an
Bord. Wie das so ist bei Fähren, Heck und Bug gleichen
sich, sind beide breit und flach, mit einem Altan über sich,
einer ersten Etage sozusagen, die jetzt, wie auch das Un-
tergeschoß, ganz dicht voller Menschen steht. Die Leute
unten haben, wie die Leute oben, Gläser in der Hand,
auch kleine Fahnen und Blumensträuße, mit denen winken
sie uns entgegen, die in der Nähe ankernden Schiffe lassen ihre Sirenen heulen, wir am Ufer klatschen in die
Hände, der Lärm ist groß. Die Fähre bewegt sich sehr
langsam, kommt langsam näher, die lachenden singenden
Gesichter über feierlichen Anzügen und Blumenkleidern,
Ferryboat aus dem Anfang dieses Jahrhunderts, so und
soviel tausende von Malen von Manhattan nach New

Jersey, von New Jersey nach Manhattan gefahren, und heute zum letzten Mal. Wie das die Menschen erregt und bewegt, die letzte Fahrt eines alten Verkehrsmittels, alte Boote, alte Trambahnen, alte Lokomotiven, deren einzelne Teile manchmal versteigert werden, ein Scheinwerfer steht danach in einer bürgerlichen Wohnstube, ein Lenkrad in einer anderen, eine Kohlenschaufel in einer dritten, was alles sich in den Nächten wieder zusammensetzt zu geisterhaften Fahrten über Flüsse, durch Kornfelder, zwischen Vorstadthäusern hin. Die Fahrt der alten Fähre heute, über den Hudson, ist noch Wirklichkeit, und ist es doch wieder nicht, sonst könnten die Gesichter, die mir da näher kommen, nicht meinen Freunden gehören, Leuten, von denen keiner dieses Verkehrsmittel je benützt hat und die überdies schon alle tot sind, ja, alle schon tot. Und jetzt stehen sie dort, sind lustig, winken mit Fähnchen und kommen näher, du und du, und du, was habt Ihr da zu suchen, auf dem letzten Ferryboat aus New Jersey, und kommen näher und wiegen sich im Takt der Blechmusik, im Takt des Händeklatschens, das ihnen vom Ufer entgegenkommt. Auch ich klatsche in die Hände und wiege mich, und der Styx, der Hudson glitzert hinter dem doppelstöckigen Fahrzeug, an welchem ganz vorn eine Tafel angebracht ist, eine blumenumkränzte, auf der eine Jahreszahl steht. Jahr 1901, und wie ich die Zahl erkenne, wird es plötzlich still und dunkel, kein Fluß mehr, keine Blechmusik mehr, nur die Tafel, das Jahr, in dem die Fähre ihre Jungfernfahrt machte, mein Geburtsjahr, 1901.

AMERIKA 10                                          *26. Juni*

Schiffe waren an jenem Vormittag keine zu sehen, dafür die vielfache Reihe von schnellfahrenden Wagen, zwei

Reihen flußaufwärts, zwei Reihen flußabwärts, oder drei und drei, oder vier und vier. Die glitten vorüber, fast lautlos, auf dem highway zwischen Park und Hudson, aus der Stadt heraus, in die Stadt hinein. Der Park war ein Grünstreifen, aber ein sehr breiter, mit schäbigen, vom winterlichen Rodeln abgenützten Grasflächen, aber schönen Bäumen, von der Häuserfront her steil abfallend und seltsam menschenleer an diesem Samstag, dem ersten warmen und bereits schwülen Frühlingstag Ende April. Weil ich mir alles einreden lasse, hatte ich mir auch einreden lassen, daß dies eine Überfallgegend sei, eine Mördergegend, ging an der Seite meiner unbefangen herzhaften Freundin ängstlich, sah auch gleich etwas Merkwürdiges, nämlich einen alten Mann, der den Abhang hinauf und hinab, aber immer außerhalb der Wege, kreuzte, etwas aufhob, es fallen ließ, aufhob, fallen ließ, uns nachschaute mit irrem Blick. Warum geht hier niemand spazieren, fragte ich argwöhnisch, außer dem städtischen Centralpark das einzige Grün von Manhattan, das einzige Stück Himmel, die einzige frische Luft. Meine Freundin wußte keine Erklärung oder wollte keine geben, der Park, nah an ihrer Wohnung gelegen, war für sie kein Ort der Ängste, war ihre Freiheit, ihr Trost. Sie zog mich immer weiter, zuerst hinunter, dann die breite, aber nur für Fußgänger bestimmte Straße flußaufwärts, auf der radelten viele Kinder mit großer Geschwindigkeit, Halbwüchsige spielten mit grauen Bällen, Kleine sprangen einem Steinchen nach, in das kreidegezeichnete Paradies. Jenseits einer niederen Mauer befanden sich tiefergelegene Spielfelder, auf denen junge Leute Tennisbälle gegen die Wand schlugen und Basketball-Partien austrugen, Neger und Weiße, in schönen heftigen Sprüngen, aber stumm. Die Polizisten sah man von weitem, sie kamen uns entgegen, zwei große Männer auf dicken schweren Pferden, hielten sich auf der Mitte der breiten Straße, sprachen nicht miteinander, waren umgeben von Kindern, die nichts taten als mitlaufen, leichtfüßig, stumm. Es kann aber auch sein, daß das alles nicht wahr ist, daß die Ballspieler lachten und schrieen, die Polizisten schwatzten und die Kinder im Laufen ihre Bemerkungen machten. Vielleicht war ich nur zu müde, um etwas zu hören, zu müde an meinem letzten Tag in den Staaten, und sollte von meiner Freundin etwas geschenkt bekommen, ein Stück Sommer, einen Park voller Kinder, sah aber nichts als Gespenster, stierte, döste, bedankte mich nicht.

*29. Juni*

Es scheint mir lange her, daß ich von meinen Zimmern gesprochen und sie bis in alle (alle?) Einzelheiten beschrieben habe, warum nur, weil ich eine Gefahr witterte, Abbruch des Hauses, Abbruch der ganzen Straße, es wurde damals über solche Vorhaben viel gesprochen, Gerüchte, die aber nun schon lang zum Schweigen gekommen sind. Abbruch, Aufbruch, welch letzterer vielleicht doch stattgefunden hat, inmitten der noch stehenden Möbel, hängenden Bilder, was man einmal beschrieben hat, hat man auch überwunden, so radikal, daß ich jetzt gelegentlich auch weiße Wände, kahle Räume sehe, Räume, die ich mir in Gedanken neu einrichte, nichts mehr von dem alten Hausrat, nur das Nötigste, nackte Tische, schmucklose Regale, die Federkrone des Montezuma als einziger Schmuck. Vor den Fenstern wechselnde Aussichten, heute der tief gelegene reißende Fluß Potomac, morgen die Rebenterrassen zur Seite der oberrheinischen Tiefebene, auch nie Gesehenes, nur vorgestelltes, chinesische Reisfelder, ein Stück

Wüste mit Mond und blauen Löwen, offensichtlich eine Erinnerung an ein Bild des Zöllners Rousseau. Über diese Ausblicke bin ich ebensowenig erstaunt wie über das Fehlen, das heißt von mir Übersehenwerden mancher sehr geliebter Gegenstände, einige von ihnen habe ich sogar tatsächlich entfernt, verschenkt oder in einen Schrank verwahrt. Dabei bewundere ich doch unter meinen Freunden vor allem ein bestimmtes Ehepaar, das seine Standfläche durch allerlei Käufe noch immer verbreitert, immer noch Dinge anhäuft, sein Doppelherz also in jährlich steigendem Maße an Irdisches hängt. Das Bild von dem angehängten Herzen ist nicht schlecht, lauter Anker, die das Fluglustige, Fluchtlustige daran hindern, sich zu entfernen, die es fest bei der Sache halten, bei den Sachen, die für dieses nicht mehr junge und kinderlose Ehepaar nicht nur ein Teil des Lebens, sondern das Leben selber sind. Auf die großzügigste Weise übersehen die beiden, was sich doch längst herumgesprochen hat, daß man nämlich ins Grab nichts mitnehmen kann, wie ein vorzeitlich orientalisches Königspaar scheinen sie damit zu rechnen, daß sie im Jenseits von ihren schönen Mahagonitischen essen, aus ihren silbernen Bechern trinken werden, wobei nicht einmal ausgemacht ist, ob sie das dann nicht wirklich tun. Selbst bei mir hat sich die Vorstellung eines himmlischen Aufenthaltsortes lange Zeit mit meiner Wohnung gedeckt, wobei ich dann freilich nie allein, sondern wieder zu zweit war, was doch nur bedeuten kann, daß dieses Zuzweitsein an einem gar nicht einmal besonders schönen Ort der Himmel auf Erden war. Es hat sich aber bei mir in dieser Beziehung in der letzten Zeit manches geändert. Ich bin an mehreren Orten, vielleicht auch an keinem, zuhause, es gehören mir mehr Gegenstände oder keiner, eine Tendenz zur tabula rasa, diesem alten Traum unordentlicher Menschen, deutet sich an. Ich traue mir nicht mehr zu, die Dinge und meine Beziehungen zu ihnen in Zucht zu halten, sie könnten wuchern, sich heimlich vermehren, mir die Fenster, sogar die Ausgänge verstellen. Auf keinen Fall möchte ich noch mehr und anderes besitzen, als ich ohnehin schon habe, worin man natürlich, etwa im Gegensatz zu dem vorhin erwähnten Ehepaar eine Lebensschwäche sehen kann. Es haben mir aber die Erzählungen von jenen indischen Männern, die in einem gewissen, nicht einmal sehr hohen Alter alles Gewohnte verlassen, um sich vor der Stadt unter einen Baum zu setzen, immer großen Eindruck gemacht. Ich glaube, daß diese Männer nach ihrem Weggehen von Zuhause keineswegs in Schweigen versinken, daß sie vielmehr mit den Vorübergehenden sprechen und von ihnen etwas zu erfahren suchen. Wovon auch ich nicht ablassen würde, einmal später, in meiner ausgeweideten Wohnung, unter meinem eingebildeten Baum.

STADTSOMMER                                    *2. Juli*

Inzwischen ist es Sommer geworden, Stadtsommer, die Linden haben bereits, aber enttäuschend, ohne ihren überwältigenden Duft zu verströmen, geblüht. Hitzewellen, eine nach der andern, jede schön trocken, mit nächtlicher Abkühlung und schönen frischen kräftigen Sommerfarben beginnend, aber bald rheinmainisch verwandelt, verschleiert in lastende Schwüle, in Gewitter, die auftauchen, wieder abziehen, ohne kräftige Blitze und Donnerschläge, ohne Regen und kühlen Wind. Unter den Bäumen des Parks steht die Luft dick wie Pudding, mit offenem sauerstoffgierigen Munde schleicht der Feierabend um die Springbrunnen, die nicht mehr nach Wasser, sondern nach Jauche riechen. In den Schwimmbecken haben die Badenden keinen Platz, um sportliche Stöße zu machen oder kindische Scherze zu treiben, stehen unter dem Wetterleuchten bewegungslos, Kopf an Kopf. In die Kiesgruben vor der Stadt springen Knaben, tauchen nicht wieder auf, müssen mit dem Schleppnetz gesucht und herausgehoben werden, unversehrten Leibes, mit erstauntem gebrochenem Blick. Die Petunien auf den Balkonen sind hoch und wild aufgeschossen, werfen sich nach innen, weg von der Sonne, ihre blauen Blüten verderben schon in der Knospe, rollen sich zusammen, graufaltige Larven, die wir ablesen, ganze Hände voll in den Mülleimer Tag für Tag. Tag für Tag der Blick auf die Wetterkarte, nach der Zackenlinie, der Regenfront, die von Westen heranziehen soll, aber nicht heranzieht, nach den Windfähnchen, die nicht auftauchen, die Gardinen hängen schlaff herunter, die grünen Segel der Bäume blähen sich nicht. Still aus dem schmelzenden Asphalt ziehen wir schwere Füße, berühren in den Geschäften schweißige Schultern, häufen Verdorbenes in den Drahtkorb über dem wir hängen, dösenden Blicks. Wer am Rande der Stadt wohnt, sieht den Weizen reif werden am schmutzigen Flüßchen, geht da am Abend in keiner Kühle, keiner Stille, kriecht unter staubigen Kastanien, setzt sich zum Bier. Gegen Mitternacht sollte die Temperatur sinken, sinkt aber nicht, so daß, wer schlafen will, keinen Schlaf findet, nackt auf dem bloßen Laken liegend, manchmal den nackten Arm wie einen Flügel bewegt. Nächte des Stadtsommers, Nächte der großen Halluzinationen, von Stränden ohne Strandkörbe, Wasserfällen ohne Aussichtsbänke, Berggipfeln ohne greinende Kinder, leere Autobahnen, über die man hinrast, allein. Fleisch, an das sich kein Fleisch klebt, Atem, der keinen fremden Atem einzieht, eisiges Eden, Eisblumen, Früchte aus Eis. Die Fenster zu Häupten des Schläfers, Nichtschläfers stehen offen, über die Zimmerdecke fliegen die Wagenlichter, kleine heiße Sonnen, die will er nicht sehen, dreht sich auf den Bauch. Wühlt sich ins Bett, Bachbett altes der Kindheit, schattig, gebüschüberwachsen, legt die Stirn auf den eilig überronnenen Stein. Seine rissigen Lippen, seine geschwollene Zunge lecken und saugen, um die Lenden spielen ihm Fische, glänzende, nackte, kühl.

AMERIKA II                                                        4. Juli

Die Ankunft, die Abfahrt, noch bei keiner meiner Reisen war beides so gleichermaßen erregend wie bei der letzten, die nun schon wieder Monate zurückliegt, seit der es Sommer geworden ist und Hochsommer, während es auch drüben schon einmal Hochsommer und dann wieder Schneewinter war. Ich hätte davon erzählen sollen, von den in tropischer Hitze welkenden japanischen Kirschen in Washington, von den Schneestürmen in New England, ich erzähle gern vom Wetter, das Wetter bedeutet mir viel. Was ich aber heute im Sinne habe, ist unsere Abreise aus Manhattan, genauer gesagt, von Long Island, wie wir durch den langen unterirdischen Korridor gingen, weiß gekachelt, hygienisch, und wieder auftauchten in einer Art von Brückenkopf, Glashäuschen in der Mitte, und ringsherum Kojen, aber wändelose, nur aus den glänzend rot gepolsterten Sitzbänken wie Waben gebildet, mit großen Glasscheiben zum Flugfeld, das aber nur Schwärze war, nur Nacht. Wir waren früh daran, saßen in unserer Wabe, Exit Nr. Soundso, zuerst mit wenigen, dann mit immer mehr Menschen, Amerikanern, Israelis, Italienern, Chinesen, tranken Kaffee aus Pappbechern, fürchteten uns sehr. Riesig lautlos kam draußen das Flugzeug herangerollt, seine Lichtaugen beschrieben einen Bogen, jetzt schwankte es noch, jetzt stand es still. Von rechts und von links streckten sich Harmonikaarme aus, griffen ihm ans Heck, an den Bug, saßen, während unsere Flugscheine kontrolliert wurden, schon fest, waren, als die ersten Reisenden durch die Sperre gingen, schöne weiße Korridore, sanft gerundet, fugenlos, mit roten Teppichen belegt. Flug über den Ozean, in einer Nacht, die bereits angebrochen war, in der man aber nicht schlafen durfte, sondern essen und trinken mußte gegen Mitternacht, dann einen Film sehen, Indianer im Schnee. Zeitverwirrung und an den beiden Handgelenken meines alten sizilianischen Nachbarn zwei Uhren, die er mir immer wieder unter die Augen streckte, Zeit von New York, Zeit von Palermo, und längst hatte sich, traumhaft leise, der Koloß vom Boden gelöst. Leise, unmerklich und von mir nur wahrgenommen dadurch, daß das Kreuzeschlagen neben mir plötzlich ein Ende hatte, daß der Alte seine Fingerspitzen küßte, was heißen sollte, die Hand der Madonna, grazie, nur der Start und die Landung sind gefährlich, und der Start jedenfalls war vorbei. Der Lichterteppich von Manhattan wurde unter uns weggezogen, wir waren auf dem Wege nach Israel, nach Karatschi, nach Hongkong, wünschen Sie Martini, Lady, wünschen Sie Whisky, wünschen Sie Sekt? Ich hob das Vorhängchen, ging in die zweite Klasse, ein Glas Champagner in der Hand. Für dich, sagte ich zu meiner Tochter, die dort saß und schon die Hand ausstreckte, aber der Steward rannte durch den schmalen Gang und riß ihr das Glas aus der Hand. Keine Getränke in die zweite Klasse, sagte er, nein, auch nicht von der Mutter für die Tochter, und meine Tochter gab mir das Glas zurück und sah mich traurig an. Später ging ich noch ein paarmal, aber mit leeren Händen zum Vorhang und schlug ihn zur Seite, ich sah aber lauter fremde Gesichter, meine

Tochter nicht mehr. Aus dem Lautsprecher erfuhr ich die Standorte des Flugzeuges, wir flogen nicht über den Ozean, sondern über Canada und Labrador. Als die Kopfhörer verteilt wurden, nahm ich keine, machte nur ab und zu die Augen auf und sah auf die Leinwand, auf der sich lautlos Unverständliches abspielte. Die Fensterchen waren alle verhangen, wir sollten nicht sehen, was sich dort draußen erschreckend begab, der Sonnenaufgang in der Geisterstunde, das volle Sonnenlicht um drei Uhr früh. Wie die Zugvögel, die die großen Wasserflächen scheuen, flogen wir über Irland und England, frühstückten über Frankreich, übernächtig wach, die Angst war längst vergangen, kam auch nicht wieder, als aus irgendeinem atmosphärischen Grunde die Luft wie ein schwerer Hammer von unten gegen den Rumpf des Flugzeuges schlug. Bei der Landung wiederholte sich an meiner Seite das Kreuzeschlagen, das Fingerspitzenküssen, meine Tochter beugte sich über mich, lächelnd starrten wir uns in die bleichen Gesichter. Es war sieben Uhr früh, in Rom schon dreizehn Uhr nachmittags, als wir von Bord gingen, verließen wir erst eigentlich den andern Erdteil, der böse Steward stand an der Treppe, lächelte, good bye lady, good bye. Rom war ein Landstädtchen, klein und gemütlich, und noch tagelang gingen wir dort unsicher, wie unseren Körpern entrissen, umher.


HÄNDE                                              *6. Juli*
An ein fettes marmornes Kinderhändchen mußte ich heute denken, das lag einmal auf einem Schreibtisch, nicht meinem, war die Hand eines verstorbenen Kindes, ein fatales Erinnerungsstück, ich hätte es nicht haben mögen, hätte immer daran denken müssen, in was für einem Zustand

sich wohl jetzt das Urbild befinden mochte, zehn Jahre unter der Erde, zwanzig Jahre unter der Erde, und die Marmorhand noch immer so voller Grübchen, wohlgenährt. Ich dachte an das fremde Händchen, als ich meine Hand ansah, die ausgestreckt, nicht gespreizt vor mir auf dem Tisch lag, müßig, aber nicht müde, jederzeit bereit, nach dem Schreibheft zu greifen, aber dann blieb sie doch liegen, ließ sich anschauen, die kräftige, nicht mehr junge Hand. Aus den alten Händen treten die Adern, die sich früher versteckt gehalten haben unter glattem Fleisch, eine lange von der Handwurzel bis zum Ansatz des Mittelfingers, wo sie sich unklar verästelt, eine kurze breite unter dem Ringfinger, häßlich, schon fast ein Paket. Eine andere Neuigkeit, die kleinen braunen Flecken, Sommersprossen oder Leberflecken, die einzeln, aber auch in ganzen Schwärmen auftreten, wieder verschwinden, mit der Sonne haben sie nichts zu tun. Halt still, Hand, fang nicht an mit den Fingern zu trommeln, balle dich nicht zur Faust. Über den Knöcheln liegt deine Haut in feinen Fältchen, was alles anders wird, wenn du die Faust machst, dann springen die Knöchel elfenbeinglatt wie nackte Kuppen aus den Tälern, wenn du mit den Fingern trommelst, wölbt sich auch noch eine Querader aus der glatten Fläche. Deine Finger sind lang, aber keineswegs dünn, zwei der Kuppen zeigen die in der Fachliteratur unbeliebte Spachtelform, die andern verjüngen sich, laufen spitz zu. Die Nägel sind rosarot und meist nicht ganz makellos lackiert, die großen Halbmonde an der Nagelwurzel verschwinden unter dem Lack. Der Daumen hat die wenig sympathische Fähigkeit, sich in seinem untersten Gelenk einknicken zu können, er steht dann waagrecht ab, ein kleiner Spaß, der in Kinderzeiten auf Mitschülerinnen viel Eindruck machte, den ich jetzt aber natürlich niemandem mehr vorführe. Der Handrücken ist wie die Finger lang und kräftig, er wäre gut anzusehen, wenn er nicht durch die bereits erwähnten blauen Flüsse und braunen Flecke entstellt würde. Die beiden Ringe am vierten, dem sogenannten Ringfinger sind noch zu erwähnen, zwei Goldreifen, von denen der eine, mein Ehering, schmal ist, der andere aber so dickleibig, daß vier kleine Brillanten in ihm Platz haben, ein altmodischer Schmuck, der mir seiner Einfachheit halber gefällt. Dreh dich jetzt um, Hand, zeig dich von innen, da wirkst du runder, weicher, da wölbst du dich wie zu einem Körbchen oder einer Schale, da kann sich besonders der Ringfinger nicht ordentlich auf den Rücken legen, steht immer vor den anderen mit seinem obersten Glied. Von den Handlinien verstehe ich nichts, es sind zudem in dieser, der rechten Hand, wenige, nichts Interessantes wie etwa in der linken, wo die Linien abbrechen, wieder ansetzen, sich geweihartig verzweigen, Nebenlinien, wie die schwachen Wiederholungen eines Regenbogens, mit sich führen, zudem allerlei Unordentliches, hingewischte Kreuze, feines Wurzelwerk, tiefe Rinnen zum Zeigefinger und zum kleinen Finger hinauf. Solche Rinnen, aber schwächere, gibt es auch in der rechten Hand. Wenn sie, wie ich gehört habe, die Talente anzeigen, und wenn, wie ich ebenfalls gehört habe, die linke Hand ein Spiegel des Überkommenen und die rechte der Ausdruck der eigenen Persönlichkeit ist, sieht es bei mir trübe aus, verkümmerte Begabung bei gesteigerter Vitalität und Harmonie. Dicke Buckel, Hügel und Täler weist auch diese rechte Hand auf, ist überhaupt innen so weich wie sie außen straff ist und hart. Kochlöffelhand, Gartenhand, Klavierhand, Schreibhand, Hand für Zärtlichkeiten. Wieviele Bewegungen ausgeführt im Laufe eines Lebens, wieviele Händedrücke, und liegt jetzt vor mir auf dem

Tisch, still, sonnenbraun, und doch fremd, wie alles, was man so lang, so nachdenklich betrachtet, und immer fremder, das knochige Stück Menschenfleisch mit seinen fünf grotesken Auswüchsen, seinen fünf dummen kleinen Gesichtern, gesteuert von einem Teil meines Gehirns, aber es könnte sich auch selbständig machen, mir die Haare ausreißen, mich blutig kratzen, mir an die Kehle fahren, das unheimliche Ding. Also ist es besser, den Stift in seine Finger zu legen, rühr dich, Ding, beschreibe dich selber, schreib.

TRÄUME 5 *10. Juli*

Hinaufgefahren sind wir, 484 Meter, einhundertzwei Stockwerke, da sollte die Welt zu unseren Füßen liegen, jedenfalls die Stadt New York und ihr Hinterland, Wallstreet und der Hafen, Brooklyn, Coney Island, dann, nach einer Vierteldrehung, der Hudson mit seinen Schiffen und drüben New Jersey, nach einer weiteren das Rockefeller Centre, der Central Park und Bronx, nach noch einer das Unogebäude, der East River, Long Island. Wir sahen aber gar nichts, die Wolkenkratzer von Manhattan, die Flüsse, der Ozean, lag alles im Dunst. So daß ich heute noch einmal hinauf mußte, wann, zu keiner Zeit, weswegen auch die Aufzüge außer Betrieb waren und ich die 484 vertikalen Meter zu Fuß gehen mußte, als wenn mir das etwas ausgemacht hätte, leichtfüßig, mit freiem Atem legte ich die steile Strecke zurück. Oben ist ein großes Gedränge, was mich erstaunt, so viele also, die zu kurz gekommen sind, und sich jetzt schadlos halten wollen, kaum gelingt es an die Brüstung zu treten, so viele Leute, Fremde, Provinzler, Neger, Matrosen, Kinder, auch zwei oder drei Indianer sind dabei. Leider ist es genau so dunstig wie bei der ersten, ich möchte sagen, der wirklichen Himmelfahrt, wenn ich mir nicht abgewöhnt hätte, mit den Worten wirklich und unwirklich so leichtsinnig umzugehen. Wieder wehen Dunstschleier um die Türme, von den versprochenen achtzig Kilometern Umgebung ist nicht die Rede, kaum, daß man einmal tief unten ein Stück Straße mit winzig kleinen langsam fahrenden Automobilen sieht. Übrigens versucht von all den dicht gedrängt stehenden Menschen keiner den Nebel mit seinen Blicken zu durchdringen, vielmehr bewegen sich alle, wenn auch ganz langsam, in einer bestimmten Richtung, was schließlich auch ich tue, wenn ich auch nicht weiß, wohin es geht und was ich da soll. Bei diesem Umkreisen der Plattform spricht niemand, wahrscheinlich des Windes wegen, der dort oben so stark weht, daß man alle Mühe hat, sich auf den Beinen zu halten. Schließlich kann ich erkennen, wohin die Schlange will, nämlich über ein Treppchen ins Innere des Turmpavillons, auch ich gelange am Ende dort hinein, werde zurechtgestellt vor einem riesigen gemalten Panorama, auf dem in blendender Klarheit alles draußen Verhüllte zu sehen ist, und über dem in verschnörkelten Buchstaben das Wort SOUVENIR steht. Einen Schritt zurück, einen Schritt nach rechts, sagt der Photograph, und macht seine Aufnahmen, die man dann auch gleich mitnehmen kann, aber zum Ansehen ist keine Zeit. Der nächste, der nächste, der nächste und am Ausgang werden kleine Fallschirme verteilt, an denen schweben wir hinab in die finstere Schlucht. Unten steht mein Zuhausezimmer, erstaunlich wie ich gerade hineintreffe, wie sich die Zimmerdecke sacht über mir schließt. Die Photographie halte ich noch in der Hand, sehe sie jetzt an, bin gespannt, mich da zu erblicken vor dem Hintergrund der Weltstadt, Meeresstadt, vielleicht bei

Tage im hellen Sonnenlicht, vielleicht bei Nacht, von Elmsfeuern umspielt. Die Aufnahme, die ich in der Hand halte, zeigt aber von alldem gar nichts, ist ein altes Bildchen von meinem Mann und mir, da gehen wir auf einer breiten Strandpromenade, mein Mantel ist kurz und unten mit langhaarigem Pelz besetzt, wir lächeln in die Kamera, wir sind jung. Souvenir, und ich frage mich, was für Aufnahmen die anderen Besucher des Empire State-Building bekommen haben, vielleicht alle nichts von Manhattan, Brooklyn, Bronx, sondern etwas ganz anderes, Erinnerung an ihre glücklichste Zeit.

*im Juli*

In einer kinderkleinen Eisenbahn durch ein vertrautes Gelände zu fahren macht den auf solche Weise Beförderten nicht zum Kinde, aber die durchfahrene Gegend zu einer magischen, Alice im Wunderland, und aus mageren Gehölzen werden Urwälder, in denen man sich, ausgesetzt, nun wirklich verlöre, zwergenklein. Der Geruch eines Waldstücks, durch das Fußwege nie führten, ist keinem andern Waldgeruch vergleichbar, ein Wasserlauf, an ungewohnter Stelle überquert, ist derselbe Wasserlauf nicht mehr. Die blecherne Lautsprecherstimme, die ansagt, was man ohnehin sieht, trägt zur Verzauberung noch bei, wird schon auf der zweiten Fahrt zum Albtraum, ein drittes Mal ertrüge man sie nicht. Also geht man zu Fuß, gingen wir zu Fuß, nicht durch den Prater, sondern in der Bundesgartenschau 1967, und am Eingang des Schloßparks stand mein Verehrer von vor fünfzig Jahren, vor hundert Jahren, kam mir entgegen, einen Veilchenstrauß in der Hand. Nicht weit von der Stelle, an der sich die Pop-Hand in ihrem lustigen Käfig nach einer blauen Wolke reckt, rissen vor fünfzig Jahren, vor hundert Jahren, dicke Hofopernsänger den Mund auf, singen da noch immer, Nie sollst du mich befragen, und Leb wohl du kühnes herrliches Kind, machen mich weinen, die Männer aus Staub. Dem Schloß, das der Gartenschau zur Staffage dient, kann ich in die Fenster sehen, da steht die kleine gebrechliche und eisenharte Fürstin vor einem Halbkreis von leeren Stühlen, das ist der Oberkonsistorialrat, das ist eine Diakonissin, das ist der belgische Gesandte, das ist ein Japaner auf seiner Europareise, das ist ein Feuerwehrmann. Da stand sie einmal, war jung, übte ihre kleinen Ansprachen, ist uralt geworden, längst gestorben, steht da noch immer, legt den Kopf auf die Seite, geht gehorsam von Stuhl zu Stuhl. Währenddem läßt die Hitze ein wenig nach, über den Teich fährt ein weißes Spielzeugschiffchen, ein ferngelenktes, ein Sonnenfleck, nicht zu erklären, liegt vergessen am Ufer, eine Handbreit unter der Wasserfläche bäumen und wühlen sich kleine glänzende Fische durch den See. Der alte Schloßpark, aufgeputzt mit einer Blumenallee, mit rechteckigen Wasserwänden, die knatternd aufsteigen und wieder zusammenfallen, mit allerlei Erinnerungen, wenigstens für mich, aber vielleicht auch für den, der neben mir dicht über der Wasserfläche sitzt. Logos, was war Logos, eine Zeitschrift, dick, fahlgrün, mitgebracht an das schattige Ufer und ernst und eifrig erklärte der höhere Schüler dem Mädchen die Philosophie. Messer, ich gehe auf Messern, will aber nicht sitzen bleiben, will noch zu den schwarzen Zementsäulen hinüber, den eng beieinanderstehenden schwarzen Säulen, verjüngt in der Mitte, und Wasser rinnt an ihnen herab. Wer geschickt ist, kann zwischen ihnen hindurchschlüpfen, ohne naß zu werden, eine Mutprobe, eine Unschuldsprobe, Säulen, die nichts

tragen, die aber angestrahlt werden, und in die runde
Mulde laufen von allen Seiten Kinder in roten und weißen
Kleidern, gleiten durch die glitzernde Schwärze, so wird
es kühl. Von der Schloßterrasse kommt in Fetzen Haydn-
musik, durch einen Scheinwerferstrahl gehen dort Menschen, sind ein paar Augenblicke deutlich zu erkennen,
ihre Bewegungen, ihre Schritte voller Leben, dann nichts
mehr, nur diese winzige Strecke zwischen Nacht und
Nacht.

20. Juli

Der junge Mann, der mir erzählte, daß er die Memnonssäulen habe klingen hören, war, obwohl dieses Erlebnis
mehrere Wochen zurücklag, noch immer aufgeregt, erwartete Unglauben, gegen den er sich stark machen wollte. Daß ich ihm ohne weiteres glaubte, war ihm auch nicht
angenehm, es setzte die Ungeheuerlichkeit seiner Erfahrung herab. Ich glaubte ihm aber, weil er nicht der Mensch
war, der Lügengeschichten erzählte, auch nicht der Phan-
tast, der einen halben Traum für bare Münze nimmt. In
einem Ausgräberhaus in der Nähe des Tales der Könige
hatte er mit anderen jungen Leuten übernachtet, von
seinem Zimmerfenster aus konnte er die Kolosse, bei
denen es sich, wie man weiß, nicht um Säulen, sondern
um halb verfallene Sitzstatuen handelt, sehen. Als er
einmal gegen Morgen aufwachte, hörte er den Ton, ein
helles, durchdringendes Summen, und eben aus jener
Richtung her. Ohne seine Gefährten zu wecken, lief er
hinaus, er wußte, daß von dem in der Antike bekannten
Phänomen der singenden Säulen seit Jahrtausenden niemand mehr berichtet hatte und hatte darum Grund genug,
seinen Ohren nicht zu trauen. Es war aber, als er den

verwitterten Riesen näher kam, das Geräusch immer noch und sogar deutlicher zu hören. Der junge Mann rannte zurück ins Haus, um seine Gefährten wachzurütteln, was ihm lange Zeit nicht gelang. Als er endlich die Worte »die Memnonssäulen« laut und fast verzweifelt schrie, wachten sie auf, glaubten aber, daß er im Traume rede oder daß er betrunken sei. Es war jedenfalls keiner von ihnen bereit, vor das Haus zu treten, geschweige denn in die Wüste hinaus zu gehen. Da er sie nicht überreden konnte, ging er in sein Zimmer und setzte sich ans Fenster, er wußte jetzt selbst nicht mehr, ob er von dem Singen oder Sirren noch etwas hörte oder nicht. In der nächsten Nacht gelang es ihm, seine Gefährten wachzuhalten, also Zeugen zu gewinnen, aber Zeugen wofür? Für eine Nacht wie alle Nächte, für Kolosse, die steinern stumm blieben, wie seit Tausenden von Jahren, wie für Tausende von Jahren, und nur er hatte sie klingen gehört.


*24. Juli*

Das Ansinnen, für eine der jetzt so beliebten Anthologien etwas über meinen Vater zu schreiben, erschreckt mich über alle Maßen. Während ich, auch in diesen Aufzeichnungen, in aller Unbefangenheit die Wesensart meiner schönen Mutter geschildert habe, scheint der Vater sakrosankt, jede Kritik an ihm unerlaubt, jedes Eindringen in die Hintergründe seiner Persönlichkeit ein Sakrileg. Wenn der Sinn der geplanten Zusammenstellung der sein soll, das Kind-Vater-Verhältnis dreier heute lebender Schriftstellergenerationen aufzuzeigen, mag schon mein Zurückschrecken vor dieser Aufgabe symptomatisch sein. Der Vater ein Gott, dessen Zorn man noch immer fürchtet, wenn man auch vor kurzem seinen hundertsten Geburtstag gefeiert oder wenigstens zur Kenntnis genommen hat, wenn die Schrift auf seinem Grabstein bereits verblichen ist und von seinem Knochengerüst vielleicht nichts mehr aufzufinden wäre. Dabei ist es ganz unwesentlich, ob dieser Vater im Leben ein strenger oder gar ein zorniger Mensch war, da er hier nicht für sich, sondern für das Kind-Vater-Verhältnis am Anfang dieses Jahrhunderts steht.

Tatsächlich wäre es uns Kindern schon zu Lebzeiten, zu Jugendzeiten meines Vaters ungebührlich vorgekommen, seinen Charakter zu analysieren und an seinen Handlungen Kritik zu üben, ich jedenfalls war dazu erst imstande, als ich schon lange verheiratet war, und als mein Mann und mein Vater politisch gegensätzliche Standpunkte einnahmen. Ich versuchte aber auch damals meinen Vater zu verteidigen, indem ich sagte, daß er eben nicht alt werden wolle, und daß ihm aus diesem Grunde jedes Beiseitestehen, jedes Verurteilen des Regimes als eine kleinliche Nörgelei erschien. Sollte ich es über mich bringen, den mir abverlangten Aufsatz wirklich zu schreiben, würde ich wahrscheinlich den Charakter meines Vaters aus dem Positivismus seiner eigenen Jugendzeit zu erklären versuchen. Ich würde seinen Mangel an historischem Sinn und den Dilettantismus seiner künstlerischen Begabung nicht verschweigen. Ich müßte mich auf Dinge besinnen, die ich bisher immer beiseite geschoben habe, Fragen, Rätselfragen, wie hat es mein Vater ausgehalten in der persönlichen Umgebung eines so wenig taktvollen Menschen wie des Kaisers Wilhelm II. Dienst zu tun, wie kam es, daß er nach einem Aufenthalt in einem Sanatorium seiner glänzenden militärischen Karriere plötzlich ein Ende machen wollte? Meine Mutter hat mir das erst sehr viel später, wahrscheinlich nach dem Tode meines Vaters erzählt, und auch erwähnt, daß sie es gewesen sei, die ihn von diesem

Entschluß abgebracht hatte. Ich werde auch darüber nach-
denken müssen, warum er während des Krieges der »rote
General« genannt wurde, die wenigen uralten Offiziere
seines Regiments, die ihre Briefe noch heute mit »Hellblau
heil« unterzeichnen, werden mir darüber keine Auskunft
geben können. Es mag aber sein, daß in dem Aufsatz das
ganze Leben der Väter gar nicht geschildert werden soll,
auch nicht ihr ganzes Wesen, nur wie sie sich zur Zeit
unserer Kindheit verhielten und was wir für sie emp-
fanden in eben derselben Zeit. In diesem Fall müßte ich
die Worte Anbetung und Furcht gebrauchen und sagen,
um welcher Eigenschaft willen ich meinen Vater ange-
betet und aus welchen Gründen ich mich vor ihm gefürchtet habe.

AMERIKA 12                                      *26. Juli*

White men's niggers habe ich bei meinem kurzen Aufenthalt in den Vereinigten Staaten in diesem Frühling mehrere kennen gelernt und im Gedächtnis behalten, vor allem
den schwarzen Riesen, der im Pullmanwagen der Penn-
sylvania-Eisenbahn die Fahrgäste bediente, ihnen ungefragt
die Schuhe putzte, die Jacken ausbürstete, sie mit Eiswas-
ser und mit Feuer für ihre Zigaretten versorgte. Der Pullman fuhr schnell, seine drehbaren Sessel waren gut ge-
polstert, es lag überall, auf den Rücklehnen, Armlehnen,
Fensterbänken, Teppichen eine unfaßbar dicke Schicht von
schmutzigem Staub, der, von der Bürste des Schwarzen
aufgewirbelt, eine Weile lang in Schwaden in der Luft um-
herflog und sich dann wieder niederließ, auf die Rücklehnen, die Armlehnen, auf unsere Haare, unsere Gesichter
und die soeben spiegelblank geputzten Schuhe. Auch die
Bahnhöfe, durch die wir fuhren, waren schmutzig, unter-

weltlich verkommen, die Eisenbahn schien ein aufgegebenes Verkehrsmittel, der Schienenstrang ein Abwasser, um das sich alle Trostlosigkeiten versammelten, – die Fahrgäste hatten etwas von toten Seelen, die einmal vergessen hatten auszusteigen und die nun ewig weiterfahren, sich in alle Ewigkeit die Schuhe putzen, die Röcke ausbürsten und den Staub auf ihre Gesichter fallen lassen mußten. Nur der Neger war lebendig, diensteifrig, liebevoll, unser aller Vater oder Onkel Tom, da kniete er schon zum drittenmal, hielt meinen Fuß in der Hand. Werden wir je ankommen, ja wir werden ankommen, Lady. Ein paar deutsche Worte kannte er auch, vor allem den Stadtnamen Ansbach, der riß ihm die Lippen auseinander zum allerfreudigsten Lachen. Ansbach nineteenhundredfortyfive, das war Jugend, Abenteuer, schönste Erinnerung an weiß Gott was für Erlebnisse in dem zusammengeschlagenen, hungergrauen Land. Zum Dank für die Erinnerung wollte er kein Trinkgeld, bekam aber eines, überwachte unser Aussteigen wie eine gute Kinderfrau, lehnte sich noch riesig schräg aus der Waggontüre, um dem Gepäckträger Anweisungen zu geben. Die beiden Negerdienstboten im Gästehaus in X. waren ganz anders, nichts mehr von Onkel Tom, sie taten kaum das Nötigste, überließen es der zarten weißen Hausdame, das Gepäck aus dem oberen Stock zu holen, da spürte ich zum ersten Mal etwas von der Angst, die die Weißen vor den Negern haben, spürte die erste noch unausgesprochene Rebellion. Nach Haarlem wollte uns schon keiner unserer weißen Freunde mehr begleiten, der Stadtteil galt als unsicher, nur vom Autofenster, vom Zugfenster aus sahen wir das schwarze Gedränge, die trostlosen slums. In einer der Universitäten, die ich besuchte, wurde von Studenten erzählt, die in den Süden fahren, dort mit den Negern leben, sie belehren,

302

ihnen zu einer besseren Ausbildung und damit zu einer besseren Zukunft verhelfen, was ihnen gelohnt oder auch nicht gelohnt wird, tatsächlich gab es einige, die bei dieser Tätigkeit entweder von den Schwarzen oder von den Weißen umgebracht wurden. Die offenen Revolten dieses heißen Sommers richteten sich seltsamerweise nicht gegen die weißen Unterdrücker, nur die eigenen Wohnviertel wurden von den Negern angezündet, eine Protesthandlung, kein offener Krieg. Nur daß sich dabei der Rassenaufruhr mit dem Klassenaufruhr schon mischte und daß in Manhattan die Plünderer aus Haarlem vorstießen in die Fünfte Avenue. Die White men's niggers jedenfalls werden aussterben und vielleicht war es schon der Letzte von ihnen, den wir gesehen haben in dem Pullman der Pennsylvania-Railway, in dem Zug, der von Toten besetzt durch eine Unterweltslandschaft fuhr.

*Ende Juli*

Das lachende Zeitungsbild täuscht. Ich mußte lachen, als die beiden würdigen Herren versuchten, das preußisch schwarz-weiße Ordensband mit zwei Sicherheitsnadeln an meinem Ausschnitt zu befestigen, während gleichzeitig mehrere surrende und stumme Apparate sich auf meine Brust richteten, um das Ehrenzeichen ganz aus der Nähe aufzunehmen. In Wirklichkeit war mir nicht zum Lachen zumute. Ich war befangen, im Grunde überzeugt, daß mir diese Ehre nicht zukäme, ich empfand sie zudem als eine Behinderung meiner Freiheit, meiner Anonymität.

Zwar ist es mit der Anonymität eines Schriftstellers ohnehin nicht weit her, mit jeder Veröffentlichung stellt er sich der Kritik, bei jedem Interview dem Photographen und gar nicht ungern befindet er sich, zumindest im übertragenen Sinne, auf der anderen Seite des Theatervorhanges, dort wo man nicht zuhört, sondern spricht, wo man gesehen wird, nicht sieht. Gleichzeitig hat er aber auch den Drang, ins Mausloch zu kriechen, sich wo immer, zu verstecken, sich zu tarnen, nur nicht genannt werden, nur niemandem Rede stehen. Die Ursache solcher Versteckwünsche, solcher Unlust am Licht der Öffentlichkeit, ist aber wohl nichts anderes, als die Überzeugung, daß man nicht wirklich genügt hat und vielleicht niemals wirklich genügen wird. Man mag als Künstler oder als Person anderen gefallen, ohne doch an sich oder an seiner Arbeit Gefallen zu finden, ohne das üble Gefühl loszuwerden, daß man ein anderer sein, etwas anderes hätte schreiben mögen, ein Gefühl, das von jeder Lobrede nur gesteigert wird. Undankbarkeit also, aber nicht im Hinblick auf die Lobredner, sondern angesichts der Tatsache, daß es neben den minor poets eben auch die andern, die großen gegeben hat, diesen ewigen Pfahl im Fleisch.

Übrigens habe ich keinen Orden erhalten, sondern bin in einen, und den verehrungswürdigsten, gewählt worden, was ein großer Unterschied und wahrhaftig ein Grund zur Freude ist. Daß dieser Orden den französischen Immortels ungefähr entspricht, aber läßt mich wieder verzagen, – ich weiß zu gut, daß ich zwar meiner Zeit, den Mitlebenden etwas vermittelt habe, daß ich aber im Kreise von Unsterblichen nur die fragwürdige Rolle eines Hochstaplers wider Willen spielen kann.


TRÄUME 6 *Anfang August*

Als ich heute überlegte, wie lange es wohl her sein mochte, daß mein Elternhaus sich aus einer halben Ruine und Brennesselwüste in einen Wohnsitz lebender Menschen

verwandelt hatte, kam ich auf die Zahl 50, fünfzig Jahre
genau. Vor fünfzig Jahren hatte mein Vater das seit
Jahrhunderten im Besitz der Familie befindliche, aber
traurig verfallene Gebäude auf- und umgebaut, den Garten neu angelegt, die ersten kleinen Glashäuser der Gärt-
nerei gebaut, die ersten Bäumchen der Obstanlage gepflanzt. Drei Generationen hatten inzwischen hier gelebt,
es war manches verändert und wieder verändert worden
und neue Veränderungen standen bevor. Der Zeitraum
von fünfzig Jahren erschien mir lang, dann wieder überaus kurz, wenn ich die lange Vergangenheit, die tote, des
Anwesens bedachte und die lange Zukunft, von der niemand wußte, was sie für das Haus bedeuten würde. Als
ich von solchen Gedanken verwirrt, über den Hof ging
und betrübt die Anfang August durch das Auftreten der
roten Spinne bereits herbstlich verfärbten Blätter der Linden betrachtete, begegnete ich meinem Bruder, und dieser
erzählte mir einen Traum, den er in der vergangenen
Nacht gehabt hatte. Ich stand, sagte mein Bruder, im
Traum auf dem Hof, an derselben Stelle, an der wir beide
eben stehen, aber allein. Ich hörte ein Hämmern, das ich
mir nicht erklären konnte. Als ich um die Ecke des Hauses
ging, sah ich nicht weit von den Holzsäulen des Balkons
Brigitta und Costanza, die damit beschäftigt waren, an
die Äste eines Baumes schmale Latten zu nageln. Diese
Tätigkeit war befremdlich, aber sie erschreckte mich nicht.
Erschreckt, ja geradezu entsetzt war ich aber von dem Zustand der Umgebung des Hauses. Der Vorgarten, ja auch
der Hof, auf dessen sauber geharktem Kies ich gerade
eben noch gestanden hatte, waren wüst und leer, zudem
uneben wie ein vom Krieg verheertes Gelände, das erst
wieder planiert werden muß. Auch der tiefer gelegene
Untergarten war eine Wildnis, von Glashäusern oder

Obstanlagen war nichts zu sehen. Es war vielmehr alles in dem Zustand von 1917, als der Vater das Haus hatte auf- und umbauen lassen, einem Zustand, der auf einigen Liebhaberaufnahmen festgehalten worden ist. Es war also, dachte mein träumender Bruder, alles ganz umsonst, und fing an zu weinen. Er weinte noch, als er aufwachte, und bekam auch jetzt, als wir uns auf dem sauber geharkten Hof gegenüberstanden, Tränen in die Augen.

SCHAL IM SCHRANK                    *2. August*

Ich schließe eine Farbe, etwa das leuchtende Blau meines seidenen Schals, in den dunklen Schrank, weiß nicht, wie er dort drinnen aussieht, ich nehme an, schwarz, also seiner Farbe entkleidet, kann aber nie erfahren, ob das wirklich zutrifft, da, sobald ich die Türe nur das kleinste Spältchen öffne, alles schon wieder anders ist, ein wenig Licht, also auch ein wenig Blau. Unsere Augen brauchen, um Farbe zu sehen, das Licht, ich frage mich, ob die Farbe das Licht braucht, um Farbe zu sein. Geschlossene Kleiderschränke, Truhen, Kommodenschubladen, deren Inhalt, von uns nicht gesehen, dennoch leuchtet, sind denkbar, ebenso menschliche Wesensart, die aus keinem uns gewohnten Blickwinkel, also überhaupt nicht wahrgenommen, ein Eigenleben entwickelt, das nicht aus Reaktionen, sondern aus dasein besteht. Wir selbst sind da, auch ohne daß einer die Schranktüre öffnet, ohne daß er uns im Licht seiner Urteilskraft erkennt. Wir leben von Beziehungen und können doch auch ohne diese sein, können es, ohne an Farbe zu verlieren, weswegen denn auch das Alleinsein der anderen Menschen unser stärkstes Interesse erregt.

Was geht in meinem Bruder vor, wenn er in der Tiefe

des Waldes, das Gewehr über den Knieen, auf dem Hoch-
sitz sitzt, was in meiner Tochter, wenn sie auf der italienischen Autostrada allein gen Süden fährt? Nicht nur
meiner, sondern jeder menschlichen Beobachtung entzogen,
bleiben die Genannten doch Personen, kleine lebendige
Welten, die in dem Dunkel ihrer Unbeobachtetheit vielleicht stärker als in unserer Anwesenheit glänzen und
glühen. Von dieser Eigenschaft scheinen die Toten, die auf
nichts mehr reagieren und deren Aufenthaltsort wir nicht
kennen, nicht völlig ausgeschlossen. Auch sie mögen, von
der Schwärze unseres Nichtwissens umhüllt, die leuchtenden Farben tragen.

8. *August*

Die Stelle in einer für mich gehaltenen Laudatio an der
es heißt, es sei eines meiner Verdienste, kein tabu verletzt
zu haben, hat meinen lebhaftesten Widerspruch erregt.
Vom Barmherzigen Samariter an sind immer wieder tabus
verletzt, Konventionen durchbrochen worden. In der
Laudatio waren wohl stilistische tabus gemeint, kein Ab-
weichen, oder nur ein bescheiden Tastendes, von den klassischen Versnormen, den herkömmlichen Erzählweisen, –
und doch hat in solchen Abweichungen, in der Auffindung
neuer sprachlicher Mittel, in der Verwendung ungewohnter oder der Andersverwendung gewohnter Worte seit
jeher die eigentliche schöpferische Leistung bestanden. –
Inhaltlich wie in der Form waren ebenso Schillers Räuber
wie Goethes Götz von Berlichingen Tabuverletzungen.
Sprachneuerer wie Walt Whitman, James Joyce, Faulkner
und in unserer Zeit und unserem Land Arno Schmidt
haben die gewohnten Muster aufgerissen, um Neues in
neuen Worten zu sagen. Arrabal, der vor kurzem durch

seine törichte Widmung, ich scheiße auf Gott, auf das Vaterland undsoweiter, von sich reden gemacht hat, ist dennoch verehrungswürdig durch seine immer erneuten Versuche, das Gutseinwollen und nicht Gutseinkönnen der Menschen zu schildern, ebenso wie Beckett, der das alte Tabu des idealistischen Menschenbildes auf Schritt und Tritt verletzt und an die Stelle des ewig strebend sich bemühenden Menschen des 19. Jahrhunderts die traurige aber niemals ganz unterzukriegende Kreatur der Endzeit setzt. Schocks, immer wieder und schon seit langem, ein Schock gewiß das Wort fett (»fetter grüne du Laub«) in der Lyrik des jungen Goethe, mit dem Gedicht »Mergelgrube« hat Annette von Droste gegen die literarische Sitte ihrer Zeit verstoßen, die großen Ironiker Heine und Thomas Mann haben durch ihr vordergründiges Sichlustigmachen und ihren hintergründigen Ernst die Gefühle ihrer Zeitgenossen verletzt. Ohne Vordenkopfstoßen in irgend einem Sinne kann große Kunst nicht gedeihen und wer gerade deswegen gelobt wird, weil er angeblich niemanden vor den Kopf gestoßen hat, wird mit solchem Lob ausgetilgt aus dem Kreis derer, die er sein Leben lang bewundert und hochgehalten hat. Auch wenn sich die Formulierung »kein Tabu verletzt« nur auf Religion und Geschlechtsleben bezogen haben sollte, gibt es auch da noch genug Künstler, denen man sich lieber zugesellen würde als denen, die die Wege des geringsten Widerstandes gesucht und gefunden haben.

<small>AUGUSTGARTEN</small>                                    *10. August*

Der Garten in B. im Augustlicht, das so einzigartig ist, weil es das Metall des Herbstes, auch die Klarheit des Herbstes schon in sich trägt. Dazu gibt es in diesem Monat mehr

Farben als in jeder anderen Jahreszeit, die rosa, weißen und blauen Sommerblumen sind noch immer da, während die gelben und roten Herbstblätter bereits erscheinen. Rosa und weißer Phlox, weißer und tiefblauer Rittersporn, blaue Lupinen, rosa und blaurote Rosen und daneben schon die kräftig riechenden, um nicht zu sagen stinkenden Tagetes, gelbrot, Zinnien in allen Farben, gelbe und rote Dahlien und die ersten Sonnenblumen noch erhobenen Hauptes am aufgereckten Stengel. Heiße, aber schon kürzere Hochsommertage, die man festhalten möchte, aber nicht festhalten kann, nicht einmal sagen, was so beglückend ist an all dieser wilden Blüte, den Lichtfluten über geschorenen Rasenflächen, den feinen Schatten, die am Nachmittag die Rabattenrosen auf den Sandweg werfen. In der sogenannten Pferdelaube sitze ich, lasse meine Blicke wandern, registriere die Bäume des Gartens, den alten unter seinem Efeubelag langsam sterbenden Birnbaum, die junge, schwarzblättrige Trauerulme, die alten schon ein wenig schütteren Hainbuchen, die junge Eiche, die junge Katalpa, den alten Apfelbaum, der mit zahllosen winzigen Äpfelchen im nahezu blattlosen Gezweig seinen letzten Sommer erlebt. Den Perückenstrauch mit seinen grauseidenen Haarbüscheln, den Ginkgo mit dem zweigeteilten, dem Goetheschen Liebesblatt, die Trauerweide, die ebenfalls noch jung ist, aber gewaltig, auch gar nicht traurig, sondern komisch strukturlos, wie gewisse Hunde, die Kopf, Rücken, Beine, Schwanz unter einer lang herabhängenden Felldecke verstecken. Nachmittag im August, großes Glücksgefühl, und doch keine Möglichkeit mehr, ah und oh zu schreien, nur zu sagen, was da ist und wie man selbst da ist, halb lahm, aber gesund, auf einem weißen Gartenstuhl, und das Herz vor Freude zuckend, aber ein Gedicht wird daraus nicht, heute nicht mehr. Zum ersten Mal sind in diesem Jahr die beiden breiten Mittelrabatten nicht mit Stauden, sondern mit einer Polyantharose bepflanzt, Name Betty Preier, grellrosa, fast bestürzend, aber eine Hochsommerlust ohnegleichen, während die schon erwähnten kranken Hoflinden November spielen, nur daß an einigen Zweigen, tief unten verwunderlicherweise ganz neue Blätter treiben, jung, lichtgrün, zart.

DREI SOMNAMBULENGESCHICHTEN          *12. August*

1

Das Bewußtsein vom Körper lösen, sich also zweiteilen und den einen Teil auf Wanderschaft gehen lassen, das ist eine aus dem Brauchtum afrikanischer Negerstämme bekannte Fähigkeit, die indes auch wir, wenn auch in abgeschwächtem Maße, zu besitzen scheinen. Ich jedenfalls versetze mich im Halbschlaf und zwar sowohl spät nachts wie morgens früh an gewisse andere Orte, die nur in einzelnen Zügen meiner Erinnerung, größtenteils aber meiner Phantasie entstammen. Um mich von meinem Bett, aus meinem Zimmer zu lösen, muß ich mit den Fingern meiner rechten Hand zweimal dieselbe rasche Bewegung ausführen, eine Art von Flügelschlag, auf den hin ich mich dann wirklich, körperlich, aber vogelleicht, durch den nächtlichen Himmel bewege. Die Orte, die ich aufsuche, sind aber keineswegs Vogelorte, Brutkästen oder Nester im Gezweig. Es sind vielmehr Wohnungen, in denen ich, kaum angekommen, meine eigene Gestalt wieder annehme, um für einige kurze, aber auf zauberhafte Weise zu Stunden ausgedehnte Minuten ein fremdes Leben zu führen. Einer dieser Orte ist ein von großen Pinien umgebenes Gutshaus, das hoch über der römischen Campagna liegt. Ich erwache dort in einem

Zimmer, das ich weiß getüncht und mit wenigen dunklen, fast schwarzen Möbeln eingerichtet habe. Eine alte Bäuerin bringt mir das Frühstück, ein Stück Weißbrot, keine Butter, schwarzen süßen Kaffee. Das Fenster, an dem ich sitze, steht offen und ich sehe das Meer. Während ich esse und trinke, lasse ich mir von der alten Bäuerin erzählen, was während meiner Abwesenheit auf dem offenbar mir gehörenden Gutshof vorgefallen ist. Dann gehe ich in den Garten, in dem es mit Rosen bewachsene Gänge und runde riesige Margheritenbüsche gibt. Den Gartenweg herauf kommen die Kinder, Waisenkinder, die ich hier erziehen lasse und die von Nonnen begleitet sind. Die Kinder, die schwarze Kittelschürzen mit großen blauen Schleifen tragen, laufen mir entgegen und jedes versucht, sich in meine Arme zu stürzen, um von mir aufgehoben und geküßt zu werden. Ich spiele mit den Kindern, dann betrete ich ein niederes rosa getünchtes Haus, in dem einige arme und kranke Leute auf mich warten. Das Haus ist ein von mir eingerichtetes Ambulatorium, und ich tue mit Umsicht und Geschicklichkeit, was ich nie gelernt und auch nie getan habe, mache Verbände, verteile Medizinen, schneide Geschwüre auf. Nachdem ich mich eine Weile (in Wirklichkeit Bruchteile von Sekunden) als Engel der Kranken betätigt habe, gehe ich in eine Art von Grotte, in der eine kleine elektrische Eisenbahn, bereits unter Strom und mit angezündeten Lampen, steht. Ich klettere auf den Führersitz, bediene einige Hebel und der Zug fährt in die Erde hinein. Er bewegt sich, immer in seinem Tunnel, rasend schnell bergab, die erste Haltestelle ist bereits die Endstation, die Lichter erlöschen, und draußen glänzt und funkelt das Meer. Ich laufe über den einsamen Strand ins Wasser, schwimme, weit draußen, auf der Buhne hockt ein Wächter, der auf mich achtzugeben scheint. Er gleicht einer Gestalt aus meiner Kindheit, einem Offiziersburschen meines Vaters, und ich winke ihm zu. Charakteristisch für meinen Aufenthalt am lateinischen Ufer ist, daß ich dort niemals Verwandte oder Bekannte, nicht einmal meine nächsten Angehörigen treffe. Ich bin dort immer mit Fremden und meine Umgebung besteht ausschließlich aus alten Leuten und Kindern.

II

Ich muß auf das Thema der nächtlichen Wachtraumentfernungen noch einmal zurückkommen, um von einem zweiten, sehr anders gearteten Aufenthaltsort zu erzählen. Ich gehe da, sehr bald, nachdem ich den traditionellen Fingerschlag ausgeführt habe, an einer Gartenmauer entlang, und zwar bis zu einem einstöckigen, fensterlosen Gebäude, das ich durch eine einfache Eingangstüre betrete. Während ich diese immer unverschlossene Türe öffne, weiß ich schon, daß das Haus innen in Schutt und Asche liegt. Ich muß es also jedesmal wieder aufbauen, was mir aber nicht die geringste Mühe macht. Es genügt, daß ich mir die Räume vorstelle und schon sind sie da, schon ist auch die Aussicht vor den Fenstern, ein baumbestandener Abhang, der tief unten in einen Park übergeht, da. Die Holzvertäfelung des mäßig großen Wohnzimmers ist weiß, die Wände sind von einer eher dunkeln, von mir nie ganz ergründeten Landschaftstapete bedeckt. Neben dem Wohnzimmer liegt ein Schlafzimmer mit weißen eingebauten Schränken und einem breiten französischen Bett. Das Badezimmer ist mit einer rosa Wanne und rosa Delfter Kacheln ungewöhnlich luxuriös ausgestattet. Auf der rechten Seite des Wohnzimmers befindet sich eine Türe, von der ich weiß, daß sie in das Arbeitszimmer meines Mannes führt. Ich sehe auch dieses Arbeitszimmer vor mir, die Bücherwände, den Schreibtisch, der am Fenster steht und an dem mein Mann, mir den Rücken zuwendend, sitzt. Wie alle Räume und Einrichtungsgegenstände der vorgestellten Wohnung ist auch dieses Arbeitszimmer durchaus neu, kein Gegenstand, den wir einmal besessen hätten, kein Bild, kein Kissen, kein Kleid im Schrank. Kaum, daß ich die Wohnung betreten habe, richte ich das Essen und decke den Tisch, alles, was ich tue, zielt auf den Augenblick hin, in dem ich die Tür zu meines Mannes Zimmer öffne, um ihn zum Essen zu rufen. Es ist aber Hochsommer und heiß, vielleicht werden wir das Essen hinausschieben, um vorher noch in dem seltsam dunkelgrünen Teich zu Füßen des Abhangs zu schwimmen. Ich warte und warte, bin voller Vorfreude, beuge mich aus dem Fenster über die junge Baumwildnis, über den, wie ich weiß, in Wirklichkeit gar nicht vorhandenen, nur von mir erschaffenen Teich. Manchmal nähere ich mich der Türe, die zum Zimmer meines Mannes führt, aber ich öffne diese Türe nie. Vielleicht habe ich Angst, meinen Mann in seinem Zimmer nicht zu finden. Vielleicht auch sitzt er dort drinnen, lebt aber nicht, wendet, wenn ich eintrete, den Kopf nicht, ist nur eine Puppe, ausgestopft stumm . . .

III

Ein drittes zu demselben Thema, diesmal allerdings keine eigene Erfahrung, sondern die eines Bekannten, eines ungeliebten Mannes, der, wie er mir erzählte, allnächtlich, körperlos, aber mit besonderen Fähigkeiten ausgestattet, an der von ihm vergeblich umworbenen Frau auf alle mögliche Weise Rache nimmt. In jeder Nacht versetzt er sich in ihre Nähe, entweder in das Siedlungshaus, das sie mit ihrem Manne bewohnt, oder, wenn er erfahren hat, daß sie verreist ist, an Orte, die er sich selbst zusammenstellt, einen

See im Gebirge, eine Straße am Meer. Manchmal steht er im Garten ihres Hauses, ist nichts als ein Schatten, aber wenn er die Fensterscheiben anhaucht, brechen diese mit hellem Klirren ein. Sobald die Einwohner herausstürzen, muß er sich in Sicherheit bringen, seine Tarnkappe macht unsichtbar, aber nicht ungreifbar, der Vogel, in den er sich verwandelt, kann von der Katze gefressen, die Wasserlache, in die er schlüpft, von einem Hund aufgeleckt werden, bei allem Tödlichen, das ihm auf seinem Hexerflug zustieße, läge dann sein eigener Körper daheim entseelt auf dem Bett. Seine Rolle ist die eines voyeurs, ungesehen verfolgt er die einmal Geliebte und seinen glücklicheren Nebenbuhler, seine Aufgabe ist, das Verhältnis zu stören, die Zufriedenheit zu verwandeln in Unruhe, Unsicherheit und Furcht. Obwohl er keine Hoffnung mehr hat, die Geliebte noch für sich zu gewinnen, kann er doch die soziale Stellung des Paares ins Wanken bringen durch eingeworfene Fensterscheiben, aufgestochene Autoreifen, verwüstete Blumenbeete, was alles, den Nachbarn zur Last gelegt, eine Atmosphäre von Mißtrauen und Ärger erzeugt. Bald sieht der Hexer die ehemals glücklichen Eheleute so, wie er sie haben will, wie er selbst ist, einsam, unsicher, verwirrt. Dasselbe kann er auch auf andere Weise erreichen, nämlich durch einen von ihm erschaffenen Dritten, eigentlich Vierten, den er dem Paar über den Weg schickt, als eine Art von Nebel unter der Zimmerdecke treibend, beobachtet er wie die Frau (oder der Mann) an seinem Geschöpf Gefallen findet, sich ihm (oder ihr) zuwendet, den Gefährten verrät.

Wie die von mir unternommenen Gedankenreisen ist auch das Tun und Treiben dieses nächtlichen Störenfrieds ein Spiel, und ein gewagtes, da die Gefahr des nicht mehr in seinen Körper Zurückfindens immer besteht. Die schöpferi-

sche oder zerstörerische Macht, die einer im halben Traum
ausübt, kann seine Lebenskraft aufzehren, so friedlich er,
von seiner Zweiteilung erlöst, am Ende auch einzuschlafen
scheint.


DIE AUSWANDERER                                    *14. August*

Mein Plan einer Erzählung »Die drei Bittschriften des
Wilfried Suhr« gründet sich auf gewisse Dokumente, von
denen Paul Priesner in einem Aufsatz über die Auswanderer der südbadischen Winzergemeinde P. berichtet hat. Der
Schreiber der Bittgesuche, eben dieser Wilfried Suhr in
Constantine, Afrika, ist dorthin im Alter von zehn Jahren mit seiner Mutter und seinen Geschwistern emigriert,
und will nun zusammen mit elf Schicksalsgefährten, fünf
Männern und sechs Witwen, heimkehren, da ist er sechs-
undzwanzig Jahre alt. Die Auswanderer, dreiundzwanzig
Familien, hatten ihr Dorf Mitte Dezember des Jahres 1853
verlassen, nach Angaben des Gemeinderates freiwillig, in
der Darstellung des jungen Suhr gezwungen, ausgeliefert
an die fremde französische Regierung, das fremde afrika-
nische Land. Wie Paul Priesner darlegt, hatten nur ganz
wenige der Auswanderer Vermögen, die meisten waren
arme Leute, für welche sowohl das Reisegeld wie auch die
Kaution beschafft werden mußten. Die Gemeinde opferte
einen Wald, und das später mit Reben bepflanzte Areal
wird noch heute »Afrika« genannt. Unverheiratete mit
Kindern (auch mehreren) gab es unter den Reiselustigen
oder -unlustigen viele, die Franzosen verlangten den Trauschein, die Gemeinde zögerte die Eheschließungen bis zum
letzten Tag hinaus: die neuen Ehegatten hätten, plötzlich
anderen, das heißt seßhaften Sinnes geworden, Ansprüche
an die Gemeinde gehabt. Schon diese Machenschaft spricht

eher für die Anschauung des jungen Suhr, die Gemeinde
habe sich ihrer Besitzlosen entledigen wollen als für den
Edelmut (unsere Armen sollen ihr Glück machen), den der
Bürgermeister seinen Absichten unterlegt. Von Glück konnte dann keine Rede sein, mehrere der Auswanderer star-
ben schon auf der Reise, ihre Angehörigen, denen die Lust
am Abenteuer vergangen war, kehrten wieder um, wurden, wenn auch unwillig genug, aufgenommen und fielen
der Gemeinde zur Last. Denen, die das fremde Land Algerien erreichten, ging es übel, viele erlagen dem ungewohnten Klima, die Überlebenden erhielten weder das verspro-
chene Siedlungsland noch die versprochenen Vorschüsse und
mußten sich als Taglöhner kümmerlich durchbringen. Ihre
Moral, auch die der Frauen sank, und vielleicht hatte der
algerische Geistliche, der dem Bürgermeister von P. berichtete, seine ehemaligen Gemeindemitglieder seien verdor-
bene Menschen, am Ende so unrecht nicht. Aber nun, im
Jahre 1871 hatten einige dieser »verdorbenen Menschen«
den Wunsch heimzukehren, und es ist anzunehmen, daß
sich ihnen mit dem idealisierten Bild ihres alten Dorfes
auch eine Vorstellung von der alten rechten Lebensart verband. Suhr schrieb seine Bittgesuche, drei in einem Jahr,
und schon die Antwort auf das erste, verlorengegangene,
ist eine Ablehnung, niemals sollten die Petenten wieder in
die Gemeinde aufgenommen werden, weil sie zu einer ver-
worfenen Menschenklasse gehörten. Die zweite Bittschrift
ist dann schon aggressiver, Suhr wirft dem Gemeinderat
sein Verhalten und seine Ausgaben im Jahre 1848 vor und
muß sich in dem Antwortschreiben des Bürgermeisters sagen lassen, daß es nicht nur nicht löblich, sondern strafbar
sei, Unwahrheiten zu verbreiten. Es wird ihm außerdem
mitgeteilt, daß es im Dorfe P. keine Wohnmöglichkeiten
und, außer den Steinbrüchen, auch keine Arbeit gäbe.

»Bleibt in Gottes Namen, wo Ihr Verdienst habt«, heißt es am Ende des Schreibens, »hier ist keines.« Suhr läßt sich nicht abschrecken, weder durch die Maßregelung noch durch die schlechten Aussichten, er schreibt wieder, und jetzt kommt erst alles heraus. »Mit Gewalt« sind sie fortgeführt worden, sofern sich einer nicht meldet, hat es geheißen, sei ihm aller Anspruch an die Gemeinde entsprochen, es möge ihm gehen wie es will. Die Anschuldigung liest nicht nur der Bürgermeister, sondern auch der Großherzog, sie geht aber niemandem zu Herzen, so wenig wie das Angebot des unbestraften und unbescholtenen Suhr, sich, sofern nur die Gemeinde ihm das Reisegeld sendet, den heimischen Gerichten zu stellen. In die Steinbrüche, ins Gefängnis, nur heim, aber dem verlorenen Sohn wird kein Kalb geschlachtet, es wird ihm und seinen Gefährten nicht einmal das Reisegeld geschickt.

Nach dem dritten abschlägigen Bescheid schweigt Suhr, schweigt der ganze verlorene Haufen und nun hätten die Bürger von P. sich ausmalen können, wie ihre alten Verwandten und Bekannten in Algerien langsam zugrunde gingen, was sie sich aber wahrscheinlich nicht ausmalten, lieber nicht.

*15. August*

Während ich Geschichten, Betrachtungen, Dialoge schreibe, gelingt mir keine Zeile Lyrik, es mögen mir noch so viele Worte über den Weg laufen, ich kann sie nicht fassen, nicht behalten, nichts mit ihnen anfangen, worum es sich zu schreiben eigentlich lohnt. Alles Rationale am Ende vom Schreibtisch zu fegen, ist die einzige Möglichkeit, es entsteht dann jener Zustand der Leere, der absichtlichen und grandiosen Langeweile, in der allein die Worte ihr Haupt erheben können. Man befindet sich in immer noch derselben Umgebung, tut dasselbe Tagwerk, liest dieselben Zeitungsberichte, ist aber auf etwas anderes aus, etwas dazwischen, nicht darüber, nicht darunter, mittendrin.

Selbst Gedichte mit einem bestimmten Thema entstehen (oder dürften entstehen) nicht aus Wissen, sondern aus Vergessen, nicht aus passenden, sondern aus unpassenden Worten, die auf geheimnisvolle Weise dann doch herstellen, was gemeint war, jedenfalls des Gemeinten eigentlichen Sinn.

Die lyrische Verfassung, in die es sich zu versetzen gilt, ist darum eine durchaus passive, eine Art von Dumpfsinn, schwer zu ertragen, aber notwendig, da nur aus ihm heraus gesehen, gehört, gefühlt wird, was vorher auch da war, aber nicht ins Bewußtsein trat. Ohne die tabula rasa kein treffendes Bild, keine gelungene Metapher, keine schöpferische Wortfindung, kein Gedicht. Wobei die Tabula rasa auch Einsamkeit bedeutet, Alleinsein mit dem, was da aufsteigt, mehr oder weniger chaotisch, und geordnet werden muß, geordnet werden will. Kein angenehmer Zustand also und doch wird jeder, der Prosa *und* Lyrik schreibt, zugeben, daß er solche Zeiten der Passion als sein eigentliches Leben empfindet und daß er nur beim Gedichtschreiben über sich hinauswächst oder in sich hinein.


*17. August*

Dem englischen Dramatiker Edward Bond wird, weil er die mutwillige und sinnlose Steinigung eines Babys im Kinderwagen auf die Bühne gebracht hat, Grausamkeit vorgeworfen, auch Geschmacklosigkeit und üble Lust am Sonderfall, das Allgemeinmenschliche, so heißt es, sei dies denn gottlob doch nicht, und nur das Allgemeinmenschliche sei der Gegenstand der großen Kunst zu allen Zeiten gewesen. Solche Behauptungen stimmen nachdenklich, zum Beispiel im Hinblick auf die griechische Tragödie, waren die dort geschilderten Untaten allgemein menschlich, waren das nicht alles Sonderfälle, die nur eine Seite und eine recht dunkle des Menschen enthüllten? So war der antike Mensch nicht, so konnte er allenfalls sein. So kann auch heute, aus Nervosität, aus Lebensunlust einem fremden Säugling, einem kleinen plärrenden Stück Leben der Garaus gemacht werden, wobei dann freilich keine Intrigen der Götter, keine tragischen Irrtümer zugrunde liegen. Wenn ich den rätselhaften Titel »Saved« richtig deute, ist er der Ausdruck eines tiefen Pessimismus, geschieht, was geschieht in der unbewußten Absicht, dem in solche Trostlosigkeit hineinwachsenden Kind das Dasein zu ersparen. Was heute die Bildzeitung ist, war im griechischen Altertum die Fama – das Gerede – und aus dem Gerede, den von Mund zu Mund überlieferten Schauernachrichten sind gewiß auch die Tragödienstoffe entstanden. Nichts allgemein Menschliches, sondern etwas schauerlich Abseitiges, aus dem man dann wieder auf die allgemeine Verfassung schließen konnte, gerade wie man das auch heute noch kann. Die Täter sind und waren Entfesselte, aber ihre Motive sind allgemeine, stellvertretend für Hunderttausende führen sie ihre strafbaren Handlungen aus. Nur daß an die Stelle des Machthungers, der Hybris, der Liebesleidenschaft der antiken Tragödie etwas ganz anderes getreten ist, nämlich eben diese Lebensunlust, Kälte und Beziehungslosigkeit, die aus dem Theaterstück von Edward Bond spricht. Als sei die Quecksilbersäule menschlicher Empfindungen seit Jahrtausenden beständig gesunken, ist das Charakteristische heutiger Untaten die Kaltblütigkeit, mit der sie verübt werden, die Gleichgültigkeit, mit der der

Täter ihnen gegenübersteht. Orest, von den Erinnyen gehetzt, und der Knabenmörder, der angesichts der Gerippe seiner Opfer keine Miene verzieht, die Tochter, die ihrem Vater, der ihr das allabendliche Herumtreiben verbietet, Gift in den Kaffee schüttet und nach seinem Tode nicht die geringste Reue zeigt. Solcher Veränderung in den Motiven wie in den Reaktionen muß das heutige Theater, müssen auch wir Rechnung tragen. Seine Protagonisten sind wir selber, vielleicht nicht oder noch nicht entfesselt, aber gleichermaßen beziehungsunlustig, gleichermaßen kalt. Der alte uns vorgehaltene Spiegel, und ihn zu zerschlagen, hat wenig Sinn.

*20. August*

Die Faszination der Kargheit, Eintönigkeit, des Fehlens von charakteristischen Formationen, starken Farben, vor Jahrzehnten in Ostpreußen erlebt, wiederholt sich mir in der so anders gearteten oberrheinischen Tiefebene, in dem kleinen Badeort, in dessen näherer Umgebung es weder Wälder noch Seen gibt, auch wenig Anhöhen, von welchen man einen Ausblick hat über die Stromebene, das flache Land.

Nur zwei Spaziergänge, einen am Rand einer niederen Bodenwelle um das neuerdings zaghaft mit Bäumchen bepflanzte große Wiesenbecken, einen am Flüßchen hin bis zum Autobahnzubringer, über eine kleine Brücke und auf der anderen Seite wieder zurück. Allenfalls kann man noch den Bahndamm entlang gehen, in vierundzwanzig Stunden fahren dort einhundertachtzig Züge, manche reißen einem den Atem weg, Hamburg–Roma, Frankfurt–Spanien, was man natürlich auf den Schildern nicht erkennen, aber ahnen kann aus dem Dröhnen und Singen und Klappern, vorüber, schon legt sich der jähe Wind. Ein Weinberg wäre noch zu besteigen, ein halb aufgegebener, jetzt aber mit neuen Reben bepflanzter, von dort aus sieht man rheinwärts, aber nicht den Rhein, schwarzwaldwärts, aber den Schwarzwald nur bei ganz bestimmter Witterung, wie sie zum Beispiel dieses Jahr fast ausschließlich herrscht; da hat man es vor sich oder eigentlich hinter sich, das bescheidene Gebirge, hochstaplerisch hoch und finster schwarzblau, während sich die Blumengärten der Ebene mit allen Augustfarben brüsten. Das Flüßchen, träge plätschernd, gerät nach Regenfällen unversehens ins Strömen und Stürzen, ist aber auch sonst keineswegs langweilig, auch nicht armselig, da grandiose Napoleonspappeln und kanadische Silberpappeln ihm Spalier stehen, mächtige Stämme, Laub, das silbern blitzt wie Degen aus der Scheide, und wer könnte sagen, daß es nichts zu sehen gäbe, im Wasser, über dem Wasser, auf den Wiesen rechts und links.

Heuer zum Beispiel standen unter dem Wehr die vielen kleinen schwarzen Fische, und das weiß man ja, daß Fische, einige wenigstens, die Wasserfläche hinaufspringen, um in den Bergbächen zu laichen, also hat man viel zu tun, muß jeden Tag zur Staustufe gehen, sieht nie einen Fisch springen, gibt aber nicht auf. Ferner muß man zusehen, wie das Öhmd hereingebracht wird, ganz anders als noch vor drei Jahren, Arbeitszeit eine Stunde statt zwölf Stunden – mit einer ganz und gar nicht großartig aussehenden Maschine, eigentlich einem bunten Lattenwägelchen, das, was der Wirbler zu Reihen gelegt hat, mit Unschuldsmiene in sich hineinfrißt, und sich dann wegziehen läßt vom Traktor, einen Morgen, zwei Morgen Wiese im bunt vergitterten Bauch. Das Wennichkönigwäre-Spiel ist auch hier, wenigstens bei mir, beliebt, wieviele

Baumgruppen, ganze Wälder, habe ich schon gepflanzt, kleine Teiche, große Seen ausgebaggert, alles zugunsten der Kurgäste, während der hier afrikanischen Sommerhitze, aber vielleicht auch nur aus Lust an dem königlichen Spiel der Bodenbewegung, hier ein Steilufer, dort ein Flachufer mit Schilf und weißem Sand. Bäume walddick schwarzschattig, wie die in dem kleinen bereits vorhandenen Park beim Schachspiel, an der schönsten Stelle, da stehen und sitzen die sozialversicherten Männer stumm und regungslos im Viereck, während hin und wieder einer der Spieler die Königin, ein Pferd, einen Bauern aufhebt und an der Schlaufe auf ein anderes Feld trägt, ein schwarzes, ein weißes, grün überschattetes Feld. Wobei ich eigentlich so etwas auf den großen Wiesen gar nicht haben möchte, auch keinen Teich mit Bötchenvermietung, sondern nichts als eben diese großen öden Wiesen mit dem Maisfeld in der Mitte und den Vögeln darüber und ab und zu einem Regenbogen als äußerste Sensation. Nur das Pappelspalier und im reinen Abendhimmel die scharf gezeichneten Wolkenfische über den Vogesen. Nur die kleinen atmosphärischen Veränderungen, dünnere Luft, dickere Luft, Nebelluft und vor Augen immer dasselbe, das aber immer wieder anders aussieht, hundert Landschaften in einer, kleiner Kurort, eintönig nicht.

*22. August*

In der ersten Probe ging alles ausgezeichnet, das pantomimische Ausspähen, Zueinanderfinden, Konspirieren der Hexen, wann treffen wir drei wieder zusammen, dann, nach dem von mir gelesenen Zwischentext, am Brückenpfeiler, am Süderhaus, schon das Zugkeuchen und Windsausen, die Eltern über eine Stuhllehne gebückt ausspä-

hend, rechts hinten in der Zimmerecke der Sohn, der den
Zug heranführt, sein Stolz auf die neue Brücke, schließlich, nach immer anwachsenden Sturmgeräuschen sein
gräßlicher Schrei, das Zusammenbrechen der Eltern und
das abschließende »und wieder ist Nacht« des Chronisten.
Endlich wieder die Hexen, die auf neue Untat sinnen, mit
den schaurig geflüsterten Worten »Tand, Tand, ist das
Gebilde von Menschenhand« zum Schluß. Die Buben, 14
und 13, von der schauspielerfahrenen Mutter geleitet,
waren wie gesagt bei jener ersten, nun schon eine Woche
zurückliegenden Probe völlig bei der Sache, schlichen und
hüpften hexenhaft, erfanden selbst ihre sonderbaren
Vogellaute, der ältere spähte als alter Vater angstvoll in
die Ferne, dem jüngeren gelang das helle mutige Lob der
Brücke ebenso wie sein markerschütternder Schrei. Heute,
am letzten Ferientag, Stunden nur vor der Abfahrt in ein
neues Schülerheim, war alles anders, die Hexen, jedenfalls die Knabenhexen steif wie Stöcke, die Beschwörung
ein Gemummel hinter absichtlich schief aufgesetzten Masken, das Schnaufen der Lokomotive lahm, der Sturm,
oftmals ermahnt überhaupt zu blasen, blies nur an-
deutungsweise, die Vogelschreie klangen, unverfremdet,
nach Kikeriki und Piep-piep-piep, fast wie ein Hohn. Die
Mutter, Regisseur, zweite Hexe und Brücknersfrau in
einem, kämpfte vergeblich gegen die Spielunlust, Lebensunlust der Buben, wies vergebens auf den Anlaß der vor-
bereiteten Aufführung, den Geburtstag des Vaters, hin.
Den Kindern war das Spiel egal, der Geburtstag des
Vaters egal, nicht einmal die Möglichkeit, im zerstöre-
rischen Treiben der Hexen ihren Unmut auszuleben, regte
sie an. Weltuntergangsstimmung aus einem den Erwachsenen gering erscheinenden Anlaß, Weltuntergang ein
paarmal an jedem Tag in jedem Kinderleben, weswegen

denn auch bei dieser zweiten Probe auch nur eines gelang, nämlich der gräßliche Schrei, den Fontanes junger Johnie, hier der zweite, der zarte anmutige Knabe ausstieß, als die Brücke am Tay mitsamt dem Zug, mitsamt aller Hoffnung der Jugend in die Tiefe stürzte.

*1. September*

Langer leuchtender Sommer, der dann plötzlich umschlägt ins Finstergraue, den doch noch immer langen Tagen gar nicht gemäße, mit hier und da kräftig ausgeschüttetem, gelegentlich auch nieselndem Regen, das Regensoll, auch das Unbehagen – Unlust – Trauersoll wird erfüllt. Der **Umschlag** war heuer dramatisch insofern, als der Anfang September einsetzenden Schlechtwetterperiode die schönsten Tage vorausgingen, tiefblauer wolkenarmer Himmel, glühende Gärten, die Berge dunstig, keineswegs nahegerückt, das Barometer stand hoch. Eines Abends fuhr ich mit Freunden aus meinem in der Rheinebene gelegenen kleinen Kurort ins Vorgebirge, genau gesagt, in den Weinort Pfaffenweiler, der zwischen einem langen flachen Rebhügel und einer bewaldeten Anhöhe liegt. Eine anspruchslose Landschaft, nichts Großartiges, das Großartige und zutiefst Fremde war nur das Licht, und zwar das Nachleuchten aller Dinge nach dem Sonnenuntergang, eine Erscheinung, die ich zwar schon oft beobachtet hatte, in solcher Eindringlichkeit aber nie vorher. Auch nie so plötzlich einsetzend, was allerdings seinen besonderen Grund haben konnte: auf dem erst vor kurzem zu Füßen des steil ansteigenden Dorfes angelegten Fußballplatz wurde an jenem Abend gespielt, und bei Flutlicht, geblendet von den starken Lampen fuhren wir vorsichtig bergauf. Wir sahen dann, und mit Staunen, eine keineswegs dunkle Ortschaft, vielmehr die alten, frisch geweißten Treppengiebel und Toreinfahrten alle stark leuchtend im überall schon erloschenen, hier aber noch einmal zurückgestrahlten Tageslicht. Hatte schon diese Abendstunde ihre besondere Magie, so war später, nachdem wir beim Batzenberger zwei Stunden im Wirtshaus gesessen hatten, der Himmel überwältigend reich an Sternen, die alle nicht still zu stehen, sondern funkelnd umeinander sich zu drehen schienen, wobei aber keiner von uns in Bewunderungsschreie ausbrach, vielmehr jeder sich gewissermaßen an sich selbst festhielt, beim Heraustreten, bei der Fahrt durch die Rheinebene, und immer das Gefühl, das kann nicht wahr sein, das kann unser Himmel, unsere Erde, nicht sein.

TRÄUME 7                    *2. September*

In der Nacht hatte ich einen Traum, nicht sonderbarer als alle Träume, aber verwunderlich, da ich, in Begleitung eines mir kaum bekannten Kurgastes in einer gänzlich anderen, nämlich nordöstlichen Landschaft, Rigaer Strand oder dergleichen, eine Uferpromenade entlangging, etwas suchte, suchte, ein Hotel, in dem mein Mann und ich zusammen abgestiegen waren, in viele Häuser hineinging, ohne das richtige zu finden. Die Uferpromenade, die Dünen, die Häuser, alles war weiß, ich konnte nicht unterscheiden, ob vom Mondlicht oder unter einer dünnen Decke von frischgefallenem Schnee. Das Hotel zu finden war mir sehr wichtig, obwohl ich in Wirklichkeit in Lettland und noch weiter mit meinem Mann nie gewesen bin, nur einmal mit einem Verwandten, der dann bald darauf ganz wo anders, nämlich in der Nähe von Karthago mit seinem Auto tödlich verunglückt ist. An diesen jungen

Verwandten habe ich aber im Traum garnicht gedacht. In dem letzten Gasthaus, in das wir eintraten, war die Halle mit allerlei seltsamen Gerätschaften vollgestellt, Hochrädern zum Beispiel und riesigen Garnwicklern, was meinen Bekannten unangenehm berührte, er hatte die Sucherei ohnehin über und wollte zurück. Also hinaus auf die Mondpromenade, Schneepromenade, dort lief jetzt atemlos und wie von weit her, ein völlig nackter Mann auf uns zu. Seine Nacktheit erstaunte weder mich noch meinen Begleiter, was sich vielleicht auf gewisse Erinnerungen an Nacktbadestrände der doch nicht allzuweit von dort gelegenen Kurischen Nehrung zurückführen läßt. Übrigens erkannte ich bald, daß der Läufer mein Bruder war. Ich war sehr erfreut, ihn zu sehen. Ich bin dir, sagte ich, noch Geld schuldig für die Blumen am Todestag, du weißt. Die Bemerkung bezog sich auf ein Bukett, das mein Bruder in meinem Auftrag auf das Grab meines Mannes gebracht hatte. Meine Erleichterung, daß ich diese, doch eher geringfügige Schuld nun abtragen konnte, war aber so unverhältnismäßig groß, daß in dem Traum nur eine ganz andere Schuld, wie man sie Toten gegenüber beständig empfindet, zum Ausdruck gekommen sein kann. Das Suchen und Nichtfinden des Traumanfangs war dann auch vergessen, die Mond- oder Schneelandschaft verschwunden, ich wachte auf. Als ich die Vorhänge zurückzog und das Fenster öffnete, lag der Sanatoriumsgarten finstergrau, wie von kaltem Schweiß bedeckt. Es blieb so den ganzen Tag und die folgenden Tage, zu irgendeiner Stunde der außerordentlichen Sternennacht war der Sommer gestorben, ohne Vorbereitung, keines natürlichen Todes gewiß.

Das kleine Mädchen steckte seinen Bubenkopf in den wartenden VW-Bus, fragte, du italiano?, bekam aber nur ein Knurren zu hören und zog sich mit einem verlegenen Kichern zurück. Es war da schon dunkel, neunzehn Uhr dreißig, im September, im Hof stand etwas Unfaßliches, eine Art von Lokomotive mit Anhänger, unfaßlich vor allem, wie das schwarze Ungetüm das Hoftor passiert und nichts beschädigt, nicht einmal den Weinrankenbehang abgerissen hatte. Das Ding erzeugte Teer, der in großen schwarzverschmierten Eimern ins Haus getragen wurde, dort seine Schwaden überallhin schickte. Kein besonderes Vorhaben, nur Umbau, Verkleinerung, Modernisierung der Küche, und um halb acht Uhr abends das Teergeschäft zu Ende gebracht, einer nach dem andern kamen die schwarzen Riesen aus dem Hause, während das Lokomotivending den Fahrmotor schon angelassen hatte und seine übrigens matten Lampen die unteren Äste der Linden erhellten. Man stand noch herum, wartete auf irgend etwas, ein dem Truppführer gehörendes zierliches Hündchen, ein junger Boxer, trieb zwischen den müden Männern seine Possen. Ich rieb mir die vom Teerdampf brennenden Augen, die Szene war unwahrscheinlich, hatte etwas von der Schmiede des Hephaistos, die Männer waren zugleich Sklaven und Halbgötter, jedenfalls unzugänglich, wie aus einer anderen Welt. Keine Italiener, auch keine Spanier, sondern, wie sich herausstellte, Türken, anatolische Bauernsöhne, jetzt beim deutschen Straßenbau beschäftigt, nichts Besonderes heutzutage und doch etwas Besonderes, in dieser Herbstnacht, als der Gigant nun um den Brunnen bog und seinen Anhänger geschickt unter dem Tor mit dem hängenden Weinlaub hindurchzog, und das einfallsreiche rehbraune Hündchen war noch

auf den Führersitz gesprungen und die schwärzlichen
Riesen, in den VW-Bus gezwängt, schliefen schon ein;
ihnen ein paar türkische Reise-Sprachbrocken noch nach-
zurufen, wem wäre das in den Sinn gekommen, den Sklaven, den Göttern aus Kleinasien, welche Anmaßung, da
bleibt man lieber schweigend zurück und denkt, wie doch
das Alltägliche fremd werden kann, schauerlich fremd.

AMERIKA 13                                        *15. September*

Eine Drahtplastik, wie die im PANAM-Gebäude macht mir
mehr Eindruck als die einmal so beliebten Mobiles, die,
inzwischen volkstümlich geworden, in Gestalt von kleinen
Fischen oder Vögeln über jeder Wickelkommode hängen,
tatsächlich kann man, so sehr man etwa das Basler Mobile von Calder noch bewundert, das allgemeine Gewackel
und Gezappel nicht mehr recht ertragen. Daß die Drahtplastik in New York ebenso schnell veraltet, kann ich mir
nicht denken, sie wird auch nicht, wie die Calderschen
Mobiles, für den Hausgebrauch nachgeahmt werden, es
fehlt ihr das Gefällige, das anmutig Tänzerische, das jeder
sich so gern in die Wohnstube, zum mindesten ins Kinderzimmer holt. Die Plastik in Manhattan hat bei aller
Leichtigkeit nichts Spielerisches, was sie darstellt, sind
Flugwege in alle Weltgegenden, kürzeste pfeilgerade Ver-
bindungen zwischen einzelnen Punkten, also genau das
Gegenteil vom Verweilen, Tanzen und Hüpfen der feder-
leichten Objekte, die uns einmal entzückten. Die in New
York zu Häupten des Beschauers einzeln oder in Bündeln
straff gespannten Drähte stellen mehr als ein stilisiertes
Flugnetz dar, – sie verkörpern jedes menschliche Streben
nach Verbindung, Zusammenschluß, one world, wenigstens in der Atmosphäre, kein Erdteil, der da ausgelassen

wäre, kein Land, das noch verharren dürfte in idyllischer Anonymität. Dabei bleibt alles im Allgemeinen, ist keine Stadt feststellbar, nur Strahlen, Strahlenbündel, Zeichen einer ehernen Zielbewußtheit, wie sie allen technischen Bestrebungen der Menschen eigen ist. Das Mobile wird nicht sterben, schon lebt es weiter in flower-power-Tänzen und pop-Verzauberung, Spiele der Jugend, neben denen das andere herläuft, das unleugbar Erwachsene, mit dem Klang der schwirrenden Sehne, unerbittlich und stark. Es hat mich, heuer in New York, gewundert zu hören, daß der Erfinder und Hersteller dieser Drahtplastik nebenbei oder wie man zu sagen pflegt, »im Leben«, zu allerlei besonders makabren Späßen aufgelegt war, daß er zum Beispiel ein ausrangiertes Leichenauto erworben hatte und dieses als sein persönliches Fahrzeug benutzte. Es war da also in einem Menschen doch beides, Spieltrieb und Zielbewußtheit, wie sie wohl auch nebeneinander bestehen werden, solange eine von Menschen bevölkerte Erde auf ihrer Bahn sich hält.

*19. September*

In seiner Bewegungsfreiheit behindert sein ist eine durchaus nicht nebensächliche Erfahrung, wenn sie auch, wie ich meine, den Kern nicht berührt. Seit vier Jahren gibt es bei mir alle paar Monate einen sogenannten Schub, das heißt eine Verschlechterung, wachsende Versteifung der Hüftgelenke, dazu die entsprechenden Muskelschmerzen, Unlust aufzutreten, Unsicherheit, schwankender Gang. Charakteristisch für dieses Leiden sind die durch keine äußeren Umstände motivierten guten und schlechten Tage, wobei die Erfahrung, daß gute kommen, immer wieder gekommen sind, die Niedergeschlagenheit der schlechten überwinden hilft. Im Röntgenbild zeigt sich anstelle von sauberer Knorpelmasse ein trübes und zackiges Geröll, kein Arzt verhehlt, daß es sich um einen Altersabbau handelt, der sein Zerstörungswerk langsam aber sicher fortsetzen wird.

Leichtfüßig und schwerfüßig, welch ein Unterschied im Lebensgefühl, die Füße, wie man sich in Österreich, auch in Baden immer taktvoll ausgedrückt hat, alt und brüchig, während man weder im Kopf noch in den andern Gliedern das Alter spürt, einem auch noch nach Tanzen zumute ist, was seltsamerweise die kranken Gelenke noch eher leisten als den raschen zielstrebigen Schritt. In den Träumen zeigt sich am deutlichsten, was man vermißt, von Nijinsky-Sprüngen über hohe Rosenbüsche, von Langstreckenläufen auf weißen Landstraßen habe ich früher nie geträumt, tue es aber jetzt oft, ich selbst bin es, die diese schönen leichten Bewegungen ausführt, – ähnlich wie wenn man als Kind noch an der in meiner Jugend gebräuchlichen »Angel« hängend, in der Nacht darauf ganze Seen mit spielerischer Leichtigkeit durchschwamm. Daß man dann eines Tages wirklich schwimmen konnte, während ich nie mehr rennen, nie mehr über Büsche springen werde, macht den ganzen Unterschied. Qual des Nie-mehr, Niewieder, die der Verlust jeder geistigen oder körperlichen Fähigkeit mit sich bringt. Wobei das Wort Qual natürlich viel zu stark und gar nicht am Platze ist, und nicht wegen der erwähnten »guten Tage« allein. Das Übel, an dem ich leide, wird nicht umsonst die »Krankheit der Gesunden« genannt. Es geht nämlich Hand in Hand mit ihr ein starker Wille sie zu leugnen, nicht wahrhaben zu wollen, was sich doch bei jedem Schritt kundtut, also auch nicht zu klagen, was mir persönlich zuwider ist, aber anderen, von derselben Knochenveränderung befallenen

Menschen offensichtlich auch. Siehst du nicht, wieviel besser es geht, rufen sie aus, während sie jämmerlich hinkend auf einen zukommen, ihre Augen leuchten, ihre Stimme ist voll von Leben und Energie. Daraus, wie auch aus meinen eigenen Reaktionen schließe ich, daß die Krankheit den Kern des menschlichen Wesens, also auch meinen Wesenskern nicht erreicht. Die Gespenster, die gelegentlich auftauchen – flüchten müssen und kaum hundert Schritte weit kommen, – ein Kind aus dem einzigen Grunde, daß man nicht schnell laufen kann, vor einer Gefahr nicht retten können, – durch wachsende Lähmung abhängig werden, – lassen sich durch diese Überzeugung freilich nicht bannen. Es ist aber das Traumwunder immer gegenwärtig, jeder Röntgenaufnahme, jeder vernünftigen Überlegung zum Trotz. Tanzen, nicht gehen können, schweren Fußes, aber leichten Sinnes sein, immer leichteren vielleicht, je mehr sich die Gelenke versteifen, demütiger auch, von der Demut derer, die es nicht gewohnt waren zu bitten und die nun bitten müssen, – nicht einmal am Tage, sondern viele Male um eine helfende Hand.

*25. September*

Wenn ich Männer aus meiner Generation frage, welches Buch ihnen in ihrer Jugend den größten Eindruck gemacht hat, wird mir oft der Steppenwolf von Hermann Hesse genannt. Die meisten seiner Bewunderer haben sich allerdings seit ihrer Studentenzeit mit der sogenannten schönen Literatur nicht mehr beschäftigt. Sie wissen ja, sagen sie, wie das ist, der Beruf, man kommt zu nichts anderem, man liest nicht mehr. Zwischen ihrem heutigen Ich und dem ihrer Jugend liegen ungezählte Arbeitsstunden,

Abendessen mit Geschäftsleuten, danach noch Akten zuhaus. Wenn man sie heute nach dem Inhalt ihres Lieblingsromans fragen würde, wüßten sie ihn kaum zu erzählen, es tritt aber schon bei der Nennung des Titels etwas in ihre Augen, eine vage Sehnsucht nach dem Aufrührertum der Hesseschen Jugend, nach einer Lebensmöglichkeit, die in ihnen selbst früh und für immer erstickt worden ist. Mein eigenes Leitbild war ein ganz anderes, nicht der halbgegorene Aufrührer bürgerlich-deutscher Herkunft, überhaupt nichts von deutscher Seele, die sich in Pubertätswehen windet und zuckt. Über mein lyrisches Vorbild, den Österreicher Georg Trakl habe ich schon einmal geschrieben und erklärt, warum mich der halbe Wahnsinn des großen Mit-leidenden so über alle Maßen angezogen hat. Mein Verhältnis zu dem ersten großen Roman meiner Jugend war ein ebenso maßloses, ein Überwältigtwerden, ein Taumel und Stürzen im halben Verstehen. Der Autor war, wie Trakl, ein Kranker, krank durch das Übermaß seiner Partizipation, und krank war auch die Gestalt, die im Mittelpunkt seines Romanes stand. Krank, wenn auch auf ganz andere Weise, aus Machtgier, Geldgier, Liebesgier waren auch die andern Personen dieses großen, wie man damals wohl sagte, Sittengemäldes, das den Titel »Der Idiot« trug. Fremde, schwer zu merkende Namen, eine durch und durch fremde Welt, und begreiflich, wenigstens für eine Siebzehnjährige, nur der einzige Außenseiter, Fürst Myschkin, der immer liebevolle, immer sanftmütige, in dem Dostojewski so etwas wie den vollendet schönen Menschen darstellen wollte, Christus und Don Quichote in einer Person. Von diesen, in Briefen Dostojewskis geäußerten Absichten habe ich natürlich beim ersten Lesen des Idioten nichts gewußt. Ich war aber erschüttert von der kindlichen und doch so gar nicht schafsdämlichen Güte und Weltfremdheit seines jungen Helden, von seiner unausrottbaren Achtung vor dem Keim des Guten, den er jedem seiner Mitmenschen zugesteht. Es ist mir damals wahrscheinlich gar nicht klar geworden, daß Dostojewski mit seinem Idioten einen Christusroman geschrieben hat und noch viel weniger habe ich gewußt, daß er die »komische Figur« Myschkin ganz bewußt, im Hinblick auf die Sympathien des Leserpublikums gezeichnet hat. Für mich war der blasse, durch seine Krankheit zur Liebe unfähige junge Mann nicht komisch und meine Sympathien rührten nicht aus dem Überlegenheitsgefühl, das den Normalen gegenüber dem Abartigen erfüllt. Die blutvollen, lebensgierigen und liederlichen Menschen, in deren Zänkereien Myschkin immer wieder verstrickt wird, erschienen mir weniger lebendig als der junge Kranke, der durch die Kraft seines Mitleidens all diese unreinen zuckenden Flammen in sich hineinnimmt, um in das Chaos der menschlichen Beziehungen ein wenig Licht und Ordnung zu bringen. Er endet nicht am Kreuz, sondern in der Einsamkeit, was mir wahrhaftiger vorkam als die von den Kanzeln kommentierte christliche Lehre, ja als das Pathos des Neuen Testamentes selbst. Der halbe Wahnsinn, die leidenschaftliche Partizipation meiner ersten literarischen Vorbilder gibt mir zu denken, ihre Wesensart schien der meinen entgegengesetzt, wo sie sich ohne jeden Trieb zur Selbsterhaltung verzehrten, strebte ich unwillkürlich nach Ausgleich, nach Versöhnung und Harmonie. Nur von ihrem Zwang zum Mitleiden mag auch in meinen Versen und in meiner Prosa etwas zu finden sein.

Da dieses Tagebuch nicht dazu bestimmt ist, mit einem Schlüsselchen versperrt in einer Schublade zu verstauben, da es vielmehr gedruckt werden und also, wie man das nennt »erscheinen« soll, muß es auch einen Titel haben. Der erste, der mir einfiel, geht auf ein Gespräch mit einem Bekannten zurück. Worüber schreiben Sie, fragte mich mein Bekannter, und ich antwortete, ohne lang zu überlegen, über Gott und die Welt.

»Gott und die Welt« fand ich dann einen ganz passenden Titel, wobei es mich nicht im Geringsten genierte, daß von Gott so gut wie nichts auf diesen nun schon zu zwei Bündeln angewachsenen Seiten steht. Ich bin kein Atheist, wo Welt ist, ist auch Gott, kein besonders lieber, aber einer, der sich beständig manifestiert, in jeder Zerstörung, in jeder Versöhnung, der immer mehr ist als wir selber sind und sein können, so daß, wer die Erscheinungen jedes Tages schildert, ihn auch an die Wand malt und seinen schönen gefallenen Engel dazu. Ein persönliches Verhältnis zu ihm stellt sich nicht mehr leicht her, man kommt ihm nicht mit den eigenen Ängsten und Sorgen, aber keineswegs weil er kleiner und schwächer geworden wäre, ein sterbendes Männchen, dem man nichts mehr zutraut, sondern weil er gewachsen ist, auch weggewandert aus seiner Schöpfung, weit weg. Man müßte, ihn zu erreichen, schon schreien, aus tiefer Not schrei ich zu dir, nur daß die wirklichen, die Gottesnöte uns auch nicht mehr gegeben sind. Gott und die Welt, ich bin wieder bei meinem Titel, der mir aber bereits pathetisch vorkommt und der mir darum zu diesen bescheidenen Aufzeichnungen nicht zu passen scheint. Ich habe noch einen andern Vorschlag, der riecht, aber nur von weitem, nach understatement, heißt »Kraut und Rüben« und träfe das zusammenhanglose

Durcheinander eines Tagebuches genau. Daß ich bei
»Kraut« an winterliche Äcker voll großer, leicht bereifter
und silbern schimmernder Blaukohlköpfe, bei Rüben an
das Öffnen und Ausräumen der die Wintervorräte bergen-
den grabartigen Mieten denke, sei nur als Nebensache
vermerkt. Schließlich kann sich jeder Leser unter einem
Titel vorstellen, was er will, also in meinem Fall auch
einen Haufen Gemüse, erdverkrustet, ohne Ordnung und
Harmonie.

*im Oktober*

Ich bin in meine Wohnung zurückgekehrt. Schon auf dem
Weg vom Bahnhof habe ich festgestellt, daß Hoch und
Tief im Begriff ist, Richtfest zu feiern, statt der drei ganz
verschiedenen Landstraßenhäuser steht jetzt dort ein hoher
vielfenstriger Kasten, zu dem der altmodische Richtkranz
mit den flatternden Bändern wenig zu passen scheint. Auch
eines der weißen Häuser auf der andern Seite der Allee
ist verschwunden und mit ihm die letzten der rosablü-
henden Magnolienbäume, die für die Vorgärten dieser
Straße so charakteristisch waren. Soviel ich mich erinnere,
habe ich zu Anfang dieser Aufzeichnungen über die Verwandlung unseres Stadtviertels in eine reine Versiche-
rungsgegend sehr geklagt. Ich war damals auch der Überzeugung, daß das große Mietshaus, in dem ich wohne,
abgerissen und durch ein von einer Versicherungsgesellschaft erstelltes Hochhaus ersetzt werden würde. Ich bin
so weit gegangen, meine doch höchst unwichtige Wohnung
in allen Einzelheiten zu beschreiben, wahrscheinlich, weil
ich glaubte, sie dadurch dem Untergang entreißen zu können. Obwohl ich meine ersten Aufzeichnungen vor wenig
mehr als neunzehn Monaten gemacht habe, erscheint mir

dieses ganze Festhaltenwollen bereits heute wichtigtuerisch und absurd. Es sind inzwischen in allen Wohnungen Reparaturen ausgeführt worden, und man spricht von einer Erneuerung der Fassade im nächsten Jahr. Ich kann also beruhigt heimkehren, guten Tag, Welle, guten Tag zweimal gekittetes archaisches Pferdchen, guten Tag Schwäne auf dem Spiegelrand, Urväterhausrat, alles noch da. Ob ich mich darüber freue, weiß ich indessen nicht. In einer Zeit, in der die Dinge aus allen Schaufenstern platzend, sich marktschreierisch anbieten, auch gewollt werden, gekauft werden, scheint die Zeit der Dinge doch schon vorüber, will das Faßbare zugunsten des Unfaßbaren schon verschwinden. Was vielleicht für alle zutrifft, vielleicht aber auch nur für mich. Ein Wegtreten, durchaus noch nicht sterben, aber verschwinden, ins Anonyme, ein aus dem Rahmen-treten, der eines Tages nicht mehr notwendig ist. Ich denke an die alten Frauen, von denen alljährlich ein paar auf Gesellschaftsreisen verschwinden, Frauen, die seltsamerweise immer graukarierte Röcke tragen und spitze Kinne haben, eben wurden sie doch noch gesehen, auf dem Marktplatz von Alicante, geblümte Strohtaschen kaufend, sie fehlen aber bei der Abfahrt, sind auch in keinem Spital, keiner Leichenhalle zu entdecken. Sitzen vielleicht, wenn der Reisebus längst abgefahren ist, an einer fremden Hafenmauer, sprechen mit fremden Kindern, haben nichts mehr und sind niemand mehr, werden aber doch verstanden, weil sie nur das einfachste sagen, immer dieselben zwei oder drei Worte, die auch ich eines Tages wissen werde, ich weiß sie aber noch nicht.

Der Herbst war meine Jahreszeit von jeher, was als ungesund empfunden wurde, ein junger Mensch hat den Frühling zu lieben, den schüchternen Vorfrühling mit seinen Schneeglöckchen unter aalschwarzen Baumästen oder den alten Liebesmonat Mai, allenfalls noch den Rosensommer, welche Jahreszeiten mich ganz kalt ließen, ja mich, in ihrem Zuwachs an Helligkeit, geradezu störten. Vom 21. Juni, dem Tag der Sonnenwende an begann ich aufzuatmen, jetzt konnten die Tage nicht mehr länger werden, jetzt begann es sich, langsam, langsam wieder um mich zu schließen, das süße Netz der Dunkelheit, der Höhlentiefe, des Traums. Länder, in denen die Sonne einige Monate lang überhaupt nicht untergeht, nur am Rande des Horizontes dahinrollt, fand ich entsetzlich, gegen Mitternacht noch im Freien die Zeitung lesen, wer möchte das, ich möchte es nicht. Schon als ich ein Kind war, entzückte mich die besondere Buntheit des Herbstes, was die andern melancholisch machte, stimmte mich lustig, ich sah gut aus, ich wollte immer essen, meine Haare, meine Nägel wuchsen doppelt so schnell. Ich rannte und wirbelte mit den Füßen das feuchte farbige Laub auf, daß all dies auf den Winter zuführte, bedachte ich nicht. Im Laufe der Jahre hat sich daran nicht viel geändert, in den Herbst, in dessen pathetischer Klarheit ich sozusagen immer gelebt hatte, wachse ich jetzt hinein, wie ein Kind in ein Kleid aus der Kostümkiste, ein ehemals zu weites, zu langes, zu buntes Kleid. Ich kann es mir heute erlauben, Drachen steigen zu lassen, phantastisch Aufgeputztes, das sich den Winden anvertraut, das hoch hinauffliegt, und das am Ende die Stoppeln zerreißen und der Novemberschlamm bedeckt. Es wird mir auch niemand mehr übelnehmen, daß ich auf meinen Schlaf halte, meine halben

und ganzen Träume, und daß mir von allen Altären der
liebste der ist, auf dem sich die Früchte häufen, gelber
Mais, rote Melone, goldgrüne Birne, Kornährenbüschel,
Tomaten, in manchen Gegenden auch Granatäpfel, die
tausendkernige Frucht.

*19. Oktober*

Glanz und Elend ist, seit Balzac, eine beliebte Zusammenstellung, sie paßt auf dieses und jenes und auch auf die
Stadt Berlin im Jahre 1967, westdeutscher Teil, schön frei
und großzügig aufgebaut, aber der Wurm ist darin, der
politische, die Angst eines Tages überrollt oder ganz friedlich aufgegeben zu werden, und die Möbelwagen der großen Geschäftsleute rollen bereits der Stadtgrenze zu. Dies
wenigstens war die Meinung der Taxichauffeure, von
denen ich mich durch die Stadt fahren ließ, Von der Heydt-
straße, alte Kinderstraße, kein Haus auf der rechten, kein
Haus auf der linken Seite, alter Tiergarten, wo wir her-
umradelten, auf dem See Boot fuhren, mich wundert noch
jetzt, daß wir es durften, immer ohne Erwachsene, ein
Grüppchen Kinder allein. Meine Taxifahrer waren jung,
der Tiergarten, wieso abgeholzt, der war immer so, abgeholzt war der nicht. Fahrlust auf den breiten leeren Straßen, Großstadtlust im jetzigen Zentrum, Klein-Amerika,
da stand ich an der Balustrade und sah den Schlittschuh-
läufern zu, die liefen zwischen hübschen Schaufenstern und
kleinen Restaurants aber unter freiem blauem Himmel,
junge, die nichts konnten, sich aber fröhlich an den Händen hielten, zusammen hinfielen, zusammen wieder aufstanden, und der eine Alte, der seine Bogen und Schlingen
ausführte, beherrscht, elegant, totenstill. Der Leierkasten-
mann beim grauen Kirchenstumpf, hellen Kirchenneubau,

man konnte sich vorstellen, ein künstlicher Invalide, sehender Blinder, der da auf Anweisung der Behörden seine Kurbel dreht, seine Mütze ausstreckt, ein Stück Berlin bleibt Berlin für die Fremden, die Kongreßteilnehmer, aber für mich ein Stück Kindheit, also magenumdrehend, wie das alte Haus in der Nollendorffstraße, die steile, prächtige Marmortreppe mit Messinggeländern in die Beletage, weiter oben alles schäbig, graue Gardinen, graue Straßenbäume, mein Quartier für zwei Tage, eigentlich nur ein und einen halben Tag. Die rolle ich jetzt auf wie einen Wunderknäuel mit allerdings auch befremdlichem Inhalt, etwa der nächtlichen Fahrt nach Reinickendorf und darüber hinaus. Durch das im Bau befindliche, also geisterhafte Märkische Viertel, bestimmt für sechzigtausend Menschen, und dem neuen Fahrer halte ich entgegen, was der letzte gesagt hat, Flucht aus Berlin, Ende von Berlin. Wieso also ein ganz neues Viertel, aber dieser Fahrer sagt, es sind Menschen genug da, mehr als genug. Auf das Geisterviertel folgen auf leerem Land die Fabriken, in denen alles für die Neubauten Nötige hergestellt wird, die Fabriken sollen später wieder abgerissen werden, nur ein seltsames brückenähnliches Gebäude bleibt als Bowlingbahn stehen. Weiter auf leerer gut beleuchteter Straße bis zur Mauer, die sich seit meinem letzten Berlin-Aufenthalt sehr verändert hat, chinesisch geworden ist, ein richtiges Bollwerk mit Türmen und grellen Lampen, man sieht aber niemanden dort oben umhergehen, ausspähen, über Kimme und Korn. Auf unserer Seite ist es vollends still, Friedhofsstille, kein Mensch zu sehen, nur daß, als wir in Richtung Reinickendorf zurückfahren, ein alliierter Streifenwagen sehr schnell an uns vorbeikommt. Da ist wieder was, sagte der Chauffeur düster, ehe er mich in dem hellen freundlichen Saal ablieferte, wo ich zu lesen hatte, auch las, das heißt, die Worte

laufen ließ, aber unkonzentriert war, verwirrt. Wer nach
Berlin ziehen will, falls das noch jemand will, der sollte
nicht in Dahlem leben, auch nicht im alten Schöneberg,
sondern hier. Hier, wo die Kinder des Fahrers im heiße-
sten Sommer bestenfalls in den überfüllten Tegeler Schloßpark gelangen, wo die kleinen Mädchen sich mit Lumpen
aus der Mottenkiste herausputzen und Königin spielen,
Königin von England, versteht sich, wo in der Nacht die
Streifenwagen auf die Mauer zurasen, hier würde einem
klar werden, was es heißt, in Berlin zu wohnen, alle Tage
des Jahres, ohne Glanz und Flitter und kein Leierkasten-
mann spielt.


*25. Oktober*

Meine Neigung zur Drückebergerei, zur Flucht in die
Träume des Alters wird den Lesern dieser Aufzeichnungen nicht entgangen sein, vielleicht ist sogar der eine oder
andere auf den Gedanken gekommen, daß ich nicht mehr
gut sehe und höre oder daß ich es vorziehe, nicht mehr genau hinzuhören, hinzusehen. Was alles jedoch nicht der
Fall ist, im Gegenteil, meine Kurzsichtigkeit hat sich gebessert, und mein Gehör läßt nicht viel zu wünschen übrig.
Der Ruf qui vive, der aus dem Siebzigerkrieg, vielleicht
auch schon aus den Zeiten Napoleons stammt, ist mir ge-
läufig, qui vive, qui meurt, ich will wissen, wohin der Hase
läuft. Durch Menschen erfahre ich vieles, einiges auch
durch die Zeitung und den Rundfunk, mehr noch durch
gewisse, naturwissenschaftlich gar nicht stichhaltige Wellen,
die mich ins Bild setzen, in das Bild unserer Zeit, ein freilich höchst unfriedliches Bild. In dem also sitze ich mitten
darin und bleibe nicht ungeschoren, kann sie auch nicht immer aufrecht erhalten, meine höchst private Schwermut,

meine lächerliche Sehnsucht nach Versöhnung und Harmonie. Gerade in der hier höchst fragmentarisch beschriebenen Zeit ist die Unruhe in der Welt beängstigend gewachsen, vielleicht auch nicht beängstigend, sondern hoffnungsvoll, nur daß wir eben nicht übersehen können, wieviel Gewalttat noch vor dem wirklichen Frieden, auch dem wirklichen sozialen Frieden, dem wirklich friedlichen Zusammenleben der Rassen steht. Der persönlich friedliche Lebensabend ist dabei höchst unwesentlich, die etwa noch zu erleidenden Ängste zählen nicht. Es hat aber, wer alt ist, ein Grauen vor dem Irrationalen, das eines Tages doch in Schaftstiefeln daherkommt und die Blumenkinder zertritt. Auch ein Grauen vor dem Modewort Eskalation, weil, was sich da ausweitet, immer die Gewalt und die Unterdrückung sind. Er selbst verdankt die Erweiterung seines Weltbildes viel weniger den hübschen Farbaufnahmen seiner reisenden Freunde als den Zeitungsberichten und Fernsehbildern, deren Gegenstand Brände, Explosionen, Panzer im Dschungel, Flüchtlingszüge und Kinder mit widerlichen Erbkrankheiten sind. So hat er eine Weltkarte im Kopf, die mit Blutfähnchen besteckt und mit Hungerfarbe gesprenkelt ist. Er – wer? Ernst Bloch, der vor kurzem in der Paulskirche seinem Gesang von der Hoffnung ein so zorniges Pathos verlieh? Oder Heinrich Böll, der in seiner Büchnerrede so abstoßend Unerhebendes und mit so trauriger Stimme sagte? Oder ich, die ich gar nicht imstande bin, eine Rede zu halten, Richtlinien aufzuzeigen, vielmehr nichts bin als traurig und ratlos, wenn auch nicht eigentlich skeptisch, weil mir das alte inzwischen millionenfach widerlegte »der Mensch ist gut« meiner Jugendjahre noch immer in den Knochen steckt.

Alle zehn Sekunden ein Schlag oder Stoß eines Preßluft-
hammers ganz in meiner Nähe, zum Verrücktwerden, ein
Riesennagel, durch die Schädeldecke gestoßen, wieder zurückgezogen, und die Schädeldecke wächst gleich wieder zu,
nur damit sie von neuem getroffen werden kann. Nach
einer halben Stunde ist auch die Wirbelsäule schütter, die
Gesichtsmuskeln zucken, die Augen reißen sich auf und
kneifen sich zu. Dabei versucht man noch immer Ruhe zu
bewahren, was ist das schon, moderne Bauweise, alltäg-
liches Geräusch der Städte, aber auch schon der Landge-
meinden, noch nie ist jemand darüber wirklich verrückt geworden, man hätte davon gehört. Es laufen auch keineswegs die Leute im Haus zusammen, jeder ist geduldig,
manche scheinen überhaupt nichts zu bemerken, auf jeden
Fall kann das Geräusch nicht ewig dauern, eines Tages
wird es mit der Marter zu Ende sein. Was natürlich auch
ich mir sage, außerdem gibt es Pausen, in denen freilich anderer Baulärm aufkommt, der wahrscheinlich auch vorher
schon da war, spitzes Klopfen, dumpfes Rattern, kreischen-
des Sägen, harmlose Geräusche, die aber anzeigen, daß
noch nicht alles zu Ende ist. Also wartet man, wenn der
Hammer schweigt, auf den Schlag des Hammers, spürt ihn
schon vorher, den Nagel durch die Hirnschale getrieben, ist
fast zufrieden, wenn die Frühstückspause vorüber ist und
man zusammenzucken darf bei dem ersten neuen Schlag.
Das Erwachen am Sonntag ist dann unfaßbare Stille, und
in der Stille heraufquellend, was man hier gar nicht hören
kann, aber einmal gehört hat, irgendwo, Geräusche, die
nicht von Menschen hervorgerufen sind, auch nicht menschlichen Zwecken dienen, sondern den rätselhaften Vorhaben der Natur. Gespeichertes also, das jetzt, freigelassen,
sich tummelt. Von der Brandungswelle zurückgerissene

Kiesel, im Wind ächzende Bäume, Blasen, die aufplatzen im Lavasee, Birnen, die ins nasse Gras fallen, Regen, der zischelt im Weinlaub, Knistern, Schmatzen, Röhren, Quaken, alles fern, alles leise, und wenn man endlich völlig wach geworden ist, geht das langsam über in ganz andere, nämlich auch Stadtgeräusche, nur feiertägliche, die beinahe zu verwechseln sind mit den alten Stimmen der Natur.

Was einer in der Zeitung zuerst liest, davon war die Rede, den Leitartikel, den Roman, das Lokale, eine Dame behauptete, daß auch »die Herren« sich jetzt mehr der Lokalseite zuwendeten, es sei ihnen angenehm, es ruhe sie aus. So bekannte sich jeder zu dem oder jenem, aber nur einer, ein recht bekannter Schriftsteller, ließ wissen, daß er zuerst die Seite mit den Todesanzeigen aufschlüge und diese Anzeigen, eine nach der anderen, langsam und gründlich studiere. Ich war überrascht, auch ich tue das gelegentlich, aber aus niederen Motiven, nachdem mir nämlich einmal aufgefallen ist, wie in Todesanzeigen mit der Sprache umgegangen wird, und daß man nur höchst selten eine findet, in der die Leidtragenden grammatikalisch richtig aufmarschieren, seitdem also lasse ich mir meine damals gemachte Beobachtung gerne bestätigen, stelle auch fest, daß an solcher Sprachverwirrung nicht der gestörte Seelenfrieden der Angehörigen schuld ist, sondern eine ganz allgemeine Unfähigkeit, zu ordnen, einander zuzuordnen, was zueinander gehört. Ich will aber hierfür keine Beispiele geben, sondern erzählen, auf welche Weise der Tischgenosse seine schwarzumränderten Felder ansah, nämlich nicht als Schriftsteller und Sprachfex, sondern als Mensch unter Menschen, also etwa so wie man auf einem fremden Friedhof umhergeht

und die auf den Grabsteinen verzeichneten Namen und
Daten liest. Es steht aber in der Zeitung vieles, was man
auf den Grabsteinen nicht findet, zum Beispiel die Todes-
ursache, an den Folgen eines Verkehrsunfalles, nach langem schweren Leiden, auch die Familie, Homburg vor der
Höhe, San Franzisko, Leipzig, drängt sich da noch einmal, wenigstens in Druckerschwärze, um den Sarg. Man
kann sich ein Bild machen, auch aus der Größe der Anzeige, der junge Unternehmer, auf der Autobahn zu schnell
gefahren, ein auf sieben Riesenfeldern mit immer andern
Attributen angezeigtes Aufsichtsratsmitglied, ein nicht le-
bensfähiges, als »unser Engel« bezeichnetes winziges Kind.
Auch über die Herzlichkeit oder die Kargheit der Texte
kann man sich Gedanken machen, über Atheismus und
Gläubigkeit, selbst die beiden christlichen Konfessionen
sprechen dieselbe Sprache nicht. Und natürlich kann man
auch jede einzelne Anzeige auf sich selber beziehen. Wie,
erst vierzig Jahre alt, da möchte man nicht schon gestorben sein, wie, im gesegneten Alter von vierundneunzig
Jahren, die möchte man auch nicht erreichen, mummelnd,
geifernd, vielleicht nach den Angehörigen mit dem Stock
schlagend, jedenfalls der Familie eine Last. Was alles sich
zusammenfindet auf dieser gewissen Seite der Tageszeitung,
welche die meisten zuletzt oder gar nicht lesen, die meisten,
aber, wie man sieht, alle nicht.


*15. November*

Hatte ich nicht das Spiel noch einmal aufnehmen wollen,
das »Wie-wäre-es-wenn, Wie-wäre-es-heute-Spiel«, wie
wäre Golgatha, wie wäre das Paradies. Aber nicht nur
meine Lust am Festhalten bestimmter Gegenstände (meine
Wohnungseinrichtung), sondern auch meine Lust an solchen

Spielen ist vorbei. Einzelne, mir bekannte Menschen zu
schildern, auch das habe ich einmal vorgehabt, auch schon
damit angefangen, nur daß es da bei mir immer Wider-
stände gibt, Angst jemanden das Gesicht wegzunehmen,
den Lebenden gut, aber den Toten, nein. Jetzt beschäftigt
mich, was zwischen den Menschen hin- und hergeht und
warum, die ewigen Gefühle sozusagen, die man sich auch
freischwebend denken könnte, die sich aber einnisten, ein-
krallen in Wesen von Fleisch und Blut, Schmarotzer, die
fett werden wollen, auch fett werden, während der Nah-
rungsspendende unter Umständen dabei verkümmert und
verkommt. Die Worte Besessensein, Verrücktsein und viele
andere ebenfalls nicht klinisch gemeinte deuten auf solche
Besitzergreifung des Menschen, solche Störung seines ge-
mäßigten Klimas hin. »Liebe, Liebe, laß mich los«, die
angstvolle Bitte mag noch nicht völlig ernst gemeint gewesen sein, wie überhaupt den Besessenheiten des neun-
zehnten Jahrhunderts noch etwas Positives anhaftete, »du
hast mir mein Gerät verstellt und verschoben«, aber es ist
gut so, jede Daseinserhöhung, Daseinserweiterung ist gut.
Zum Fluch werden die Gefühle erst später, sie waren es
schon einmal, in der griechischen Tragödie, kommen jetzt
ganz anders daher, mit kleinen Schritten, es steht aber hinter ihnen schon eine Nichterfüllung, das kleine Zerstört-
werden durch Enttäuschung, Zweifel, Kälte und Haß. Eine
andere, sozusagen negative Besessenheit also, nicht der Zuneigung, sondern der Abneigung, des Sich-selbst-über-die-
Schulter-sehen-Müssens, des Nichtglauben-, Nichtvertrauen-
Könnens, welche Zeit aber auch schon wieder vorbei zu
sein scheint. Nichtliebe, überwunden von einer Jugend, die
Armut, Liebe, Drogenrausch und Freizügigkeit auf ihre
natürlich nicht vorhandenen Fahnen geschrieben hat. Von
Besessenheit im Sinne des 19. Jahrhunderts ist da die Rede

nicht mehr, aber auch vom Nihilismus des zwanzigsten nicht. Man bekränzt sich, beschenkt sich mit Blumen, ist es zu glauben, ein Vierteljahrhundert nach Krieg und Massenvernichtung, die übrigens keineswegs aufgehört haben und sich jeden Tag weltweit wieder ausbreiten können. Nichts Klassenkämpferisches, nur Armut und Liebe, unsere Kinder, unsere verlorene Unschuld, und seit der beliebteste, liebste Streuner des New Yorker Village mitsamt seinem Mädchen in einem Keller ermordet aufgefunden wurde, mischt sich auch Sorge darein. Gewaltlose, von Killern kalten Blutes im Schlafe umgebracht, – und schon trägt das ziellose Hin und Her der sanft Berauschten die Züge eines Kinderkreuzzuges, dem ja auch der Untergang bestimmt war von Anfang an. Die ewigen Gefühle, Liebe, Haß, Machtgier, Eifersucht, Lebenswille und Todeslust, sind in jedem Jahrhundert, jedem Jahrzehnt wieder anders, treffen auf eine andere Disposition, siedeln sich in einem anderen Nährboden an. Kriegsgenerationen, Nachkriegsgenerationen und was einer als Kind gesehen hat oder nicht gesehen hat, zählt. Auch das Elternmaterial, nur daß diese Eltern eben auch nicht schuldig sind, weil ihnen ebenfalls einer im Nacken saß, oder einige, die alten Leidenschaften, die, wie in Brechts Stück, Tugenden sein können, aber Todsünden auch.

*20. November*

Über das öffentliche Vorlesen habe ich im Laufe der Zeit schon vieles geschrieben, meine Unlust daran offen zur Schau gestellt. Die Tatsache, daß etwas, aus welchem Grunde immer, zu Ende geht, führt indessen augenblicklich zur Revision. Habe ich recht gehabt mit meiner Behauptung, daß sich mir, wenn ich auf dem Podium den Mund aufmache, sogleich die Kehle zuschnürt, daß mir die fremden kalten Augen ebenso wie die hübschen Podien mit Stehlampe, Fransendecke, Teppich Furcht und Abscheu einflößen? Habe ich wirklich jedesmal gefürchtet, mitten in der Lesung die Stimme zu verlieren, also nur den Mund auf- und zuzuklappen, worüber ich dann in den Augen der in der ersten Reihe sitzenden Zuhörer Entsetzen und Empörung läse? Habe ich wirklich nichts im Gedächtnis behalten als die Grausamkeit des Publikums, das mich einmal, als ich, einer Nervenentzündung im rechten Arm wegen, nicht signieren wollte, zwang, doch zu signieren, sich in der kalten Zugluft der Vorhalle gegen den ohnehin wackligen Tisch warf, eben noch dankbare, ja ergriffene Zuhörer, aber jetzt unerbittlich; aufzustehen und wegzugehen, ich hätte es nicht gewagt. *Vor* dem Lesen habe ich Lampenfieber eigentlich nie gehabt, auch keine besonderen Vorkehrungen getroffen, etwa zuhause zur Probe gelesen, meist habe ich nicht einmal ein Programm gemacht, habe nur ein paar Bücher mit aufs Podium genommen, bin ein paar Minuten still dagesessen, dann wußte ich, was ich lesen wollte, und die Reihenfolge auch. Ich habe mich aber nicht etwa entschieden, nachdem ich mein Publikum ins Auge gefaßt hatte, ich bin viel zu kurzsichtig, um einzelne Gesichter wahrzunehmen, geschweige denn ihnen abzulesen, was sie hören wollten und was nicht. Wahrscheinlich wurde ich mir in den paar Minuten nur darüber klar, was ich selber lesen wollte, lesen konnte vor dieser amorphen Masse, von der mir aber doch Botschaften zukamen in diesem oder jenem Sinn. Zwischenbeifall, Klatschen nach einer Geschichte oder einem Gedichtzyklus hat mich nie gestört. Es war mir im Gegenteil angenehm, ich bin ein Feind des Zelebrierens, außerdem konnte ich aufstehen, mich verbeugen, die Glieder rühren, es ging etwas hin und her zwischen mir und den Sonntagskleidern, Sonntagsgesichtern, auch Protest wäre mir recht gewesen, eine ganze Stunde ununterbrochene Feierlichkeit ist hingegen eine Qual. Wenn man Erzählungen, Gedichte zum ersten Male liest, ist man in einem Zustand höchster Spannung, der der Sache zugute kommt, das Vorlesen ist dann auch eine Art von Wertprobe, wenn man beim Lesen ins Hetzen gerät, eine Stelle rasch hinter sich, hinter den Zuhörer bringen will, kann man sicher sein, daß diese Stelle zähflüssig ist, oder fadenscheinig, blaß. Einen Text sehr oft, wenn auch vor immer anderem Publikum lesen, hat auch seine Gefahren, da hat man plötzlich andere Dinge im Kopf, läßt das Rad weiter laufen, betrügt den Zuhörer um das, was er doch beanspruchen kann; um das eigene Bei-der-Sache-Sein, das der Vermittlung erst das Feuer verleiht. Wie lange allerdings ein Geschriebenes Sache des Schriftstellers bleibt, ist fraglich, wahrscheinlich gar nicht sehr lange, vielleicht nur avant la lettre, weswegen Gedrucktes gar nicht gelesen werden sollte. Alte Gedichte, die vom großen Publikum ja meist schöner gefunden werden als neue, habe ich gelegentlich, auf dringenden Wunsch, gelesen, war nur selten (vielleicht nur bei der »Rückkehr nach Frankfurt«) gerührt, meistens angewidert, manchmal erstaunt, wie mir das von den Lippen ging, leicht und fremd. Die Buhlerei mit der Jugend, das heißt die Freude, mit der man im Zuschauerraum viele junge Gesichter entdeckt, wäre lächerlich, sogar abstoßend, wenn in ihr nicht auch ein Stück Zukunftshoffnung steckte, die Hoffnung, noch da zu sein, wenn man nicht mehr da ist, noch ein weniges weitergetragen zu werden, eine kleine Strecke Wegs. Weswegen auch alles Abfällige, was ich über das öffentliche Lesen geäußert habe, vielleicht doch übertrieben war oder eben nur Stückwerk, weil doch viel mehr dazu gehört als Unbehagen und Angst. So zum Beispiel der

Augenblick, wenn die Husterei aufhört und etwas anderes an ihre Stelle tritt, Stille, die ich mit meinen Worten hervorrufe, Atemlosigkeit, die auf Grund meiner Empfindungen und Gedanken entsteht. Und noch etwas, draußen in der immer zugigen Vorhalle am immer wackligen Tisch: die beinahe noch Kinderhände, mit Taschenbüchern, billigen Ausgaben, verramschten Exemplaren mir entgegengestreckt. Die Blicke, die meine Blicke suchen und mich einen Augenblick lang glauben machen, daß das wirklich etwas wäre, ein Schriftsteller, und nicht nur eine ewig unzureichende Anstrengung, ein nie ganz gelungener Versuch.

*Ende November*

Weil ich in den kalten Schacht der Untergrundbahn hinabzusteigen nicht wagte, auch fürchtete dort herumgestoßen zu werden, wurde mir der Hocker ins Haus gebracht, dazu eine Art von Filzstift, beinahe ein längliches Tuschefaß, das eine Filzspitze tränkte. Der Hocker war vor kurzem frisch angestrichen worden, grell tomatenrot, eine Schockfarbe, auf seine Sitzfläche sollte ich etwas schreiben, einen Vers, einen Aphorismus, eine Prosazeile, meinen Namen und das Datum dazu. Der Zweck war ein wohltätiger, die im Rahmen eines Schriftstellertreffens veranstaltete Hockerversteigerung eine Schau, die nicht ohne Absicht mit den Lesungen der beiden besten Autoren, des Franzosen Butor und des Polen Herbert gekoppelt und in den noch unbefahrenen und einzig in dieser Nacht begehbaren Untergrundbahnstollen verlegt worden war. Literaturbetrieb mit Sensationen, auch mit politischem Hintergrund. Die versehrten Kinder, denen der Erlös der Versteigerung zugute kommen sollte, stammten aus Vietnam, auch jordanischen Kindern hätte man das Geld nicht versagt, suchte, im Hinblick auf die kopfschüttelnden Stadtväter auch nach solchen, aber das Napalm überlebt so leicht kein Kind und die sich in den Spitälern der Bundesrepublik befanden, stammten nun einmal aus Vietnam, wahrscheinlich hatte das deutsche Lazarettschiff sie gebracht. Ich saß auf der Couch, hatte den Hocker auf den Knieen, den Filzstift noch nicht in der Hand, was paßt zu giftgasgeschädigten Kindern, nichts, auf alle Fälle kein Gedicht. Ich suchte trotzdem meine Gedichtbände zusammen, blätterte in einem nach dem andern, fand nichts geeignet, entschloß mich aber dann ganz schnell. Der Zyklus, aus dem die vier Zeilen stammten, war über zehn Jahre alt, Schauplatz Wien, Allgemeines Krankenhaus, gegründet von Joseph dem Zweiten oder sogar schon von Maria Theresia und nur wenig verändert seitdem. Ferner die Wege dorthin und die Rückwege in die traurige Leopoldstadt, allerherrlichster Spätsommer, und ich hier und da im Volksgarten auf einer Bank sitzend, die Augen verklebt von Tränen, das Herz ein Klotz. Darauf, daß dieses noch nicht Todesjahr, aber schon Krankheitsjahr meines Mannes, – auch die Zeit war, in der die Vernichtungsmöglichkeiten der Atomwaffen erst ins allgemeine Bewußtsein traten, hat mich vor kurzem jemand aufmerksam gemacht. Der ganze Wiener Gedichtzyklus ist außerordentlich persönlich, persönlichster Höllensturz, dazu die immer noch kaiserliche, immer noch dämonische Stadt. Jetzt fing ich an zu schreiben, ungelenk mit dem ungewohnten Stift, der Rundungen nicht hergibt, sich zu Verbesserungen und Verschönerungen nicht fügt:

Es war ein Geräusch in der Luft
Eine ewige Unheilssirene
Und die Rosen im Volksgarten blühten
Wie Rosen der Ewigkeit.

Warum gerade diese Zeilen auf den tomatenroten Grund? Die Sirenen, die ich damals gehört hatte, waren etwas sehr Konkretes gewesen, nämlich die der Polizei- und Krankenwagen, die in Wien unaufhörlich unterwegs zu sein schienen. Die Rosen im Volksgarten, einem schmalen Stück Park zwischen Burgtheater und Hofburg hatten in der Tat geblüht, als solle dieser Spätsommer (der des ungarischen Aufstandes) nie vorübergehen. Jetzt hatte, obwohl ein ähnlich schöner Sommer hinter uns lag, der Vierzeiler einen viel allgemeineren Sinn. Daß die ganze Hockerversteigerung, wie ich tags darauf hörte, in jener Nacht verlacht, verhöhnt wurde, daß man den Filzstiftschreibern vorwarf, sie hätten auf eine üble Weise für sich selbst Propaganda machen wollen, berührte mich nicht.

*5. Dezember*

Der unbedeutende Vorfall, von dem ich heute erfahren habe, ereignete sich nicht in einer gewöhnlichen Unterrichtsstunde, sondern während eines Vortrages, der an einem bestimmten Tage stattfinden sollte, dann aber im letzten Augenblick verlegt werden mußte. Das Plakat, das man in der Vorhalle der Akademie angeschlagen hatte, war mit einem Papierstreifen überklebt worden, es hatten aber diesen Papierstreifen offenbar nicht alle an dem Vortrag Interessierten wahrgenommen. Eine Schülerin war an dem Abend, also zur unrechten Zeit gekommen und hatte sich, erstaunt über die Unpünktlichkeit der übrigen Zuhörer in eine der ersten Stuhlreihen gesetzt. Gekommen war auch der Vortragende selbst und stand nun da vorne, ein älterer Professor, nahm sein Manuskript aus der Mappe und legte es vor sich hin. Wie die Minuten vergingen, machte sich die Schülerin, die erst siebzehn

Jahre alt und eine Anfängerin war, und die den Professor nicht persönlich kannte, mit ihrem Notizblock zu schaffen, sah auch hin und wieder verstohlen auf die Uhr, was auch der Professor tat, mit immer verstörterem Gesicht. Ohne sich anzusehen, horchten die beiden, das junge Mädchen und der alte Mann auf die Schritte, die man schon auf dem Korridor, jedenfalls auf der Treppe hätte vernehmen müssen, die Schritte vieler junger Leute, die sich aus irgendeinem Grund verspätet hatten und sich nun eilten, es waren aber überhaupt keine Schritte, weder rasche noch langsame zu hören. Der Professor stützte den Kopf in die Hände, das Mädchen schrieb schön langsam in sein Heft den Namen des Professors, darunter den Titel seines Vortrages, es waren inzwischen fünfzehn Minuten vergangen. Keine Zuhörer, dachte das Mädchen, und erinnerte sich plötzlich, am Vormittag auf dem Plakat einen Zettel mit einem anderen Datum gesehen, aber nicht eigentlich zur Kenntnis genommen zu haben. Herr Professor, sagte die Schülerin leise und aufgeregt, aber der Lehrer lehnte da noch immer, den Kopf in den Händen vergraben und sah und hörte nichts. Er nahm die Hände erst weg, als das Mädchen dicht vor ihm stand und laut sprach, ich habe es gesehen, aber gleich wieder vergessen, Ihr Vortrag ist verlegt worden, auf den fünfzehnten, glaube ich, ich kann es nicht genau sagen, aber wenn wir jetzt hinuntergehen, werden wir es sehen. Da waren die beiden Gesichter ganz nahe beieinander, das junge, vor Verlegenheit gerötete des Mädchens und das graue faltige des alten Mannes, der die eben gehörten Worte zögernd, fast stotternd wiederholte, der aber danach nicht lachte, nicht einmal lächelte, auch nicht sagte, da haben wir also beide unsere Zeit verloren, oder etwas ähnliches, und, wie dumm. Vielmehr liefen ihm plötzlich Tränen aus den Augen, eine

Menge kleiner trüber Tränen, die er zuerst mit der Hand, dann mit dem Taschentuch abwischen mußte, was dem Mädchen außerordentlich peinlich war, so daß es schon weglaufen wollte, adieu, Herr Professor, und auf und davon. Da es aber nicht auf jedem Gebiet eine Anfängerin war, sich vielmehr vorstellen konnte, was der Lehrer in diesen zwanzig Minuten durchgemacht hatte, zu alt, altes Eisen, und, zu mir kommt keiner mehr, wartete es geduldig, bis der Lehrer mit seinem unterdrückten Schluchzen und Schnauben fertig war, ging auch noch mit ihm die Treppe hinunter, dachte, widerlich, alt zu werden, sagte auch nichts Nettes, hielt nur aus, die Treppe hinunter, die Straße hinunter, bis der Lehrer endlich ruhig geworden war und fast heiter seines Weges ging.

*9. Dezember*

Die Briefe Kafkas an Félice Bauer, die ich sehr aufmerksam, aber doch schon vor mehreren Wochen gelesen habe, gehen mir nicht aus dem Kopf. Ich versuche mir Kafkas Prager Wohnungen vorzustellen, sein Elternhaus, in dem er unter der lauten redelustigen Familie so sehr gelitten hat, dann seine Junggesellenwohnungen, die ihn bis zum Verfolgungswahn bedrückten. Da ich die Stadt Prag nicht kenne, bin ich auf Photographien angewiesen oder, was Kafkas Spaziergänge in die Umgebung anbetrifft, auf meine Phantasie. Moldaubrücken, Geruch der schattenkühlen, winkligen Gassen, Geruch der altmodischen Badeanstalten, Gefühl der schweren Kleidung, der hohen Stehkragen jener Zeit. Mit solchen Versuchen, mir Kafkas tägliches Leben vorzustellen, möchte ich dem näherkommen, der nach einem kurzen Zusammensein mit dem fremden Berliner Fräulein (aber durchaus nicht sofort danach)

diese seltsam glühenden, drängenden und bohrenden
Briefe schrieb, der Félice vielleicht gar nicht liebte, aber
in diesem Augenblick jemanden lieben wollte, lieben
mußte, und jemanden, der ganz anders war als er selbst.
Félice war wie er jüdischer Abstammung, war aber, wie
man später sagte, Reichsdeutsche, dazu Berlinerin, sprach
also anders, reagierte anders, hatte andere Gewohnheiten,
andere Vorlieben, auch in Bezug auf die Literatur. Sie
konnte, was alles nur aus Kafkas Briefen zu erraten ist,
planen, einteilen, ganz bei der Sache sein, wenn sie zu tun
hatte, wie bei der Geschäftsreise nach Frankfurt, schrieb
sie keine Briefe, während Kafkas wütende Schreiblust
sich überall Luft machte, und zu jeder Zeit. Beide stammten
aus bürgerlichen Häusern, aber während Félice immer
bürgerlich dachte, nach Sicherheit strebte, war Kafka ein
Antibürger aus Leidenschaft, aus Freiheitsdrang, aus Not.
Er bekam also genau, was er wollte, ein Gegenbild, das
ihm die andere Hälfte der Welt hätte ins Haus bringen
können, nur daß es eben kein Haus gab, unter dessen
Dach die beiden hätten zusammen wohnen können. Aus
dem ersehnten Gegenbild wurde die Gegnerin, die Feindin
von Kafkas Arbeit, wurde das alles unschuldigerweise,
wollte von dem sonderbaren, Sonderbares hervorbringen-
den Dichter nicht ablassen, als sie endlich (in Marien-
bad) zur vollen Hingabe bereit war, hatte sie schon ver-
spielt. Auch diese Félice natürlich versuchte ich mir vorzustellen, ihr Berliner Elternhaus, ihr Büro in der Parlo-
graphenfirma, ihr unbeschwertes Zusammensein mit nur
unbeschwerten jungen Leuten, aber wenn sie nachhause
kam, lagen da die Briefe, zwei, drei am Tag, diese ewig
bohrenden Fragen, diese seltsamen Mitteilungen, über die
hat im Laufe der Zeit der große lachende Mund das Lachen verlernt. Trotzdem liegt alle Tragik dieser fünf Jahre

währenden, von nur kurzen und meist unerfreulichen Zusammentreffen unterbrochenen Korrespondenz bei Kafka und in Kafka selbst. Dieser Mensch Félice, der sich aus dem »leeren Gesicht« der ersten Begegnung hatte formen sollen, war in Wirklichkeit bereits vorhanden, war Fleisch und Blut, mit dem Kafka am Ende nichts anfangen konnte, der sich eindrängte in sein unerwünschtes und doch unentbehrliches Alleinsein, das der glühende Werber eigentlich schon vom ersten Wiedersehen an auch fürchtete, auch floh. Die Anrede der letzten Briefe, arme Félice, gilt und gilt auch wieder nicht, da Félice sich retten konnte, während Kafka immer wieder und immer auf dieselbe verzweifelte und hoffnungslose Weise lieben mußte, immer auf der Suche nach einer Wirklichkeit, die freilich das eigentliche Anliegen seines Lebens doch nicht war.

ROM 7 NACHTVOGEL                                    *12. Dezember*

Was das ist, denke ich, dieses Geräusch, das sich wiederholt in ungleichen Abständen, ein seltsames Schnarren, metallisch, aber endend in einem fetten Schmatzlaut, was das nur ist. Ich bin allein in der Dachwohnung, die Gasheizung könnte solche Töne von sich geben, ich bin mit ihrem Mechanismus nicht vertraut, es kann etwas mit ihr nicht in Ordnung sein, möglich, daß sie explodiert, und was wäre dann, die Wohnung ein Flammenmeer und ich mitten drin. Die 145 Stufen-Treppe, die wegen Renovierungsarbeiten im Augenblick kein Geländer hat, könnte ich nicht hinunterlaufen, flüchtete aufs Dach, stünde dort oben schreiend, von Rauchwolken umhüllt. Also stehe ich lieber auf, gehe in die Küche, das Geräusch ist dort nicht zu hören, die Gasheizung ist klein gestellt, ein blaues

Licht unter dem Kessel, also alles in Ordnung, zurück ins Bett.

Kaum daß ich mich ausgestreckt und das Licht ausgemacht habe, kommt das Geräusch wieder, hell, bösartig und das fette Schmatzen am Schluß. Merkwürdig, daß man so etwas nicht hingehen lassen kann, vielmehr seinen Ursprung feststellen muß, ehe man das nicht getan hat, findet man keine Ruhe, keinen Schlaf. Von draußen könnte es kommen, ein Vogel, der über die Dächer streicht, so daß ich nun, aber ohne das Licht anzumachen, ans Fenster gehe, von Fenster zu Fenster und hinaushorche, zuerst nach Osten hinüber, zum Dachpavillon der Accademia di Santa Cecilia, wo morgens der Trompetenunterricht gegeben wird. Durch irgendwelche stehengebliebenen Instrumente mag da der Wind streichen, aber nichts, es bleibt alles still. Aus dem Südfenster beuge ich mich hinunter auf die kleine Gasse, Kinder könnten dort mit Ratschen umherlaufen, Kinder mitten in der Nacht, aber warum nicht? Hier bleiben Kinder lange auf, sehen das ganze Fernsehprogramm, sollen vielleicht danach noch an die Luft, und der Weihnachtsmarkt mit all seinen Lärminstrumenten steht vor der Tür. Es sind aber dort unten keine Kinder und wie das Schnarren, weiß Gott aus welcher Richtung wiederkommt, erinnert es auch nicht an das fröhliche Weihnachten der Piazza Navona, sondern an die Ratschen, die in der Kirche verwendet werden, am Gründonnerstag, wenn das Licht hinter den Altar getragen wird, wenn die Glocken schweigen. Die Wohnungstüre öffne ich noch, im Treppenhaus ist es hell, der Aufzug setzt sich in Bewegung, bringt einen Hausbewohner in den dritten oder vierten Stock, hat gesummt wie immer, kein schnarrendes Geräusch hervorgebracht.

In dem kleinen Höfchen vor dem Badezimmer sind Drähte gespannt, an den Drähten ist Wäsche aufgehängt, die reißt der Wind, wenn er weht, an ihren Metallringen von Mauer zu Mauer, oft, aber nicht heute, heute blähen sich die Laken lautlos und sinken lautlos in sich zusammen, und vor dem Nordfenster, in meinem Schlafzimmer, in dem Gewirr von Höfen, Dachterrassen, ist vollends alles still. Also zurück ins Bett und Licht aus, da ist er wieder, der Schnarrvogel, der Totenvogel, läßt mich nicht einschlafen, lange nicht, dann endlich doch. Am Morgen zeigt mir Costanza, deren Heimkommen ich schon nicht mehr wahrgenommen habe, ein Tablett aus Metall, das, gegen den Kühlschrank gelehnt, ab und zu in Schwingungen gerät und dabei eben dieses wunderliche Geräusch hervorbringt. Ich nehme das zur Kenntnis, mit meinem Nachtvogel, meiner Nachtangst hat es nicht zu schaffen, die wird, ich weiß es, wiederkommen, mit einer anderen Stimme, einem andern Gesicht.

ROM 8            *18. Dezember*

Rom, vorweihnachtlich, noch ohne Christbäume auf den Plätzen und Weihnachtsflitter in den Auslagen, dafür mit aufgeputzten Riesenbonbonnieren auf besonderen Tischen in den Caféhäusern, mit Luftballontrauben, groß wie Bäume, und die Dudelsackpfeifer schon unterwegs. Die Straßen in unserer Nähe, in früheren Jahren von Lichterbögen hübsch überwölbt, sind heuer fragwürdig geschmückt mit klobigen Schildern, die in der Höhe der oberen Stockwerke aus den Hauswänden vorspringen und die zwischen enggereihten silbernen Kugeln Heilige und Dudelsackpfeifer in gotischen Rahmen zeigen. Die Lichtgebilde auf dem Spanischen Platz sind bei Tage absurd, rote Kerzen, die mit der Flamme, dem elektrischen Birnchen nach unten zeigen, bei Nacht sieht man davon nichts, ein Platz voller Kronleuchter, ein Festsaal, ein Ballsaal, der auch die doppelt geschwungene Treppe in sich begreift. Am Tage liegen auf der Treppe die um diese Jahreszeit südwärts ziehenden Gammler mit ihren goldenen Halskettchen, ihren fellgefütterten Jacken und ihren Jesuslocken, schlafen dort in der Sonne, nur zuweilen gestört von Hunden, die ineinander verbissen, von ihren Herren geschlagen und zurückgerissen werden und die Aufbauten der Blumenhändler ins Wanken bringen. Einmal waren wir zur abendlichen Eröffnung eines neuen eigentlich nur an einem neuen Orte angesiedelten Ristorante eingeladen, da lief alles, die Familie, die Kellner, die Stammgäste mit hellen Freudenschreien, Umarmungen und Küssen durcheinander, in einer Höhle hatte man vorher gegessen, in einem schwarzen Loch war gekocht worden, jetzt war die Küche groß mit blitzendem, gläsern überdachtem Herd, die Eßstuben lagen in bläulichem Neonlicht, abstrakte Bilder hingen an der Wand. Che gioia, che bellezza, auguri, auguri. Nur daß es dann am nächsten Tag fast unmöglich war, etwas zu essen zu bekommen, die Mutter, die Großmutter hatten rote Köpfe, das Gemüse, sonst so handlich in eine Lade gepfercht, war nirgends zu finden, man verstand sich nicht auf die neuen elektrischen Geräte und von Geisterhand geschrieben erschienen bereits die Schuldenzahlen an der frischgetünchten Wand. Einmal fuhr der Papst durch die vornehm ungeschmückte Via Condotti, erste Ausfahrt nach langer Krankheit, gab seinen Segen der Statue der Immaculata, gab ihn auch den Römern, die hinter Holzbarrieren auf den Trottoirs standen, ragte mit halbem Leib aus dem zurückgeschobenen Wagendach, wirkte wie eine große Puppe, die leise schwankend durch die Straßen gefahren wurde und die in rotem Mantel und rotem Hut, den Fischerring über den

Handschuh gestreift, sanfte und mechanische Bewegungen ausführte. Das die Menschenreihe entlanglaufende Klatschen tönte träge, nichts von Begeisterungsschreien, wie sie Johannes XXIII. noch entgegengeklungen waren. In dem hatte man freilich kein Götzenbild, sondern einen als Papst verkleideten Menschen verehrt.

Rom 9                                           *20. Dezember*
Der Engel ist aus Pappe, etwa fünfzehn Zentimeter hoch, durch eine in seinem Rücken befindliche flache Pappstütze aufstellbar. Da steht er auf dem Refektoriumstisch, hat große silberne Flügel, gelbe Haare fallen ihm auf die Schultern, er hält ein Buch in den Händen, hat ein angestrengt süßes, rosiges Gesicht. An seine flache Brust, sein blau glitzerndes Gewand greift man, öffnet mit dem Fingernagel eines der überall verstreuten Fensterchen, jeden Tag eines, da zeigt sich Kindliches, ein Trompetchen, ein Röschen, ein Püppchen, ein Schächtelchen, alles von der römischen Mittagssonne durchglüht. Dreiundzwanzig Adventstage und Weihnachten, aber es könnte auch anders sein, ein ganzes Jahr, das neue Jahr und hinter jedem Fensterchen das, was einen da erwartet, oder wenigstens ein Fenster für jeden Monat, und zitternd öffnet man die kleinen Läden. So wie es auch sein könnte, daß ich die Agenda, die ich heute gekauft habe, nicht so fände, wie sie jetzt vor mir liegt, mit lauter weißen Seiten unter den Namen der Heiligen, vielmehr gefüllt mit Eintragungen meiner eigenen Hand. Mein Jahr, mein vorbestimmtes, und wer schreckte da nicht zurück? So als erwartete sich jeder, auch der keineswegs schwarzseherische Sterbliche nichts als Übel in den Fensterchen, zum Beispiel magere Kühe, schwarze Raben, bluttriefende Messer, das alte

kleine Skelett. Lieber auf Vorfreuden verzichten als unerfreuliche Möglichkeiten ins Auge fassen, so daß auch ich es dabei lasse, bei den Röschen, Bärchen, Schächtelchen, und die Seiten der Agenda, noch ehe ich versucht habe, meine unleserliche Schrift zu entziffern, alle wieder weiß. San Luciano martire, Santa Romana Regina, San Tomaso d'Aquino, Santa Rosalia Vergine, San Matteo apostolo und der König David, die alten Fürbitter in einem Kalender des Atomzeitalters, und auf den Kolonnaden von Sankt Peter noch immer die tanzenden Heiligen, die der Angst, dem Unglauben, dem Aberglauben der heutigen Menschen ihre naive und unbeirrbare Heiterkeit entgegenstellen.

21. Dezember

Ein Mensch von etwa vierzig Jahren, ein Angestellter, der den ganzen Tag im Büro sitzt und der am Abend, mit derselben Pünktlichkeit, für die er an seinem Arbeitsplatz bekannt ist, eine Malklasse besucht. Ein Mann, der eine Freundin hat, die er aber nicht heiraten will, warum nicht, weil sie um seinetwegen ihrem früheren Bräutigam kurz vor der Hochzeit weggelaufen ist, was auch nun ihm geschehen könnte, daß sie ihm wegliefe kurz vor der Hochzeit, wovor er sich über alle Maßen fürchten muß. Ein Mensch, der sich etwas ausgedacht hat im Laufe der Jahre, ein kleines Hirn- und Seelengespinst; eine ganz private Mystik, von der er nicht viel hermacht, sie auch kaum jemals äußert, kaum je, aber dann doch einmal, in einem Kreis von Bekannten und Unbekannten, und die Bekannten hören höflich zu, aber die Unbekannten, zwei junge Männer in seinem Alter, fangen an, ihm sein Gespinst zu zerrupfen und zu zerreißen, sehen, da er ein großer kräftiger Mann ist, nicht ein, warum sie ihn schonen sollen. Er verteidigt sich, aber mit schwachen Kräften gegen diese Intellektuellen und Atheisten, denen er nicht gewachsen ist, die gar nicht bemerken, daß seine Stimme anfängt zu zittern, weil ihm jetzt was genommen wird, mit dem er sein Leben bestritten und das ihn vor der Angst vor dem Tode gerettet hat. In der Dialektik ist er nicht geübt, kann nur immer wieder dasselbe sagen, was seine Widersacher dazu reizt, ihm klarzumachen, daß an dem, was er sagt, nichts daran ist, nichts als eine Feigheit den Dingen, der Wahrheit, der Jetztzeit ins Auge zu sehen. Und vielleicht ist er, was ja schon die Sache mit seiner Freundin beweist, wirklich feige, und muß deswegen unter den selbstgeschneiderten Schutzmantel kriechen. Was sie ihm da antun, verstehen die jungen Leute nicht, sehen auch nicht ein, daß sie sich damit nicht allzuviel Ruhm erwerben, weil die Gedanken eines Träumers allemal zerbrechlicher sind als jede überkommene Religion. Endlich bemerken sie auch nicht, daß, als die Hausfrau aus lauter Erbarmen dem Gespräch ziemlich unvermittelt ein Ende macht, ihm, dem braven Angestellten, dem Sonntagsmaler, dem Heiratsunlustigen die Augen voll dicker Tränen stehen, die nicht über seine Wangen hinablaufen, aber da noch stehen, als er sich mitsamt seiner Freundin schon verabschiedet hat, und die kleine helle Kabine des Aufzugs betritt.

SCHÜSSE                                    *26. Dezember*

Erinnerung an Schrecksekunden, wahrhaft panische, in der Mittagsstunde eines heißen Septembertages, an einem südlichen, von grauen Kieseln bedeckten Strand. Der Strand lag nahe einer Höhle, in der die Fischer ihre Boote bargen, nicht weit von Amalfi, hundertachtundvierzig oder hundertachtundfünfzig Stufen unter der Serpentinenstraße, und wir, mein Mann und ich, pflegten unsere Ferienvormittage dort zu verbringen. Der Strand war durch einen Felsen zweigeteilt, in der Felsspalte zogen wir uns aus und wieder an, zwischen dem Ausziehen und Anziehen lag der lange Vormittag, das ferne Vorüberziehen eines bestimmten Küstendampfers zeigte sein Ende an. Im Rücken des Strandes stieg eine Schlucht den Hang hinauf, voll von grünem Wildwuchs, Wolfsmilch und Aronstab, Cistrosen, Akazien und Kaktusfeigen, aber unerklimmbar steil, nur an ihrem unteren Rande saßen wir manchmal um dem Steinernen, Salzigen zu entfliehen und von dem nahen Aufprall der Wellen auszuruhen. Wenn man den Kopf in den Nacken legte, sah man dort hoch oben unter einem kobaltblauen Himmel die Fahrzeuge, die sich auf der Straße bewegten, sah auch wie über die niedere Mauer hinweg Menschen auf das Meer hinunterblickten. Die in steilem Zickzack ansteigende, für die Fischer bestimmte Treppe befand sich, von unten gesehen, viel weiter links, sie begann in der Höhle, bei den Booten, deren dicke Kiele wir im Vorübergehen mit den Händen berührten. Wenn wir nicht schwammen oder uns in der Sonne trocknen ließen, spielten wir mit den grauen Steinen, bauten aus ihnen Türme, die wir mit anderen Steinen dann einzuwerfen versuchten. Da die Fischer zu dieser Tageszeit weder ausfahren noch heimkehren und den anderen Feriengästen der Weg zu weit, die Treppe zu steil und der Ort zu unwirtlich sein mochte, waren wir dort unten immer allein, waren es auch an dem Tag, von dem ich erzählen will, die längste Zeit. Es war schon gegen Mittag, und wir saßen am Rande der Schlucht, müßig, nur unsere Hände glitten durch das Blattgewirr und den Eidechsen folgten wir mit dem Blick. Den

Mann, der barfuß oder auf Bastsohlen die Treppe herun-
tergesprungen sein mußte, sahen wir nicht und konnten
ihn auch, weil er von dem großen Felsen verdeckt war,
gar nicht sehen. Wir hörten nur plötzlich Schüsse, ganz nah
und rasch hintereinander und ihren Widerhall in der Höhle, auch das Geräusch von splitterndem Gestein. Ein Jäger,
ein Vogeljäger konnte der Schütze nicht sein, da es hier
unten keine Vögel gab, also jemand, der uns von der Straße
aus beobachtet hatte und uns erschrecken wollte, aber vielleicht auch ein Wahnsinniger, der zuerst die Felsen zum
Ziel nahm, dann die Wellenkämme, dann uns. Wir sahen
ihn jetzt, den Revolver in der Hand, aus der Felsspalte
treten, wobei er noch immer bald auf die steilen Wände
bald ins Wasser, aber nun auch schon in unsere Richtung
schoß. Langsam, langsam, um seinen Blick nicht auf uns zu
lenken, hatten wir uns zurückgleiten lassen, lagen da von
Lianen umschlungen wie zusammengebundene Opfertiere,
gewärtig eines brutalen und sinnlosen Todes. Aber dann
stellte sich heraus, daß der aus dem Nichts aufgetauchte
Schütze doch kein Verrückter war, auch kein Amokläufer
und unser Mörder nicht. Denn als er sein Magazin leerge-
schossen hatte und an uns vorbeilief und wir uns aufrichteten, starrte er uns tödlich erschrocken an. Da waren *wir*
die Mittagsgespenster, vor denen er dann fortlief auf den
Felsspalt, auf die Höhle zu. Und als wir ihm nachgingen,
hörten wir noch lange auf der Treppe seinen gehetzten
Schritt.


ROM 10                                          *31. Dezember*
Weil in dieser wie in jeder römischen Silvesternacht zwischen zwölf und ein Uhr Glas und Porzellan, manchmal
auch ausgediente Möbel auf die Straße geworfen werden,

will keiner sein Auto benützen. Die Stadt ist voller Fußgänger, die sich dann auch gelegentlich noch ducken, in
Hauseingänge flüchten müssen. Ich bin weder den Fuß-
märschen noch dem Versteckspiel gewachsen, bin darum
allein zuhause geblieben, sehe vom Fenster aus das schönste Feuerwerk, Raketen, die von den Dachterrassen aufsteigen, zischen, knattern, sich hoch oben entfalten und als
Blumenregen, Sternregen niedersinken, jetzt rechts, jetzt
links, jetzt weit hinten am Horizont. Das vielfache Glok-
kengeläut, das ich aus früheren Jahren in Erinnerung hatte, bleibt aus, und ich mache das Licht wieder an. Auf dem
Frattino, dem alten Mönchstisch, liegen die drei prall gefüllten Ringhefte, das Tagebuch des eben vergangenen wie
des letzten Jahres, in dem ich jetzt blättere, das ich ab-
schließen will. Welche Ängste, welche Beunruhigungen und
Hirngespinste, meine Frankfurter Wohnung, meine Stadt-
gegend betreffend, ein Festhaltenwollen zuerst, dann Auf-
bruchstimmung, nirgends mehr und überall zuhause sein.
Dann das Unpersönliche, auch schwarzseherisch, auch traurig, einzelne Schicksale und die allgemeine Bedrohung,
Grausamkeit und Unfrieden in aller Welt. Das eigene Altwerden, Lahmwerden als Ursache solcher Verzerrung, über
die ich heute, in der Silvesternacht, den Kopf schüttle, auf
die ich auch nicht mehr zurückkommen will. Ich habe heute den Brief geschrieben, mich zu einer Operation ange-
meldet, bald verlasse ich die schöne Dachwohnung, weiß
nicht, ob ich nach Rom, ob ich nach Frankfurt zurückkehren werde, bin aber nicht im geringsten ängstlich, sondern
erwartungsvoll, fast freudig gestimmt. Ein Abenteuer,
Abenteuer des Alters, vor dem die eingebildeten Ängste
wie ein Rauch zergehen. Das Niemandsland der Narkose
zieht mich an, auch die Morphiumträume der ersten Tage
nach dem Eingriff, zu dem ich fahren werde wie zu einem

Maskenball, mit allem doch auch für mich vorhandenen leichten bunten Flitter geschmückt. Meine Radikalität kommt mir zu Hilfe, lieber ein Ende mit Schrecken, und schon sehe ich mich leichtfüßig die alten Wege gehen, entlang die Mainufer, treppauf den Palatin, waldhindurch zum Hohen Bannstein, der zu meiner oberrheinischen Heimat gehört.

# Literatur der Moderne
## im insel taschenbuch

155/1/8.91

## Literatur der Moderne
## im insel taschenbuch

155/4/8.91

## Literatur der Moderne
## im insel taschenbuch

# Klassische deutsche Literatur
## im insel taschenbuch

161/1/8.91

# Klassische deutsche Literatur
## im insel taschenbuch

# Klassische deutsche Literatur
## im insel taschenbuch

# Klassische deutsche Literatur
## im insel taschenbuch

161/5/8.91

# Klassische deutsche Literatur
## im insel taschenbuch

161/6/8.91

# Klassische deutsche Literatur
## im insel taschenbuch